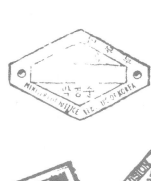

D0581077

- 4 OCT
DEPARTED
(1095)
HONG KONG

DEPARTMENT OF IMMIGRATION
PERMITTED TO ENTER
AUSTRALIA.
on 24 APR 1986
For stay of 12 Month
SYDNEY AIRPORT 54

IMMIGRATION DIVISION BANGKOK THAILAND
A
72
DEPARTED
- 9 FEB 1987
SIGNED

IMMIGRATION ETHNIC AFFAIRS
.........Person
30 OCT 1989
DEPARTED
AUSTRALIA
SYDNEY 32

中华人民共和国
★ 中华人民共和国 ★
广东省公安厅

上陸許可
ADMITTED
15. FEB. 1986
Status: 4-1- 4
Duration: 90 days
NARITA(N)
Immigration Inspector

ADMITTED
20 OCT. 1988
Status: 4-1-16
Duration 180 day
Port: HANEDA
Signature
日本国
USED
Narita Air Port

# INSIDER'S
# FLORIDE
# GUIDE

U.S. IMMIGRATION
160-LOS C-4125

MAY 23 1999

ADMITTED_____
UNTIL              (CLASS)

HONG KONG
(1038)
- 7 JUN 1987
IMMIGRATION
OFFICER

**Les Insider's Guides 1999–2000**
ARGENTINE • AUSTRALIE • BALI • CALIFORNIE•CANADA • CANADA-EST •
CANADA-OUEST • CHINE • COSTA-RICA • CUBA • ÉQUATEUR • ESPAGNE •FLORIDE •
FRANCE MÉDITERRANÉENNE • HAWAII • HONG-KONG • INDE • INDONÉSIE • JAPON •
KENYA • MALAISIE ET SINGAPOUR • MEXIQUE • NÉPAL • NOUVELLE-ANGLETERRE •
NOUVELLE-ZÉLANDE • PÉROU • PHILIPPINES • PORTUGAL • RUSSIE • THAÏLANDE •
TURQUIE • VÉNÉZUELA • VIÊT-NAM, LAOS ET CAMBODGE

**Insider's Guide FLORIDE**
Tous droits réservés
1ère édition française publiée en 1992
2ème édition remaniée 1996
3ème édition 2000
Nouvelle édition 1999
Par Kümmerly+Frey, Éditions géographiques, Suisse
Distribué en France par Blay-Foldex

**ISBN : 3-259-06246-7**

Traduction française © 1991, 1996, 2000 Kümmerly+Frey AG
Édition originale © 1991, 1995, 2000 Kümmerly+Frey AG

Créé, édité et produit par Allan Amsel Publishing
53, rue Beaudouin 27700 Les Andelys, France
E-mail : Allan.Amsel@wanadoo.fr
Directeur de la publication : Allan Amsel
Édition française : Samantha Wauchope
Traduction française : Patricia Mathieu
Concept originale : Hon Bing-wah
Maquettiste : Roberto C. Rossi

Imprimé par Samhwa Printing Co. Ltd., Séoul, Corée du Sud

# INSIDER'S
# FLORIDE
# GUIDE

Par Donald Carroll
Photographies de Nik Wheeler

Kümmerly+Frey

# Sommaire

Des lieux et des centres d'intérêt, avec la
liste des hôtels et restaurants, les adresses
et numéros de téléphone utiles.

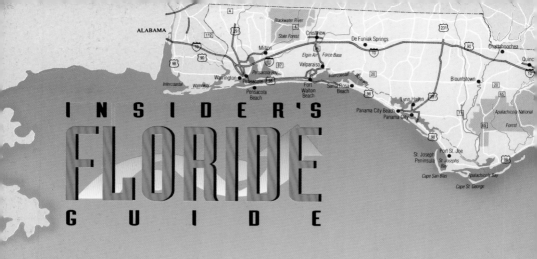

# INSIDER'S
# FLORIDE
# GUIDE

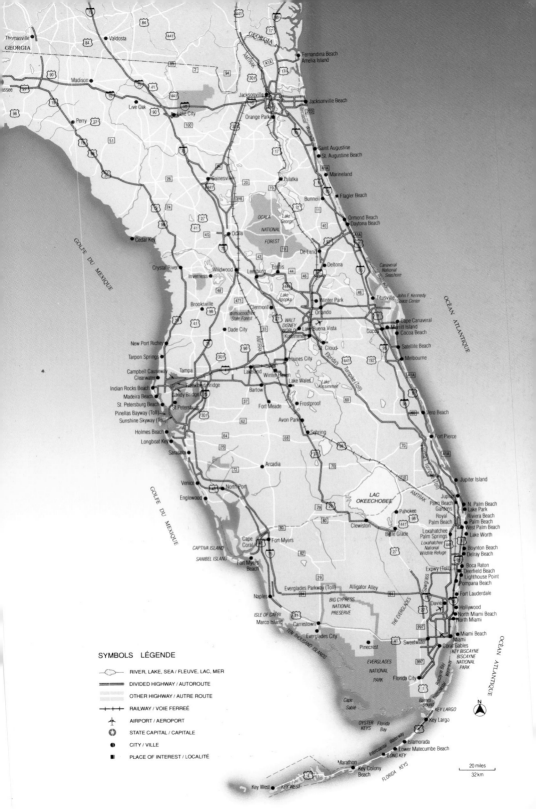

# COUPS DE CŒUR

## St. Augustine

*ST. AUGUSTINE, LA PLUS ANCIENNE VILLE D'AMÉRIQUE, EST UN CONDENSÉ TEMPOREL QUI ENGLOBE PRÈS DE 500 ANS D'HISTOIRE* et offre un agréable répit au tumulte des parcs à thème et des attractions modernes qui se multiplient dans le reste de l'État.

Fondée par les Espagnols en 1565 – soit 42 ans avant que les Anglais colonisent Jamestown, en Virginie, – St. Augustine est un musée vivant comprenant 144 pâtés de maisons classés monuments historiques.

Même en un seul jour ou un week end, vous en apprendrez sur la colonisation, les guerres et l'influence d'homme comme Henry M. Flager, qui bâtît un empire basé sur le chemin de fer et l'hôtellerie. Ponde De Leon cherchât dans cette zone l'eau d'un fontaine de jouvence, et vous pouvez vous même visiter le parc des fontines de jouvence (**Fountain of Youth Archeological Park**) pour y trouver votre propre immortalité. Mais le temps passé dans cette charmante communauté en bord de mer peut aussi devenir un moment de détente au parfum romantique, un moment d'éternité.

Des calèches parcourent les étroites rues pavées, les toits de tuiles rouges surplombent des cours intérieures, et la musique des guitares s'échappe d'édifices historiques faits de coquillages broyés et de coraux, un matière appelée là bas Coquina. Vous pourrez flâner dans les ruelles du quartier espagnol, avec leurs balcons et leurs jardins clos à l'ambiance intime, vous promener sur les quais, bordés de vieux arbres décharnés couverts d'un feston de mousse, ou simplement paresser toute la journée sur des kilomètres de plages de sable blanc.

Des guides enthousiastes, et très précis, conduisent les visiteurs à travers les siècles à bord de calèches, de trolleys, de vedettes de croisière ou à pied. Le **Ghostly Walking Tours** ( (904) 461-1009 NUMERO°VERT (888) 461-1009 est l'un des tours les plus originaux conduit par un guide en costume d'époque qui conte légendes et histoires du passé en vous présentant la ville.

Allez découvrir le **Castillo de San Marcos** ( (904) 829-6506, le plus ancien fort de pierre du pays, construit en 1695, et

Les superbes édifices de St. Augustine racontent cinq siècles d'histoire. CI-CONTRE : Les habitants de la région pensent que ce lieu serait le site de la légendaire fontaine de jouvence que cherchait Ponce de León.

**Fort Matanzas**, érigé un demi-siècle plus tard, et uniquement accessible par bateau.

La ville abrite la **plus ancienne école en bois**, la **plus ancienne boutique** et la **plus ancienne maison** du pays (XVIII<sup>e</sup> siècle) ainsi que d'autres chefs-d'œuvre d'architecture comme le luxueux **Ponce de León Hotel** construit par Henry Flagler au XIX<sup>e</sup> siècle, et qui abrite aujourd'hui une université, l'église **Memorial Presbyterian Church**, de style Renaissance vénitienne, et le **Bridge of Lions** en marbre de Carrare.

Le **musée Lightner** présente l'une des plus belles collections mondiales de verre taillé, et vous pourrez également visiter le **Lighthouse Tower and Museum** aux couleurs de sucre d'orge, le **Spanish Quarter Museum** et tout près, **Fort Mose**, fondé pour accueillir les esclaves libérés et a première communauté noire d'Amérique du Nord.

Lorsque vous serez rassasié d'histoire, allez découvrir la première **ferme aux Alligators** du pays, créée en 1893 ( (904) 824-3337, ou profitez des 38 km de plages intactes de l'île d'Anastasia, toute proche.

# Les Everglades

*LE PARC NATIONAL DES EVERGLADES EST LA PLUS VASTE RÉSERVE NATURELLE SUBTROPICALE* d'Amérique du Nord. Il couvre plus de 600 000 ha et abrite des centaines d'espèces de plantes, d'animaux et d'oiseaux en voie de disparition.

Les Everglades sont en réalité une vaste rivière au courant très lent qui atteint par endroits 80 km de large, et qui n'est parfois profonde que de quelques dizaines de centimètres. Elle est alimentée par le lac Okeechobee au nord. Plus de la moitié du parc est couvert d'eaux peu profondes, mais il est déconseillé d'y tremper les pieds, car elles sont infestées de serpents venimeux et abritent des dizaines de milliers d'alligators, dont certains dépassent six mètres de long.

La végétation locale ressemble beaucoup à celles de Cuba et des Antilles ;

outre plusieurs variétés de palmiers et de plantes tropicales et subtropicales, on dénombre dans le parc près de 300 espèces d'oiseaux et 600 espèces de poissons. C'est l'un des rares endroits où le paisible lamantin, ou vache de mer, bénéficie d'un refuge permanent, et vous y apercevrez également des alligators, des tortues, des serpents et, parfois, des marsouins.

Sur la côte Ouest, **Everglades City** est l'une des entrées les plus fréquentées du parc, et offre un grand choix d'excursions en bateau, depuis les vedettes tranquilles à fond de verre jusqu'aux hydroglisseurs qui survolent littéralement la surface de l'eau. Des visites guidées partent également du poste des gardes, à un 1,5 km au sud d'Everglades City.

Du haut de ses 180 marches, la **tour d'observation E. J. Hamilton**, sur la route 29, offre des panoramas spectaculaires sur les Everglades et les Ten Thousand Islands, tandis que la **Tamiami Trail** (route 41) traverse pratiquement la Floride d'une côte à l'autre au nord du parc, offrant un certain nombre de points d'accès.

Le parc est ouvert toute l'année et offre non seulement des excursions en bateau, mais aussi quatre itinéraires balisés pour les canoës. Avant de partir seul, faites part de vos intentions aux gardes, et contactez-les de nouveau à votre retour. Plusieurs routes panoramiques bien signalées et des excursions en tramway partent de l'entrée de **Shark Valley**. Les plus beaux chemins sont ceux de **Shark Valley**, que l'on peut emprunter à bicyclette, et l'Anhinga Trail qui débute au **centre d'accueil de Royal Palm**.

Les attractions sont nombreuses dans les Everglades : prenez votre temps – et n'oubliez pas une lotion antimoustiques.

# Ybor City

*CE QUARTIER CUBAIN TRÈS ANIMÉ DE TAMPA* est réputé pour la fabrication des cigares et peuplé de nombreux artisans qui travaillent dans leurs maisons encombrées ou dans de petites usines qui n'ont guère changé au fil des décennies. On y trouve encore des rues pavées, des balcons de fer

Un anhinga, ou oiseau-serpent, se sèche les ailes.

248-1531, 2512 North 15th Street, si vous le demandez à l'avance, vous aurez droit à une visite guidée de l'établissement. On trouve un certain nombre de boutiques intéressantes et de centres d'artisanat le long de 15th Street, notamment un atelier de verrerie et le **Ritz Theater** qui abrite aujourd'hui une boite de nuit populaire, pas très loin d'El Encanto Cleaners, un teinturier implanté à Ybor City depuis trois générations.

## Tarpon Springs

*TARPON SPRINGS EST À LA FOIS LA «CAPITALE MONDIALE DE L'ÉPONGE»* et la «petite Grèce» de Floride. L'influence grecque y est très présente, car la ville fut en partie fondée par des pêcheurs d'éponges grecs en 1876. Sa prospérité s'affirma dès les années 1890, et l'ambiance de son port pittoresque demeure très méditerranéenne. Les bateaux de pêcheurs d'éponges sont ancrés le long du quai et, de l'autre côté de la rue, on trouve des boutiques vendant une multitude d'éponges, mais aussi des boulangeries et des restaurants grecs, sans oublier une imposante église orthodoxe.

La plupart des visiteurs pensent que la ville se trouve sur la côte, alors qu'elle est à quelque distance dans les terres, sur les berges de la rivière Anclote. L'un des points d'orgue de votre séjour sera une excursion en bateau sur la rivière, qui vous permettra d'admirer de luxueuses villas les pieds dans l'eau, ainsi que les nombreuses îles et plages isolées en retrait du littoral. Vous pourrez également embarquer sur un bateau de pêcheurs d'éponges et observer les plongeurs en action, vêtus du traditionnel scaphandre de caoutchouc, de bottes plombées et d'un casque vissé dont le tuyau est relié à une pompe à air installée à bord.

Visitez **l'église orthodoxe grecque Saint-Nicholas**, construite en 1943, réplique de la fameuse église Sainte-Sophie de Constantinople et parfait exemple l'architecture néo-byzantine. Le **Konger Coral Sea Aquarium** abrite un récif corallien artificiel de 380 000 litres qui

forgé ouvragés et de nombreux toits aux tuiles espagnoles. Lorsqu'ils immigrèrent par milliers au milieu du XIXe siècle, les Cubains importèrent également un savoir-faire ; Ybor City ne tarda pas à accueillir bien d'autres groupes d'immigrants, notamment des Allemands, des Juifs et des Italiens.

L'histoire de la ville, aujourd'hui intégrée à l'agglomération de Tampa, est racontée au **Ybor City State Museum**, qui constitue une première étape utile, où vous pourrez vous procurer une carte et l'itinéraire de votre visite du quartier. Aménagé dans une ancienne boulangerie, à l'angle de 9th Avenue et de 19th Street, le musée rend hommage au fondateur de la ville, Don Vicente Martinez Ybor. Son village attira des milliers d'immigrants aux qualités multiples, et Ybor City devint bientôt la capitale mondiale du cigare. Tout près du musée, vous pourrez visiter **La Casita House Museum**, la maison restaurée d'un ouvrier fabricant de cigares.

La première usine de cigares s'installa à Ybor Square ( (813) 247-4497, 1901 North 13th Street, à l'angle de 8th Avenue et de 13th Street, où l'on trouve aujourd'hui un centre commercial qui vend surtout des antiquités et des souvenirs. Bon nombre des restaurants reflètent les traditions culinaires des premiers colons. Le **Don Quixote restaurant** sert une cuisine cubaine authentique. Goûtez le pain frais cubain de **La Segunda Central Bakery** ( (813)

pullule de créatures marines, ainsi qu'un bassin de marées et le **Spongeorama Exhibit Center**, qui retrace l'histoire de la pêche aux éponges.

Enfin, évadez-vous vers les **Anclote Keys**, des petites îles situées à 5 km au large de Tarpon Springs, et uniquement accessibles par bateau. Vous pourrez vous y faire déposer le matin, passer la journée à nager et à bronzer, et reprendre un bateau à temps pour rentrer dîner.

## Les plages secrètes de Floride

*SI LA FLORIDE POSSÈDE BON NOMBRE DES PLUS BELLES PLAGES AMÉRICAINES,* celles du Nord-Ouest demeurent l'un de ses secrets les mieux gardés.

Ces 160 km de côtes séparant Pensacola, près de la frontière de l'Alabama, de Panama City à l'est, offrent une succession de plages spectaculaires au sable d'un blanc éclatant.

Les plages intactes de **Pensacola** s'étirent sur 40 km, et comprennent deux récifs coralliens étroits qui font partie de la Gulf Islands National Seashore. Pensacola Beach est en grande partie protégée de

tout aménagement, tandis que Perdido Key est parsemée d'immeubles résidentiels, de villas de vacances et de boîtes de nuit.

La région de **Navarre**, **Fort Walton** et **Destin** compte 38 km de plages qui constituent la **Emerald Coast** (côte d'Émeraude) ainsi nommée en raison de ses eaux d'un vert scintillant. Navarre était un village de pêcheurs assoupi jusqu'à ce que des visiteurs découvrent ses plages ; il connaît aujourd'hui l'un des développements les plus rapides de la région. Le rythme de vie y demeure cependant paisible, et les plages sont encore intactes. Les deux petites villes de Fort Walton et Destin sont renommées pour leur accueil chaleureux et leurs excellents restaurants de poisson. Les deux tiers de leurs plages sont surveillées, et leurs eaux sûres sont idéales pour les vacances en famille. On peut y pratiquer de multiples sports nautiques et terrestres, mais les principales activités restent la baignade, le bronzage et la collecte de coquillages.

CI-CONTRE : Le 6 janvier, des jeunes Grecs plongent pour récupérer une croix blanche, marquant ainsi le début de l'Épiphanie orthodoxe grecque. CI-DESSUS : Coucher de soleil le long d'une plage de la côte Ouest.

**South Walton** possède 42 km de plages paisibles, et Grayton Beach a même été élue meilleure plage des États-Unis continentaux par un récent sondage. Cette région est bordée par 18 petits villages balnéaires, sans le moindre fast-food, parc d'attractions ni grand hôtel, mais elle est très appréciée des familles qui souhaitent simplement profiter de ses kilomètres de dunes imposantes et de ses eaux chaudes et limpides.

La plage de **Panama City** est la dernière et la plus longue étendue de sable du Nord-Ouest, puisqu'elle s'étire sur plus de 43 km. Elle est classée troisième plage sportive des États-Unis et réputée pour sa pêche – c'est pourquoi elle se prétend la capitale mondiale des fruits de mer. Si les plages attirent les visiteurs dans la journée, les animations et les activités sont assez nombreuses pour les occuper après la tombée de la nuit.

# Key West

*KEY WEST EST LA VILLE LA PLUS MÉRIDIONALE DES ÉTATS-UNIS CONTINENTAUX.* Son ambiance particulière tient en partie au fait que La Havane n'est qu'à 145 km – plus proche que Miami – ce qui lui confère une forte influence caraïbe. Son relatif isolement attire depuis toujours les originaux et les excentriques.

Au fil des années, elle a accueilli des conquistadors espagnols, des pirates, des marins de Nouvelle-Angleterre et des têtes couronnées européennes. Aujourd'hui, la ville abrite une importante communauté homosexuelle, beaucoup d'artistes et d'écrivains, et elle attire chaque année environ 1,5 million de visiteurs.

Key West est surtout célèbre pour avoir été la patrie de l'écrivain Ernest Hemingway ; il doit flotter dans l'air un élément particulier qui incite les auteurs à produire des chefs-d'œuvre. Dix prix Pulitzer ont été décernés à des écrivains vivant à Key West, et plus de 100 auteurs publiés résident plus ou moins régulièrement dans l'île. La région reste chère au cœur des écrivains, artistes et célébrités, et les vacanciers se plaisent toujours à tenter de reconnaître des célébrités.

L'architecture éclectique n'est que l'un des nombreux attraits de Key West. Bon nombre de ses bâtiments en bois sont construits selon le style appelé Conch, ou bahamian. La ville adopta les décorations indiennes dites «en pain d'épices» dans les années 1850, et il devint alors très à la mode d'ajouter des moulures ouvragées sur les balcons, sous les porches et sur les pignons. Les balustrades en fer forgé étaient également très populaires, et elles confèrent à la ville un charme particulier.

Vous pourrez visiter la **maison et les jardins Audubon** datant de 1812, superbement restaurés ; la **Curry Mansion**, une demeure victorienne regorgeant d'antiquités, de verreries rares de chez Tiffany et autres meubles ; la **Old Customs House** (ancienne maison des Douanes) qui abrite aujourd'hui le Museum of History and the Arts ; le **Wrecker's Museum/The Oldest House** (la plus vieille maison) et la **maison et le musée Ernest Hemingway**. Lorsque Hemingway et son épouse s'installèrent ici, ils construisirent la première piscine de la ville dans le vaste jardin, peuplé de paons et de nombreux chats.

Enfin, votre visite ne serait pas complète si vous n'alliez admirer le coucher du soleil au **Mallory Market**, sur les quais. Le marché s'anime à la tombée de la nuit, avec des artistes de rue, des musiciens et des jongleurs qui arrivent en force pour distraire les centaines, voire les milliers de personnes qui se rassemblent pour ce rituel quotidien.

# Miami

*L'AGGLOMÉRATION DE MIAMI EST DEVENUE LA DESTINATION TOURISTIQUE PAR EXCELLENCE,* avec ses kilomètres de plages de sable blanc, ses palmiers et sa végétation tropicale luxuriante, ses immenses hôtels, mais aussi ses charmantes auberges au cadre intime, ses restaurants et ses boîtes

Une palissade incrustée de bouteilles, l'une des nombreuses excentricités de Key West.

de nuit, ses élégantes boutiques, ses édifices historiques et ses demeures Art Déco, ses musées et ses galeries, plus de 800 parcs et réserves naturelles, et de multiples activités sportives.

La région accueille de très nombreuses célébrités, depuis les stars de cinéma jusqu'aux champions sportifs ; c'est la cour de récréation des nantis, et sa nature cosmopolite qui attire des visiteurs du monde entier, a été renforcée par l'afflux de nombreux Hispaniques, dont un bon nombre de réfugiés cubains, ce qui explique que la plupart des panneaux de signalisation portent des inscriptions en anglais et en espagnol.

L'arrivée des Cubains, en particulier, a eu un impact considérable sur la culture, les traditions et la cuisine de la région. Mais au cours des dix dernières années, Miami est devenue une véritable mosaïque d'accents étrangers, de musiques, de nourriture et de cultures. Les plus de 30 villes et quartiers répartis sur les 5000 kilomètres carrés qui constituent l'agglomération de Miami sont un mélange de communautés éclectiques, vivant chacune leur propre version du rêve américain.

Dans les rues de **Little Havana**, au cœur de la communauté cubaine de Miami, vous pouvez consommer sans modération le très musclé café Cubano ainsi que d'autres spécialités cubaines, telles que les fritures de coquillages, les haricots noirs et le riz. La musique semble sortir de chaque porte ou fenêtre-clochettes et castagnettes, salsa et compas, ou encore gigue et rumba. Les hommes se rassemblent à Domino Park ou l'on peut aussi jouer aux échecs et discuter de la politique locale ou des affaires étrangères, avec comme sujet de prédilection la chute du leader cubain Fidel Castro. Southwest Eighth Street, la rue principale du quartier, est le théâtre du célèbre Calle Ocho, l'une des plus grande fête de rue aux États Unis. Au mois de mars, ce festival au cour duquel de se produisent gratuitement les meilleurs artistes latino du moment, sa musique et ses couples qui dansent vous entraînent a coup sûr dans le rythme de la fête.

**Little Haiti** est une autre communauté d'immigrants qui s'est développée ces dernières années, riche de l'apport de beaucoup d'artistes, de musiciens et d'entrepreneurs des caraïbes françaises qui trouvent là un premier lieu d'accueil pour commencer leur vie américaine. A ne pas manquer dans ce quartier, le **Caribbean Marketplace**, une marché en plein air réplique du Marché de Fer à Port au Prince, en Haiti.

Miami est le plus grand port au monde des bateaux de croisière, avec ses dizaines de paquebots ancrés dans le port, tandis que son aéroport international accueille chaque année 28 millions de passagers en provenance du monde entier, dont la plupart se dirigent vers ses 21 km de plages tropicales.

L'agglomération de Miami est également un grand centre de sport, avec les équipes des Miami Dolphins pour le football américain, des Florida Marlins pour le base-ball (champions du monde en 1997), des Miami Heat pour le basket-ball et des Florida Panthers pour le hockey. À cela s'ajoutent de grands championnats de golf et de tennis, des courses automobiles et une multitude de sports nautiques, depuis la planche à voile et la plongée jusqu'à la voile et au jet-ski, à moins que vous ne préfériez vous mesurer à un marlin ou aller observer les alligators dans le parc voisin des Everglades. Miami possède vraiment de quoi distraire tout le monde.

# Le Blue Spring State Park

*PENDANT DES SIÈCLES, CETTE RÉGION DE LAGUNES ET DE SOURCES NATURELLES BORDANT LA RIVIÈRE ST. JOHNS FUT LE DOMAINE DES INDIENS TIMUCUAN.* Ils se nourrissaient essentiellement d'escargots qu'ils trouvaient sur les bancs de sable parsemant la rivière, et on y voit encore d'énormes tas de coquilles vides. En 1766, trois ans après que l'Angleterre ait acheté la Floride à l'Espagne, un botaniste britannique, John Bartram, explora la rivière St. Johns et débarqua à Blue Spring. Au milieu du XIXᵉ siècle, cette région se trouvait au cœur d'une vaste plantation d'arbres fruitiers, et des bateaux à vapeur remontaient la rivière pour permettre la cueillette des agrumes. On peut encore admirer les piliers du vieux débarcadère, ainsi que la demeure restaurée.

Aujourd'hui, les visiteurs affluent surtout pour observer les lamantins qui reviennent chaque hiver vers ce parc. Ces mammifères sont les plus doux et parmi les plus menacés de Floride. De novembre à mars, ils quittent les eaux froides de la rivière St. Johns et de ses affluents pour la sécurité et le confort des sources, dont la température constante est d'environ 22°C. Non seulement la clarté exceptionnelle de l'eau permet d'admirer ces animaux dociles, mais vous pourrez même aller vous baigner parmi eux.

Une promenade en planches est aménagée sur les berges de la rivière, qui ont très peu changé depuis l'époque des Indiens Timucuan. Dans le parc, on peut aussi camper, pêcher, faire du canoë et des randonnées pour profiter de la Floride authentique.

# St. Petersburg-Clearwater

*CETTE RÉGION EST LA PLUS APPRÉCIÉE DES VACANCIERS SUR LA CÔTE OUEST ET ATTIRE PLUS DE QUATRE MILLIONS DE VISITE URS PAR AN —* 90 % déclarent leur intention de revenir.

Ces villes jumelles occupent la péninsule de Pinellas, et constituent la région la plus fortement peuplée de

Floride. **St. Petersburg** est avant tout une ville de vacances ; une série de ponts routiers la relient à Tampa et aux Holiday Isles, à l'ouest. Elle se targue d'être la «capitale américaine du soleil», en raison d'un record de 768 journées consécutives de soleil. De 1910 à 1986, le journal *Evening Independent* de St. Petersburg était offert les jours sans soleil et, en 76 ans, cette distribution gratuite n'eut lieu que 295 fois, soit moins de quatre fois par an. Cette ville balnéaire est agrémentée de rues bordées de palmiers, de quais animés, de boutiques et de restaurants, et possède trois musées intéressants – le **Museum of Fine Arts**, le **musée Salvador Dali** et le musée pour enfants **Great Explorations**.

Les longues plages de **Clearwater** et **Clearwater Beach** sont idéales pour la baignade et le bronzage tandis que les amateurs de pêche au gros trouveront leur bonheur à la **marina de Clearwater** où s'est installée une flotte de pêche sportive très animée. De nombreuses sorties en mer y sont possibles, depuis la pêche au gros jusqu'à l'observation des dauphins ou aux dîners-croisières au coucher du soleil. Concerts et pièces de théâtre de Broadway sont présentés au **Ruth Eckerd Hall**, et vous pourrez passer un après-midi intéressant et éducatif au **Clearwater Marine Aquarium**, sur Winward Passage, un centre de recherche et de réhabilitation des animaux marins. Le Clearwater Sunset est une cérémonie quotidienne proposée au **Pier 60** où magiciens, musiciens, jongleurs et autres artistes se produisent à l'heure où la foule se rassemble pour admirer le coucher du soleil. Vous pourrez également visiter un village reconstitué des années 1890, **Boatyard Village**, sur Fairchild Drive à Clearwater ; et le **Largo Heritage Park and Museum** sur 125th Street, abrite des résidences et des édifices restaurés dans un parc boisé de huit hectares.

musées. Au milieu du XIXᵉ siècle, la région abritait de nombreux Indiens Séminoles (*Séminole* est le mot creek signifiant «libre» ou «évadé») et des esclaves en fuite. En 1865, Fort Myers (autrefois Fort Harvie) rouvrit ses portes en tant que fort de l'Union, occupé par des régiments entièrement constitués d'anciens esclaves.

Fort Myers est aujourd'hui connue comme la ville des Palmiers grâce à McGregor Boulevard, une ancienne piste de bétail qui traverse la ville, bordée sur 24 km par d'imposants palmiers royaux, dont les 200 premiers furent importés de Cuba par Thomas Edison. La **maison-musée Thomas Edison** est l'une des principales attractions de la ville ; l'inventeur y passa ses hivers pendant 46 ans. La demeure, construite en 1866, occupe une propriété de six hectares bordant la rivière. Elle fut léguée à la ville par sa veuve, Mina Miller Edison, et ouverte au public en 1947. Les premières ampoules électriques d'Edison étaient

# Fort Myers

*PRINCIPALE VILLE DE LA CÔTE SUD-OUEST,* *FORT MYERS* possède une histoire très riche, de belles demeures anciennes et des *COUPS DE CŒUR*

CI-CONTRE : Des expatriés cubains jouent aux dominos dans le quartier de Little Havana, à Miami.
CI-DESSUS : Le bateau reste l'un des meilleurs moyens d'explorer Sanibel Island.

composées d'éléments si robustes que certaines d'entre elles fonctionnent encore aujourd'hui. L'énorme banian qui domine le jardin fut offert à Edison par l'industriel Harvey Firestone. Il s'agit du plus gros spécimen de banian des États-Unis, et ses racines aériennes ont une circonférence de plus de 122 m.

La **demeure d'Henry Ford** est voisine. Ford et Edison étaient bons amis et une porte, aujourd'hui encore appelée porte de l'Amitié, reliait les deux propriétés. On découvre bien d'autres belles maisons historiques et une vie culturelle très riche au centre-ville, tandis que **Fort Myers Beach**, dans l'île d'Estero Island, est l'une des plages les plus sûres, avec sa pente douce, son sable fin et ses eaux chaudes et limpides.

Sanibel Island est un refuge idyllique, accessible par un pont à péage qui permet de restreindre le nombre des visiteurs. Les plages de l'île sont régulièrement reconnues comme les plus belles du monde, et Sanibel est également renommée pour ses coquillages et sa faune. On a dénombré plus de 400 variétés de coquillages sur ses plages. À la tombée de la nuit, vous pourrez nager parmi les raies manta, tandis que des ibis et des aigrettes vous suivront sur le sable, face à de somptueux couchers de soleil.

De part et d'autre de Periwinkle Way, l'artère principale de l'île, d'intéressantes boutiques, des galeries d'art et de bons restaurants sont nichés dans une végétation tropicale luxuriante. Pour visiter l'île, louez une bicyclette auprès de l'un des nombreux commerces. Le **Old Schoolhouse Theater**, une ancienne école construite en 1894, abrite aujourd'hui un petit théâtre communautaire, tandis que le **Pirate Playhouse**, le théâtre professionnel de l'île, propose des productions importantes qui attirent de grandes stars dans cette salle intimiste dans laquelle aucun spectateur ne se trouve à plus de 5 mètres de la scène.

Le J.N. **Ding Darling National Wildlife Refuge** est l'une des plus belles réserves naturelles de Floride. Il occupe 2 160 ha du côté nord de l'île, et doit son nom au dessinateur de bandes dessinées Jay Norwood «Ding» Darling, lauréat du prix Pulitzer et premier écologiste à occuper un poste dans le cabinet présidentiel (à l'époque de Franklin Roosevelt). La réserve possède des routes, des pistes cyclables et des sentiers de randonnée, et vous pourrez louer un canoë ou un kayak pour longer la côte parmi les îlots qui parsèment la mangrove. La **Sanibel-Captiva Conservation Foundation** est une autre délicieuse réserve naturelle qui couvre 440 ha au sud de la route principale de l'île. Enfin, le **Bailey-Matthews Shell Museum** est l'unique musée des États-Unis consacré aux coquillages.

# Daytona Beach

*DAYTONA BEACH A BÂTI SA RÉPUTATION AUTOUR DE SES PLAGES ET DE SES COURSES AUTOMOBILES*, qui lui ont valu les titres de «centre mondial de la course» et de «plage la plus célèbre du monde». La ville possède aussi un quartier historique et sa plage est l'une des plus belles de la planète, mais de 1902 à 1935, elle fut plus réputée pour les essais de vitesse que pour la baignade et le bronzage. Durant ces années, plus de 13 records du monde furent établis sur le sable par des as du volant comme Barney Oldfield, Sir Henry Seagrave et Sir Malcolm Campbell, tandis que Louis Chevrolet et Henry Ford utilisaient la plage pour tester leurs premières voitures de course.

La tradition des courses se perpétue au **Daytona International Speedway** qui présente des épreuves de haut niveau tout au long de l'année, parmi lesquelles les 24 Heures de Sunbank en janvier, les Daytona 500 en février et la Semaine de la Moto en mars, qui attire des milliers de motards venus du monde entier. **Daytona USA** est une nouvelle attraction interactive qui permet aux visiteurs de participer à un arrêt au stand, de concevoir leur propre voiture de course et de se transformer en commentateurs sportifs.

La région très animée de Daytona Beach comprend en réalité sept municipalités bordant la côte atlantique : Ormond Beach, South Daytona, Daytona Beach Shores, Holly Hill, Ponce Inlet, Port Orange et Daytona Beach, la plus étendue. Ces villes sont installées le long de 37 km de plages, dont la largeur dépasse 150 m en certains endroits. Moyennant une petite somme, on peut se promener en voiture sur le sable dur depuis la sortie d'Ormond Beach jusqu'à l'anse Ponce de León, au sud. La plage est bordée d'une **promenade en planches**

très animée, sous les palmiers, avec un parc de loisirs près du port de pêche, une tour d'observation et un téléphérique qui transporte les visiteurs très haut au-dessus de **Main Street Pier**, une jetée de près d'un kilomètre de long. On pratique ici de nombreux sports nautiques : voile, canoë, surf et jet-ski, mais aussi hors-bord, plongée et pêche. Daytona Beach est également réputée pour ses musées et ses nombreuses animations culturelles, notamment les concerts symphoniques donnés par des orchestres en visite au **Peabody Auditorium**, au **Daytona Playhouse** et, l'été, au **Seaside Music Theater**.

CI-CONTRE : La faune de Sanibel Island est protégée, et l'île est l'un des grands centres mondiaux d'observation des oiseaux. CI-DESSUS : Voitures et piétons se mêlent sur les célèbres plages de Daytona.

# À VOUS DE CHOISIR

## Les grands espaces

*LA FLORIDE POSSÈDE DES PLAGES DE RENOMMÉE MONDIALE*, des parcs à thème et des attractions, mais aussi de grandes étendues sauvages que peu de visiteurs prennent le temps de découvrir.

Au nord s'étendent de grandes forêts sillonnées par des sentiers de randonnée et des pistes cyclables, et parsemées de lacs et de cours d'eau propices à la pratique du canoë et de la navigation. Les forêts abritent beaucoup d'animaux, parmi lesquels l'ours noir et la panthère de Floride, en voie de disparition.

D'une côte à l'autre, le centre de l'État est consacré à l'agriculture et à l'élevage, avec des plantations de citronniers et d'orangers et des ranchs entrecoupés de milliers de lacs. La plupart de ces lacs sont reliés par des rivières et des cours d'eau navigables, sur lesquels on peut parcourir des centaines de kilomètres vers le sud, jusqu'aux Everglades et à l'océan Atlantique.

Les Everglades dominent naturellement la partie sud de l'État, et même s'il n'est pas conseillé d'y pénétrer trop profondément sans être accompagné d'un guide expérimenté, vous trouverez de nombreuses occasions de pratiquer le canoë, le cyclisme et la marche dans une végétation luxuriante et parmi une faune exotique.

La Floride possède cinq parcs nationaux, dont le plus vaste et le plus célèbre est celui des **Everglades** (voir LES EVERGLADES page 13, dans COUPS DE CŒUR) qui a aujourd'hui presque retrouvé son aspect d'origine après le passage du cyclone Andrew, en 1992. C'est un paradis pour les amoureux de la nature, les randonneurs et les amateurs de canoë.

Les autres parcs nationaux sont le **Canaveral National Seashore et Merritt Island**, sur la côte Atlantique près du Kennedy Space Center, qui abrite une multitude d'échassiers et d'oiseaux marins ; le **Fort De Soto Park**, sur la baie de Tampa, qui commémore le débarquement de De Soto en Floride en mai 1539 ; le **Biscayne National Park**, essentiellement sous-marin, dans la baie de Miami ; et le **Gulf Islands National Seashore**,

CI-CONTRE : Une passerelle couverte de planches permet aux visiteurs d'explorer en toute tranquillité la Everglades Cyprus Swamp. CI-DESSUS : Le timide héron vert habite les marais de toute la Floride.

une chaîne d'îles de sable qui s'étire de Pensacola jusqu'à Panama City à l'est.

On dénombre en Floride près de 150 parcs d'État, réserves, et différents jardins d'agrément. La plupart d'entre eux disposent de terrains de camping, d'installations de pique-nique, de plages propices à la baignade et à la pêche, de sentiers de randonnée et naturels, ainsi que de débarcadères pour bateaux. Certains offrent la possibilité d'observer de près des lamantins, de visiter des grottes avec un guide, ou de pratiquer la plongée avec un tuba parmi les coraux et les poissons tropicaux.

Un parc d'État se définit comme «un site de grande importance régionale ou locale établie pour préserver l'environnement naturel, tout en permettant un programme complet d'activités de loisirs».

Les grands espaces de Floride présentent l'avantage d'être très plats. Les sentiers peuvent être accidentés par endroits, mais ils sont rarement escarpés, ce qui les rend accessibles à la plupart des visiteurs. Dans les régions marécageuses, des planches assurent une promenade facile et au sec. Beaucoup de sentiers sont également accessibles aux personnes en fauteuils roulants. Les principaux inconvénients tiennent au climat semi-tropical, qui explique l'abondance des insectes, la chaleur et l'humidité presque permanentes. Si vous envisagez de pratiquer la randonnée ou le cyclisme dans un parc d'État, emportez une bonne lotion antimoustique, un chapeau et une grande quantité d'eau.

La Floride compte quelque 2 800 km de sentiers de randonnée, jalonnés de 120 000 tables de pique-nique judicieusement placées et de plus de 120 000 places de camping dans des terrains agréés, ce qui offre beaucoup de possibilités aux routards. La Floride demeure un État relativement jeune, qui s'est surtout peuplé au cours des cent dernières années : l'esprit des pionniers y reste très présent, et les habitants apprécient la chasse, la pêche et le camping.

Les meilleurs sentiers de randonée sont ceux des parcs nationaux et d'État. Vous trouverez dans les postes de gardes des cartes indiquant les chemins et les terrains de camping. Le sentier le plus long de Floride est

le National Scenic Trail, qui traverse l'État sur toute sa longueur (2 094 km) et croise de nombreux autres sentiers.

Vous en aurez un bon aperçu en traversant la **forêt nationale d'Ocala**. Cette forêt de 172 000 ha est sillonnée par des sentiers de randonnée, des pistes cyclables et des voies pour canoës ; l'Ocala Trail la traverse dans toute sa longueur. Ce chemin de 105 km de long est intégré au Scenic Trail. Quatre jours vous permettront de le découvrir en toute décontraction. Les sentiers sont en bon état et bien balisés, mais les distractions sont nombreuses, et il vaut mieux les parcourir assez lentement en raison de la chaleur et de l'humidité. Par ailleurs, en traversant la forêt trop vite, vous auriez du mal à apprécier sa faune composée d'alligators, d'ours noirs, d'armadillos, de ratons laveurs, de mouffettes, de porcs-épics et de sangliers, sans oublier la très rare panthère de Floride. Vous aurez de nombreuses occasions de vous baigner dans les lacs, ou de louer un canoë pour quelques heures.

Comme dans tous les parcs, les sentiers sont nombreux. Ainsi, dans la forêt nationale d'Ocala, à Alexander Springs, vous pourrez faire un détour par le Timucuan Indian Trail, un itinéraire individualisé avec description des plantes culinaires et médicinales utilisées par les Indiens y est proposé.

Une autre promenade agréable d'une journée vous mènera dans la **Lower Wekiva River State Preserve** ( (407) 884-2009, Wekiwa Springs State Park, 1800 Wekiwa Circle, Apopka. Une marche de 16 km à travers la réserve conduit à Rock Springs Run, une source formée par d'anciens puits artésiens, avant de longer la rivière St. Johns ; le camping sauvage est autorisé dans la réserve. En chemin, vous découvrirez peut-être des ours noirs, des daims à queue blanche, des loutres, des alligators et des serpents – dont le plus commun est le serpent indigo, long et noir, mais inoffensif. Cette région très riche en eau douce fut occupée par les Indiens bien avant l'arrivée des Espagnols, et certains tumulus funéraires subsistent. (Attention : toucher ou déplacer des objets d'origine indienne constitue un délit.)

Le **Tosohatchee Trail** ( (407) 568-5893,
3365 Taylor Creek Road, Christmas, traverse
la réserve de Tosohatchee. Prenez la route
50 vers l'est et traversez Christmas, puis
Taylor Creek Road pour atteindre l'entrée de
la réserve. Le sentier, qui traverse des forêts
de pins – parfois âgés de plus de 250 ans –
longe par endroits les anciennes pistes de
bûcherons. À l'issue d'une randonnée de
5, 10 ou 15 km, vous parviendrez à une aire
de camping sauvage comptant trois places.
Téléphonez par avance aux gardes de la
réserve pour réserver votre emplacement.

détaillées. L'itinéraire se divise en trois
boucles pour ceux qui ne souhaitent pas
passer la nuit sur place, mais un terrain de
camping est aménagé dans la forêt.

Vous pouvez trouver plus d'information
sur les différents parcs d'état et leur pistes
sur le SITE WEB www.dep.state.fl.us/parks
du Florida Park Service. Pour une
information encore plus directe, contactez
le **Department of Environmental
Protection Park Information** ( (850)
488-9872, Mail Station No. 535, 3900
Commonwealth Boulevard, Tallahassee.

Certains des chemins les plus agréables
de la côte Ouest sillonnent la **forêt d'État
de Withlacoochee**, où la Florida Trail
Association ( (352) 394-2280, 12549 State
Park Drive, Clermont, a balisé et entretient
un sentier de 48 km à proximité de Croom.
Les forêts d'État sont souvent moins bien
balisées que les parcs d'État et les forêts
nationales, mais elles abritent des sentiers
bien entretenus, une faune très riche, et sont
généralement beaucoup plus tranquilles.
La Croom Wildlife Management Area
s'étire sur environ 26 km le long de la
Withlacoochee, un mot indien signifiant
«rivière longue et sinueuse». Le chemin
débute à la tour de Tucker Hill, tout près de
Croom Road, où vous trouverez des cartes

**NORD-OUEST**
Le parc des **Florida Caverns** ( (850)
482-9598, 3345 Caverns Road, Marianna, à
5 km au nord de Marianna sur la route
167, se compose d'un réseau de grottes aux
étranges formations calcaires. Des visites
guidées d'une heure sont proposées au
départ du centre d'accueil. Vous trouverez
sur place un terrain de camping, des
sentiers naturels et de randonnée, et vous
pourrez également vous baigner, pêcher et
faire de la navigation.

**Manatee Springs** ( (352) 493-6072,
11650 Northwest 115th Street, Chiefland,

Les pacifiques lamantins se nourrissent dans les
eaux chaudes d'Homosassa Springs.

*À VOUS DE CHOISIR*

dispose de sentiers de randonnée et de canoës à louer, et les lamantins y font parfois des apparitions près de l'embouchure des sources, d'où jaillissent chaque jour 443 millions de litres d'eau cristalline.

**St. George Island** ( (850) 927-2111, 1900 East Gulf Beach Drive, St. George Island, est une île située à l'embouchure de la rivière Apalachicola, accessible par un pont à péage depuis la route 98, à 16 km au sud-est d'East Point. On y trouve certaines des plages les plus tranquilles de Floride. L'industrie ostréicole s'y est établie et l'île recèle de nombreux coquillages. Vous pourrez également admirer les oiseaux depuis des sentiers et des plates-formes d'observation.

La **péninsule Saint-Joseph** ( (850) 227-1237, 8899 Cape San Blas Road, à l'écart de la route 30, est renommée pour ses plages de sable blanc et ses imposantes dunes. Elle est également très appréciée des ornithologues, car 210 espèces d'oiseaux ont été recensées dans cette petite région. À l'automne, c'est l'un des meilleurs endroits des États-Unis pour observer la migration des buses.

La région naturelle de **Torreya** ( (850) 643-2674, Route 2, Box 70, entre Bristol et Greensboro, est montagneuse selon les critères de la Floride, avec des gorges et des falaises escarpées, dont certaines s'élèvent à 150 m au-dessus de la rivière Apalachicola. À l'automne, les forêts environnantes offrent l'un des spectacles les plus colorés de Floride. Vous y trouverez des sentiers naturels et de randonnée, des excursions guidées et des possibilités de camping.

**Wakulla Springs** ( (850) 224-5950, 550 Wakulla Park Drive, est l'une des sources d'eau douce les plus vastes et les plus profondes du monde. Vous pourrez faire des excursions en bateau à fond de verre, mais aussi des randonnées et des promenades dans la nature, ou des expéditions en bateau à la découverte de la faune. Vous passerez la nuit dans un lodge de 27 chambres, construit en 1937 dans le style espagnol.

## NORD-EST

**Ichetucknee Springs** ( (904) 497-2511, Route 2, Box 108, est un endroit idéal pour découvrir la nature, faire des randonnées et pratiquer la plongée avec tuba. Ses neuf sources déversent en moyenne 845 millions de litres d'eau par jour, à une température constante de 23°C.

**Little Talbot Island** ( (904) 251-2320, 11435 Fort George Road East, sur la route A1A, à 27 km au nord-est de Jacksonville, est une région de dunes et de plages paisibles. C'est aussi un important site de nidification pour les tortues marines. Vous pourrez y effectuer une visite guidée à pied.

**O'Leno** ( (904) 454-1853, Route 2, Box 1010, à 36 km au sud de Lake City sur la route 441, est une région très appréciée pour le camping. On peut y faire des randonnées, du canoë, de l'équitation, des promenades guidées et des sorties dans la nature. On y découvre en particulier une doline où une partie de la rivière Santa Fe disparaît sous terre sur plus de 5 km, avant d'émerger de nouveau. Ce parc est propice à l'observation des alligators et des tortues.

**La Suwanee River** ( (904) 362-2746, County Road 132, Live Oak, est la rivière symbole de l'État et le thème de l'hymne de la Floride, même si la plupart des gens l'appellent par erreur Swanee. Aménagé sur le site de l'ancienne ville de Columbus, le parc d'État comporte des sentiers naturels et de randonnée.

## CENTRE-EST

**Blue Spring** ( (904) 775-3663, 2100 West French Avenue à Orange City : l'hiver, les lamantins s'y rassemblent pour s'abriter des eaux plus froides de la rivière St. Johns, toute proche. Ces mammifères sont clairement visibles depuis un certain nombre de plates-formes d'observation, et vous pourrez même vous baigner parmi eux au printemps. Le parc possède des sentiers naturels et de randonnée, et on peut y louer des canoës, faire des promenades en bateau sur la rivière St. Johns, et camper ou séjourner dans un bungalow.

**Bulow Creek** ( (904) 676-4050, 2099 North Beach Street, sur la Old Dixie Highway, est renommée pour son chêne, le Fairchild Oak, qui serait âgé de plus de huit cents ans. Cette forêt côtière s'étend sur 2 000 ha, parsemés de *hammocks* – des monticules surélevés et boisés dans les marais qui servent de points d'observation et de terrains de camping – et de marais salants. Vous pourrez y faire des randonnées et des promenades dans la nature.

**Hontoon Island** ( (904) 736-5309, 2309 River Ridge Road, à 10 km à l'ouest de DeLand, n'est accessible que par bateau privé ou par un ferry public gratuit qui circule de 9 h à une heure avant le coucher du soleil, mais vous pourrez aussi passer la nuit dans le terrain de camping ou l'un des bungalows rudimentaires de l'île. Cette dernière, qui fut habitée par des Indiens durant de nombreux siècles, abrite la réplique d'un grand totem en forme de hibou sculpté il y a plus de six cents ans, ainsi que des tumulus funéraires.

**Tomoka** ( (904) 676-4050, 2099 North Beach Street, à 5 km au nord d'Ormond Beach sur North Beach Street, est également un ancien village indien, où vous pourrez faire des visites guidées, des promenades dans la nature et des randonnées, ou louer des canoës. À la fin du XVIIIe siècle, ces terres furent attribuées à Richard Oswald, un riche commerçant et homme d'État anglais, qui avait participé à la négociation du traité de paix avec l'Angleterre après la Révolution américaine.

## CENTRE

**Highlands Hammock** ( (941) 386-6094, 5931 Hammock Road, à 10 km à l'ouest de Sebring sur la route 634, est l'un des quatre parcs originels de Floride ; il fut créé lorsque les habitants de la région s'inquiétèrent des projets de déforestation destinés à laisser la place aux cultures. Vous y trouverez des sentiers de promenade, des pistes cyclables et des chemins équestres, ainsi qu'un centre d'accueil, des visites guidées, des aires de pique-nique et des terrains de camping.

Le **lac Kissimmee** ( (941) 696-1112, 14248 Camp Mack Road, à 24 km à l'est du lac Wales sur Camp Mack Road, et bien loin de la ville de Kissimmee, offre un aperçu de la Floride passée et présente. Des plates-formes d'observation, des sentiers naturels et de randonnée, ainsi que des voies pour canoës vous permettront de découvrir l'environnement et la faune de la

La plupart des plages de Floride sont bordées d'une profusion de fleurs sauvages.

région, mais aussi leur gestion actuelle. Vous aurez un aperçu de ce qu'était la vie en 1876 dans un ranch reconstitué.

## CENTRE-OUEST

**Caladesi Island** ( (813) 469-5942, No. 1 Causeway Boulevard, Dunedin est accessible par ferry depuis Honeymoon Island et Clearwater. Pour obtenir des informations sur les ferry, appelez le ( (813) 442-7433 à Clearwater ou le ( (813) 734-5263 à Honeymoon Island. C'est l'une des rares îles coralliennes intactes de Floride. Vous y trouverez des sentiers de randonnée et pourrez vous baigner, pêcher et profiter de plus de 3 km de plages de sable blanc au bord du golfe du Mexique.

**Egmont Key** ( (813) 893-2627, 4905 34th Street, South, No. 50000, St. Petersburg, au sud-ouest de Fort DeSoto Beach, n'est accessible que par bateau. Cette île abrite le dernier phare gardé des États-Unis, et servit de camp d'internement pour les Indiens capturés au cours de la troisième guerre des Séminoles, avant de devenir une base navale de l'Union durant la guerre de Sécession. Elle constitue aujourd'hui une réserve naturelle.

**Homosassa Springs** ( (352) 628-5343, 4150 South Suncoast Boulevard, Homosassa, sur Fish Bowl Road, dans la ville du même nom, est à la fois un parc d'État et une réserve naturelle, où le Florida Nature Museum présente une collection d'objets et de fossiles découverts dans la région. Ses sources de 17 m de profondeur

donnent naissance à la rivière Homosassa, et vous pourrez descendre dans l'observatoire sous-marin pour admirer les poissons, les lamantins et autres animaux sauvages. Ces sources ont la particularité d'accueillir à la fois des poissons d'eau douce et des poissons d'eau de mer. Vous aurez le choix entre la découverte du parc à pied et une visite guidée en bateau. Le lieu est aussi devenu un refuge et un centre de réhabilitation pour les lametins bléssés, lors d'accidents avecles bateaux par exemple. Le parc est ouvert de 9 h00 à 17 h00 tous les jours.

## SUD-OUEST

**Cayo Costa** ( (941) 964-0375, au nord de Captiva Island, est l'une des plus grandes îles coralliennes non aménagées de cette côte, accessible uniquement par bateau. Réputée pour sa faune et ses reliques indiennes, vous y trouverez des sentiers naturels et de randonnée. Des balbuzards et des aigles chauves nichent dans l'île, où l'on aperçoit régulièrement des frégates et l'une des plus importantes colonies de pélicans bruns de Floride. L'île est également appréciée des amateurs de coquillages, en particulier durant l'hiver.

**Collier-Seminole Park** ( (941) 394-3397, 20200 East Tamiami Trail, à 27 km au sud de Naples, se caractérise par un hammock tropical d'arbres feuillus plus communs aux Antilles et dans la péninsule mexicaine du Yucatan qu'au sud-ouest de la Floride. Le parc contient également une mangrove. Vous y trouverez des sentiers de randonnée et naturels, des plates-formes d'observation, et vous pourrez pêcher, vous baigner et camper sur place.

## SUD-EST

**Bahia Honda** ( (305) 872-2353, sur Bahia Honda Key au mile 37, est une réserve naturelle qui abrite de nombreuses espèces rares de plantes et d'oiseaux, parmi lesquelles le pigeon blanc couronné, le grand héron blanc, la spatule rose, l'aigrette rouge et la petite sterne. On pêche le tarpon dans les eaux voisines. Le parc possède un certain nombre de sentiers de randonnée et naturels, ainsi que des terrains de camping, des bungalows et des plages propices à la baignade, à la fois sur l'océan Atlantique et sur la baie de Floride.

Le **John Pennekamp Coral Reef** ( (305) 451-1202, PO Box 487, Key Largo, est le seul parc sous-marin de Floride. Sur terre, vous trouverez un centre d'accueil, un terrain de camping, des sentiers de randonnée et naturels, mais c'est surtout l'eau qui attire les visiteurs. Il s'agit en effet de l'unique récif corallien vivant des États-Unis continentaux, et le parc couvre 463 km$^2$ de récifs, de lits d'herbes aquatiques et de mangrove. Vous pourrez l'explorer en bateau ou en canoë, et pratiquer la plongée avec bouteilles ou tuba. Pour plus d'information, contactez le parc au (305) 451-1621.

Ne manquez pas la statue de bronze de trois mètres de haut représentant le Christ des Profondeurs, immergé à six mètres de fond dans l'océan Atlantique. Le parc est l'un des sites de plongée les plus agréables de Floride.

## Les joies du sport

En matière de sport, la Floride offre des possibilités exceptionnelles. Aucun autre État ne possède autant de courts de tennis, de parcours de golf – plus de 1 150 au dernier recensement – et de bateaux de plaisance.

Que vous soyez spectateur ou participant, le climat agréable vous permettra de profiter toute l'année de votre loisir favori.

La Floride offre des possibilités illimitées en ce qui concerne les sports nautiques. Elle compte plus de 1 600 km de plages, plus de 7 700 lacs naturels de quatre hectares ou plus, ainsi que 1 700 rivières et voies d'eau navigables en petit bateau ou en canoë.

Dès que le soleil apparaît à l'horizon, les surfeurs prennent place sur leurs planches pour capter les premières vagues de la journée. Sous les eaux bleues étincelantes des Keys, les plongeurs explorent le seul récif corallien vivant des États-Unis continentaux, tandis que les pêcheurs s'installent devant l'un des lacs du centre de la Floride dans l'espoir de ramener une grosse perche. Des quotas de prises quotidiennes ont été établies pour que chaque espèce soit préservée et une récompense est décernée à tout pêcheur qui libère les poissons trop petits qu'il a capturés afin qu'ils puissent grandir et faire la joie d'un futur pêcheur. La pêche est autorisée pour 24 espèces de poissons dans les lacs et les rivières de Floride et, parmi les records de l'État, on peut citer une perche de 9 kg, un bar de 17 kg et une carpe de 18 kg. Si vous avez 16 ans ou plus et envisagez de pêcher, vous devrez vous procurer un permis de pêche auprès des associations, des boutiques de pêche ou des magasins de sport.

Les pêcheurs à la ligne pourront aussi se mesurer à un marlin, un pèlerin ou un requin dans l'océan Atlantique ou le golfe du Mexique. Les plongeurs pourront explorer plus de 4 000 épaves englouties au large. Vous pourrez également profiter des joies du ski nautique, du parachute ascensionnel et du jet-ski dans tout l'État.

CI-CONTRE : Un pélican guette une proie à New Cedar Key. CI-DESSUS : Ces arbres de Kissimmee sont couverts de festons de mousse espagnole.

Le climat permet de pratiquer la navigation toute l'année. La Floride compte 13 481 km de côtes maritimes, 11 707 km$^2$ de lacs et de rivières et 750 000 bateaux immatriculés. Tout bateau de plus de 4,90 m doit en effet être enregistré auprès du Florida Department of Natural Resources (service des ressources naturelles). On dénombre dans l'État au moins autant de bateaux plus petits, sans immatriculation. Les hors-bord connaissent plus de succès que les voiliers, car ils sont plus fiables dans les eaux peu profondes et plus rapides. La Floride est l'un des grands centres mondiaux de courses nautiques. On peut louer des voiliers et des bateaux à moteur pratiquement partout, ou parcourir plus tranquillement en péniche certains des plus grands lacs et cours d'eau.

Le canoë demeure l'un des meilleurs moyens d'explorer les centaines de kilomètres du réseau fluvial de la Floride. Ces embarcations permettent de découvrir de nombreuses régions inaccessibles à pied, et d'admirer de près une faune très variée. On pratique le canoë dans tout l'État, mais plus particulièrement sur les rivières Blackwater et Suwanee dans le Nord-Ouest, et sur la Myakka et la Peace près d'Arcadia. Les loueurs de canoës fournissent tout l'équipement et le transport. À Kissimmee, tout près de Disney World, vous pourrez louer un canoë à proximité de la route principale et, en quelques minutes, vous vous retrouverez dans un univers complètement différent, glissant sur des cours d'eau où les seuls bruits sont ceux des cris des oiseaux et du coassement des grenouilles. Le canoë est une activité familiale très amusante. Il vous faudra quelques minutes pour maîtriser l'art de manier la pagaie, et il vaudra mieux installer un adulte au gouvernail si vous ne voulez pas tourner en rond ! Cela vous permettra également de surveiller vos enfants placés à l'avant.

Si vous partez en canoë, soyez attentif à votre direction, car le risque de se trouver désorienté très vite existe, surtout dans la mangrove. Portez un chapeau et mettez une lotion solaire, emportez toujours beaucoup d'eau, car vous vous déshydraterez très rapidement en fournissant des efforts au soleil.

La Floride est réputée pour ses parcours de golf, publics et privés, qui attirent des passionnés du monde entier. Il existe des résidences consacrées au golf où vous pourrez louer une villa ou un appartement le long du fairway et jouer toute la journée. Des forfaits très intéressants vous donneront accès à un certain nombre de parcours. La **Florida Sports Foundation** ( (850) 488-8347, FAX (850) 922-0482 E-MAIL fsf@tdo.infi.net SITE WEB www.flasports.com, 107 West Gaines Street, Tallahassee FL 32399 vous fournira toutes les informations concernant les nombreux parcours de golf de l'État.

Le tennis est aussi un sport très populaire, avec des milliers de centres et des dizaines de milliers de courts en terre battue, en gazon et en ciment – souvent éclairés. Certains hôtels disposent de courts de tennis et de centres de formation où vous pourrez prendre des leçons ou participer à des tournois amateurs. Si vous venez d'arriver en Floride, réservez un court assez tôt le matin ou en fin d'après-midi, afin d'éviter les fortes chaleurs.

Vous trouverez également de nombreuses occasions d'assister à des spectacles sportifs, et les étrangers pourront ainsi découvrir les sports nationaux que sont le base-ball, le basket-ball et le football américain. Vingt des 28 meilleures équipes nationales de base-ball s'entraînent en Floride au printemps, ce qui vous donnera l'occasion de voir en action certains des plus grands joueurs américains.

Le Sunshine State (État du Soleil) est représenté au niveau national dans chaque grand sport, avec les équipes de football de Miami, Jacksonville et Tampa qui jouent de septembre à décembre, de basket-ball des Miami Heat et des Orlando Magic, qui jouent d'octobre à mai, trois équipes nationales de hockey à Orlando, Fort Lauderdale et Tampa, ainsi que les Florida Marlins, et les Tampa Bay Devils pour le baseball, qui jouent d'avril à septembre.

Si vous en avez l'occasion, essayez d'assister à l'une de ces rencontres sportives passionnantes. Un match de basket-ball ne se compose que de

Un étal de légumes au bord d'une route de Floride centrale.

quatre quarts temps de douze minutes chacun mais, avec les temps morts et les interruptions diverses, une rencontre peut durer trois heures ou plus. Si vous souhaitez assister au spectacle qui précède et prendre ensuite un repas léger, ajoutez à cela encore une heure. Ces matchs sont très distrayants, et quel que soit leur âge, les spectateurs ne s'ennuient pas une seconde.

Daytona Beach est le cadre de la célèbre course des 500 miles de Daytona, mais les passionnés apprécieront également la course de 24 heures, le test d'endurance, le grand prix de Miami, ou encore la course d'ouverture du championnat FedEx des Indy Cars, qui se tient, chaque année, au Metro Dade Complex à Homestead.

On joue au polo de la mi-novembre à la fin mars au Palm Beach Polo and Country Club, où le prince Charles est régulièrement invité, ainsi qu'au Royal Palm Polo Club à Boca Raton et au Windsor Polo Club à Vero Beach.

Vous pourrez assister à des courses de lévriers, mais aussi à des courses hippiques de trot et de galop, sans oublier le célèbre jeu de jai alai (ou pelote basque) introduit en Floride par des immigrants cubains. Il est réputé comme étant le sport de balle le plus rapide au monde, puisque la balle atteint parfois 175 km/h. Par ailleurs, diverses rencontres sportives universitaires et amateurs sont organisées toute l'année.

Les offices régionaux du tourisme pourront vous renseigner à propos des activités sportives et des loisirs.

## Sur les routes

Vous le voyez de loin, alors que vous conduisez dans la pointe sud de St Petersburg, comme un grand huit géant au dessus de Tampa Bay-le Sunshine Skyway Bridge (le pont de l'autoroute du soleil) – qui enjambe la baie avant de rejoindre le continent au nord de Bradenton. L'itinéraire se compose de kilomètres de routes reliées par des ponts impressionnants qui s'élèvent parfois jusqu'à 53 m au-dessus de l'eau – assez haut pour permettre le passage des plus gros navires. Le plus long d'entre eux est inspiré du pont de Brotonne, qui franchit la Seine, mais celui-ci s'étire sur près de 24 km. Vous pourrez faire des haltes pour admirer la région, aller pêcher ou même vous baigner, et le péage d'un dollar est

amplement justifié. Si vous séjournez en Floride centrale, le Sunshine Skyway peut aisément s'intégrer dans une excursion d'une journée vers le golfe du Mexique.

La limitation de vitesse a désormais été assouplie sur la plupart des autoroutes de Floride, et on peut conduire à 105 km/h, voire à 113 km/h dans les régions rurales, ce qui permet des déplacements plus rapides. C'est toutefois en prenant votre temps que vous profiterez au mieux des attraits de la région. Pour apprécier la Floride authentique, évitez les grandes autoroutes et restez sur les voies secondaires.

La Floride offre un certain nombre d'itinéraires pittoresques, dont le plus spectaculaire est sans doute la **State Road A1A** qui longe la côte Atlantique sur 169 km du nord de Daytona Beach jusqu'à la sortie pour Fernandina Beach sur Amelia Island, la plus ancienne station balnéaire de Floride, jadis repaire de pirates et de contrebandiers. Le long de ses kilomètres de plages désertes, vous pourrez vous arrêter à volonté pour admirer le paysage, paresser au soleil ou vous baigner.

Presque aussi spectaculaire, la route reliant le continent à Key West est généralement bien plus encombrée. La **Overseas Highway**, ou US Highway 1, est la seule route qui traverse les Keys : elle longe le tracé de la voie ferrée Overseas Railroad, achevée moyennant un coût considérable en 1912, puis détruite par un cyclone en 1935. Elle franchit 43 ponts le long de ses 182 km qui mènent d'île en île à Key West. Même s'il s'agit d'une autoroute, elle compte seulement deux voies sur l'essentiel de sa longueur, mais elle révèle des paysages merveilleux ; des lagons vert émeraude, une mer turquoise, des palmiers ondulant doucement et des mangroves vert olive. Vous verrez peut-être des dauphins au large, mais aussi des hérons, des pélicans, des spatules et des balbuzards. Des *Mile Markers* (MM, ou bornes de miles) placés à chaque mile le long de la Overseas Highway, vous permettent de toujours savoir où vous vous trouvez. Ils indiquent la distance séparant Florida City, sur le continent, de Key West, et chacun les utilise en guise de repères. Si vous vous arrêtez pour demander où est votre hôtel, on vous répondra par exemple qu'il se trouve juste avant le MM 26, et toutes les brochures et les guides procèdent de la sorte. Au départ de Florida City, la première borne porte le numéro 126 et, à l'extrémité de la route, à l'angle des rues Fleming et Whitehead à Key West, la borne correspond à l'extrême pointe méridionale des États-Unis continentaux. Le trajet de Miami à Key West peut s'effectuer en moins de quatre heures, mais tout l'intérêt de la visite des Keys réside dans la beauté des paysages : pourquoi se précipiter ? En dehors de la haute saison, il est généralement facile de trouver une chambre dans un hôtel ou un motel. Si vous séjournez en Floride centrale, la découverte des Keys fera l'objet d'une excursion de deux ou trois jours, dont vous profiterez pour visiter Key West.

Parmi les itinéraires pittoresques, on peut citer **Bayshore Boulevard**, à Tampa, qui offre des points de vue spectaculaires sur la baie de Hillsborough et certaines des demeures les plus somptueuses de la région. La route traverse Davis Island, l'un des quartiers les plus magnifiques de Tampa, construit sur trois îles artificielles créées dans les années 1920.

À Fort Pierce, l'**Indian River Scenic Drive** longe la berge ouest de la rivière en direction de Jensen Beach et vous permettra d'admirer les arbres de la région, des fleurs exotiques et de nombreux oiseaux. Une communauté agricole s'est développée sur le site d'une caserne de l'armée américaine construite en 1838 au cours des guerres contre les Indiens. Le St. Lucie County Historical Museum, sur Seaway Drive, présente l'histoire de la région, en mettant l'accent sur les Indiens Séminoles et la colonisation espagnole. Prenez le temps d'emprunter la passerelle pour piétons qui mène à Jack Island, un refuge pour les oiseaux et la faune où vous pourrez vous baigner et pique-niquer.

Vous trouverez d'autres itinéraires intéressants dans la région de Miami et Miami Beach, les meilleurs étant sans doute **Main and Ingraham Highways** et **Old Cutler Road**, au sud de Coconut Grove, qui traverse le quartier très chic de Coral Gables. L'Old Cutler Highway vous

conduira dans le parc de Matheson Hammock et les jardins tropicaux Fairchild.

**South Miami Avenue**, entre 15th Road et la Dixie Highway, est bordée de flamboyants royaux, qui offrent un énorme bouquet de fleurs rouges éclatantes de la fin mai au mois de juin. Ici, le flamboyant est surnommé l'arbre du voyageur – car ses fleurs arrivent en été et prennent immédiatement une teinte rouge vif !.

À Miami Beach, vous longerez **Collins Avenue**, avec ses immenses hôtels et ses demeures luxueuses inspirées des îles ; leur style varie du colonial espagnol à l'ultra-moderne. Les maisons ne sont pas ouvertes au public, mais vous pourrez les admirer depuis la route.

La **Tamiami Trail** (US Highway 41) longe le nord du parc national des Everglades. Vous pourrez effectuer une excursion inoubliable en empruntant la **State Road 9336** qui donne accès à l'entrée nord du parc, avant d'obliquer vers le sud et Flamingo. Les habitants roulent souvent très vite sur cette route : ralentissez pour les laisser passer. Une trop grande vitesse vous ferait manquer bien des curiosités.

Par endroits, des panneaux indiquent la présence de la très rare panthère de Floride, qui peut surgir à tout moment sur la chaussée. Outre la route elle-même, qui conduit au cœur des Everglades, vous pourrez emprunter un certain nombre de sentiers. La petite ville de Flamingo compte quelques restaurants, et vous admirerez sa faune très variée, et pourrez faire des parties de pêche et des excursions en bateau.

Dans le Nord-Ouest, la **US Highway 98** offre un itinéraire pittoresque sur presque 160 km le long du golfe du Mexique, de Panama City à Gulf Breeze, au sud de Pensacola. La route ne s'éloigne jamais beaucoup de la côte, et vous aurez de nombreuses occasions de profiter de ses plages désertes et de découvrir d'imposantes dunes, constamment modifiées et sculptées par le vent, qui figurent parmi les plus hautes et les plus longues du Sud-Est. Les tempêtes balaient le sable sur la route ; conduisez avec prudence, car la couche peut être épaisse par endroits.

Le pont Sunshine Skyway ressemble à un grand huit.

# La Floride sac au dos

Même si vous voyagez sur un budget limité, vous pouvez profiter de la plupart de ce que la Florique peut offrir, et en particulier, les plages, la beauté naturelle des parcs et des reserves, et les différences culturelles d'une régions à une autre.

L'un des moyens de voyager tout en se tenant à un budget serré consiste à dormir sur les terrains de campings. La plupart de ces terrains sont très confortables, avec sanitaires, laveries, tables de pique-nique et barbecues. Vous y trouverez généralement des points d'eau et d'électricité pour les caravanes et les camping-cars. Bon nombre des plus grands parcs possèdent aussi des terrains sauvages, plus isolés et plus rudimentaires. Là, vous devrez apporter tout ce dont vous aurez besoin, y compris l'eau, et ne laisser aucune trace de votre passage. Le camping sauvage est généralement gratuit, même si certains parcs prélèvent une petite taxe, mais le nombre de places est limité, à la fois pour protéger l'environnement et pour donner une sensation d'isolement. Si vous partez seul pour camper, avertissez les gardes du parc, et contactez-les à votre retour afin qu'ils vous raient de leur liste et ne lancent pas une expédition de recherches.

Les terrains de campings et leurs instalations sont listés sur le SITE WEB www.dep.state.fl.us/parks, où vous

pouvez découvrir à la fois le terrain de camping le plus proche de l'endroit que vous souhaitez visiter et son niveau d'équipement. Certains parcs locaux offrent parfois des possibilités de camping. Une autre bonne source d'information pour le camping se trouve sur le site de l'**Annuaire Officiel du Camping en Floride** SITE WEB www.floridacamping.com.

KOA Kampgrounds est aussi une chaîne de camping à retenir, avec par exemple le **Fiesta Key Resort KOA Kampground and Motel** APPEL GRATUIT (800) 562-7730, Gulfside à la borne 70, Long Key. A Jacksonville, **Huguenot Park** ( (904) 251-5355, propose un rudimentaire camping en front de mer.

Une autre possibilité pour rester sur un petit budget constiste à loger dans des auberges locales. Non seulement elles sont d'un coût très abordable, mais en plus elles offrent la plupart du temps des réductions sur les activités intéressantes dans la région.

Par exemple, **Hostelling International Key West** ( (305) 296-5719 APPEL GRATUIT (800) 51-HOSTEL, FAX (305) 296-0672, 718 South Street, propose des chambres pour les membres à 15 $ US (hors taxes), et pour les non-membres à 18 $ US, avec la possibilité de plonger dans les eaux incroyablement bleues autours des Keys pour la modique somme de… 18 $ US supplémentaire.

A l' **Everglades International Hostel** ( (305) 248-1122 APPEL GRATUIT (800) 372-3874 FAX (305) 245-7622, E-MAIL gladeshostel@hotmail.com SITE WEB www.members.xoom.com/gladeshostel, 20 Southwest Second Avenue, Florida City, vous pouvez vous offrir à bas prix de passer une nuit à deux pas du Parc National d'Everglades et des Florida Keys. L'auberge propose des locations de canoës, et des tarifs réduits sur la plongée (apnée et bouteilles), ou encore les excursions dans les Keys.

Un autre endroit incroyablement situé peut être le **Bungalow Beach Hotel and Hostel** ( (305) 531-3755 APPEL GRATUIT (800) 746-7835 FAX (305) 531-3217 SITE WEB www.bananabungalow.com, 2360 Collins Avenue, Miami Beach, situé en face de la plage, près d'un canal tranquille. Le **Clay**

**Hotel and International Hostel** ℂ (305) 534-2988 APPEL GRATUIT (800) 379-CLAY FAX (305) 673-0346 SITE WEB www.clayhotel.com, 1438 Washington Avenue, Miami Beach, est lui localisé à deux pâtés de maison de la page, sur la 14th Street. Vous vous sentirez sûrement gâté par le décor du lieu… qui est classé au Registre National des Monuments Historiques.

Le **St. Petersburg Youth Hostel** ℂ (813) 822-4141, 326 First Avenue North, se trouve au Mc Carthy Hotel, proche du centre ville, des zones commerçantes et du Pier. Très pratique, un arrêt de bus est placé juste en face de l'hotel et la station de bus Greyhound est à trois pâtés de maison.

Rien de plus simple que de voyager d'une ville à l'autre avec le service de bus

**Greyhound Bus Lines** APPEL GRATUIT (800) 231-2222. Essayez aussi **Bus One** ℂ (305) 870-0919 APPEL GRATUIT (888) 287-1669 FAX (305) 870-0180 SITE WEB www.busone.com, 2601 LeJeune Road, Miami, qui propose des trajets quotidiens non stop entre Miami et Orlando.En dehors des grandes villes de Floride, la plupart des motel trouvés sur la côte sont relativement bon marché, ce qui ne transforme pas la découverte de l'état en punition.

Les offices du tourisme peuvent vous procurer les dernières informations sur les attractions du moment, et il y a pléthore en

CI-CONTRE : L'un des rares tantales qui visitent la Floride. CI-DESSUS : Les marais des Everglades sont menacés par l'activité de l'homme.

la matière au travers toute la Floride. Lisez par exemple les magazines gratuits tels que *Enjoy Florida* and *The Best Read Guide* qui non seulement listent toutes les attractions anisi que leurs prix, mais sont aussi remplis de bons de réduction. N'ignorez pas ces magazines offerts ; sur l'ensemble d'un séjour, ils peuvent faire économiser à une famille des centaines de dollards sur des notes de restaurant ou des tickets de spectacle et autres attractions.

## Vie nocturne

Si le beau temps attire la plupart des visiteurs en Floride, il y a plus qu'assez pour les occuper à la nuit tombée. Les grands hôtels abritent des restaurants, des boîtes de nuit et des salles de spectacle, et le choix ne manque pas pour ceux qui souhaitent sortir.

Les amateurs de musique classique pourront assister à des concerts, des ballets et des opéras, et ceux qui préfèrent d'autres rythmes iront écouter de la musique bluegrass, de la country, du jazz, du reggae ou du rock and roll dans de nombreux clubs. À cela s'ajoutent des spectacles de cabaret, des discothèques et des orchestres de danse. Des dîners-spectacles permettent d'admirer des cavaliers arabes, des cascadeurs de l'Ouest sauvage ou des joutes médiévales au son des ménestrels et, si vous avez encore de l'appétit en fin de soirée, vous trouverez toujours des restaurants et des cafés ouverts 24 heures sur 24. Les offices du tourisme vous renseigneront à propos des diverses attractions, et de nombreuses publications gratuites sont diffusées dans tout l'État. Les magazines *Enjoy Florida* et *The Best Read Guide* donnent la liste des attractions ainsi que les horaires et les prix, et offrent des bons de réduction. En deux semaines de vacances, ceux-ci peuvent permettre à une famille d'économiser des centaines de dollars dans les restaurants et les attractions.

La Floride centrale offre un grand choix de distractions, notamment à Pleasure Island et Church Street Station.

**Pleasure Island** fait partie du Walt Disney World, et abrite des night-clubs à thème dans un complexe de loisirs, de boutiques et de restaurants qui couvre deux hectares et demi. La décoration exubérante de l'Adventurer's Club évoque les années 1930, tandis que le 8TRAX propose les succès des années 1970. Vous pourrez également choisir le Comedy Warehouse, le Mannequins Dance Palace qui diffuse de la musique contemporaine, le Neon Armadillo Music Saloon où l'on écoute de la musique country ou le Rock and Roll Beach Club.

**Church Street Station** est l'un des hauts-lieux nocturnes du centre d'Orlando. On y trouve des dizaines de bars, de restaurants et de boutiques qui séduiront tous les visiteurs. Chez Rosie O'Grady's, on écoute du jazz de Dixieland, mais vous pourrez aussi danser le rock à l'Orchid Garden, opter pour le style country-western au Cheyenne Saloon, et vous déhancher sur des rythmes disco jusqu'à l'aube au Phineas Phogg's Dance Club.

D'une manière générale, les meilleurs restaurants de Floride centrale se trouvent

CI-CONTRE : Les eaux chaudes de Sanibel Island regorgent de poissons étonnants. CI-DESSUS : Un aiglon dans le parc national des Everglades.

dans les grands hôtels, en particulier à Walt Disney World. Les non-résidents y sont les bienvenus, mais n'oubliez pas de réserver.

Parmiles meilleurs restaurants gastronomiques de Floride Centrale, on peut citer le **Arthur's 27** ℂ (407) 827-3450, au dernier étage du Buena Vista Palace ; le **Chatham's Palace** ℂ (407) 345-2992, sur Dr. Phillips Boulevard, à Orlando ; le **Gran Cru** ℂ (407) 859-1500, au Sheraton Plaza, dans le Florida Mall ; le **Hemingways** ℂ (407) 239-1234, au Hyatt Regency Grand Cypress Resort ; l'**Hemisphere** ℂ (405) 825-1234, au Hyatt Regency de l'aéroport International d'Orlando ; le **Manuel's** ℂ (407) 246-6580, au 28ᵉ étage de l'immeuble de la Barnett Bank sur North Orange Avenue, à Orlando ; et l'excellent **Victoria and Albert's** ℂ (407) 824-3000, au Grand Floridian Beach Resort, à Walt Disney World.

Dans la région de Miami, les hôtels, les restaurants et les boîtes de nuit sont encore plus nombreux. Lorsque le soleil se couche, on voit apparaître des acteurs, des top models, des musiciens et d'autres célébrités qui possèdent une résidence dans la région. Guetter les stars est ici un véritable sport, aussi bien dans les clubs de danse que dans les cafés de jazz ou les boîtes de nuit plus fermées. Les clubs de South Beach rivalisent désormais avec ceux de New York et de Los Angeles ; Coconut Grove et Coral Gables abritent certains des restaurants les plus coûteux de la région,

tandis que le centre-ville offre un grand choix de cuisines régionales et internationales. Pour faire un excellent repas, essayez le **Victor's Café** ℂ (305) 445-1313, 2340 Southwest 32nd Avenue, Miami ou le **Monty's Stone Crab Seafood House** ℂ (305) 858-1431 SITE WEB www.montysstonecrab.com, 2550 South Bayshore Drive, Coconut Grove.

Les amateurs de culture apprécieront le Ballet Flamenco La Rosa et le Florida Classical Ballet, ainsi qu'un certain nombre de troupes de danse contemporaine. Le choix est considérable en matière de théâtre et de musique, sans oublier le Grand Opéra de Floride.

La région de St. Petersburg-Clearwater est également très riche en distractions, depuis les dîners-théâtres jusqu'aux vastes centres de loisirs. Le **Coliseum Ballroom**, sur 4th Avenue, à St. Petersburg, est l'un des plus grands clubs d'Amérique du Nord, et accueille de nombreux orchestres, de même que le **Tierra Verde Resort Ballroom**, sur Madonna Boulevard, à Tierra Verde. Les boîtes de nuit les plus animées sont rassemblées dans les grands hôtels et les centres touristiques, mais il y a des exceptions, comme le **Cha Cha Coconuts** sur la jetée, et le **Woody's Waterfront** à St. Petersburg. Au **Crow's Nest Supper Club** dans le St. Petersburg Beach Holiday Inn, vous dînerez en assistant à une revue de style Las Vegas, à moins que vous ne préfériez les spectacles présentés au **Grog Shoppe**, un pub de style anglais installé dans le Bilmar Beach Resort. Les bons restaurants, souvent spécialisés dans les fruits de mer, sont nombreux dans cette région. On peut citer le Kingfish sur Kingfish Drive, à Treasure Island, et le Shells, au 17855 Gulf Boulevard à Redington Shores. Le **Jesse's Landing**, dominant le lac Seminole au 10400 Park Boulevard North, est lui aussi très chic.

CI-DESSUS : Ce parcours de South Walton n'est que l'une des nombreuses raisons qui font de la Floride le plus grand centre mondial du golf. CI-CONTRE : Fontaines, palmiers et fleurs tropicales agrémentent cette propriété de Turnberry Isle.

# Vacances en famille

La Floride est la destination idéale pour les enfants de tous âges, avec ses plages de sable et ses eaux chaudes, mais aussi ses chambres d'hôtel spacieuses et peu coûteuses et ses restaurants bon marché. Vous y trouverez en outre suffisamment d'attractions pour occuper les enfants les plus actifs durant des semaines.

La plupart des visiteurs se dirigent vers les parcs à thème de Floride centrale, où l'on peut facilement passer deux semaines sans s'ennuyer une seconde, mais il existe bien d'autres distractions familiales, souvent gratuites.

Les **plages** arrivent naturellement en première place. Celles de la côte Ouest sont les plus sûres pour les jeunes enfants, alors que les vagues et les courants être dangereux sur la côte atlantique. La plupart des plages très fréquentées sont surveillées par des maîtres nageurs mais, si vous avez des enfants, ne les perdez jamais de vue.

Il est très agréable de paresser au soleil et de nager ; il convient toutefois de se montrer particulièrement prudent avec les enfants. Jusqu'à ce qu'ils s'habituent au soleil, ils devront porter un chapeau et un T-shirt avec leur maillot de bain ; protégez leur peau à l'aide d'une lotion écran total d'un indice de 20 ou plus.

En famille, prenez le temps de découvrir la Floride authentique, loin des attractions et des parcs à thème. Passez une journée à marcher et pique-niquer dans l'un des nombreux parcs, et essayez de découvrir de nouvelles variétés de plantes, d'animaux et d'oiseaux.

Le canoë est un autre passe-temps familial amusant et abordable, idéal pour les jeunes enfants. Vous pourrez louer des canoës dans toute la Floride, pour une heure ou deux ou pour la journée, si vous emportez votre pique-nique. Le canoë permet de parcourir les rivières en silence, et d'observer de nombreux animaux qui s'enfuiraient si vous faisiez du bruit. Là aussi, munissez-vous d'un chapeau, d'une lotion solaire et d'un antimoustiques, et emportez beaucoup d'eau pour remplacer

celle que vous perdrez en pagayant (même avec modération). Par ailleurs, les plus jeunes enfants et les personnes qui ne savent pas nager devront impérativement porter les gilets de sauvetage fournis.

Si vous ne souhaitez pas faire l'effort de pagayer, entraînez votre famille à bord d'une vedette de croisière. Le choix des excursions est considérable, depuis les promenades en bateau à fond de verre le long du cours paisible de la rivière St. Johns ou à travers les Everglades, jusqu'aux parties de pêche dans le golfe du Mexique. Si vous aimez les sensations fortes, optez pour une excursion en hydroglisseur, l'embarcation rendue célèbre par les poursuites de James Bond dans les Everglades, et qui survole littéralement l'eau. Il faut cependant un certain temps pour s'habituer au maniement de ces bateaux.

Le cyclisme peut être amusant, mais pas sur les grandes routes si vous avez des enfants. Échappez-vous vers les sentiers forestiers et dans les parcs nationaux, où vous pourrez louer des bicyclettes et vous promener en toute sécurité. La Floride possède déjà 3 600 km de pistes cyclables, et l'État s'est lancé dans un programme ambitieux de création de nouvelles pistes, qui longent souvent d'anciennes voies ferrées.

Bon nombre des attractions culturelles et scientifiques sont spécialement conçues à l'intention des enfants. On peut citer le **Florida Aquarium** de Tampa, qui présente le monde sous marin des requins au travers d'une vitre qui vous donne l'impression que l'on peut les toucher.

On peut aussi mentionner le **Frannie's Teddy Bear Museum** ( (941) 598-2711, 511 Pine Ridge Road, à Naples (musée de l'ours en peluche). A Fort Lauderdale les enfants adorent le **Museum of Discovery and Science** ( (954) 467-6637 SITE WEB www.mods.org, 401 Southwest Second Avenue, avec ses expositions interactives qui permettent par exemple, de regarder des abeilles au travail dans une ruche de verre, de

Les enfants et leurs parents peuvent admirer de près la faune marine de Floride dans cet aquarium de Key West.

s'initier à la spéléologie, de tordre des rayons de lumière, ou encore de toucher une étoiles, entre autres. On y trouve aussi un cinéma Imax avec un écran de 17m par 23m.

Vous pourrez côtoyer des animaux de la ferme à la **Green Meadows Children's Farm** ( (407) 846-0770, sur Poinciana Boulevard, à Kissimmee, et même y traire une vache. Observez les lions, les éléphants et les zèbres en sécurité de votre voiture au **Lion Country Safari Safari** ( (407) 793-1084 SITE WEB www.lioncountrysafari.com, de West Palm Beach, où vous pourrez conduire le long des 13 km de voies goudronnées.

## Richesses culturelles

À l'exception de St. Augustine, lorsqu'on parle de bâtiments historiques en Floride, il s'agit généralement d'édifices datant de 100 ou 150 ans au plus. C'est peut-être l'une des raisons pour lesquelles cet État protège autant sa culture et son patrimoine dans des musées et des sites historiques.

Vous trouverez d'excellents musées à Miami ou St. Petersburg. Mais Fort Lauderdale a dépensé des millions de dollards dans le **Museum of Art** ( (954) 525-5500, sur One East Las Olas Boulevard. Il expose une extraordinaire collection d'art ethnographique, du pré-colombien, au Ouest Africain, en passant par l'oceanique et l'art amerindien.

Un peu plus haut sur la côte Atlantique, vous trouverez un musée unique qui séduira toute la famille : l'**International Museum of Cartoon Art** ( (561) 391-2200 FAX (561) 391-2721, 201 Plaza Real à Boca Raton (le musée international du dessin). C'est le seul musée au monde dédié à la collection, la conservation, l'exposition et l'étude de tout les styles de dessins, en incluant l'animation, les bandes dessinées, les dessins humoristiques, les dessins de pub, ou encore les dessins de cartons d'invitation.

Le **musée des Arts et de la Science de Daytona** ( (904) 255-0285, 1040 Museum Boulevard, expose des objets multiculturels des arts, de la science et de l'histoire.

Parmi les 13 musées d'histoire et d'art de la zone de Miami, les premiers sont le **Miami Art Museum** ( (305) 375-3000 FAX (305) 375-1725, 101 West Flagler Street, qui est l'une des trois facettes du Miami Dade Cultural Center et expose des œuvre d'art du patrimoine international.

Le **Lowe Art Museum** ( (305) 284-3535 FAX (305) 284-2024 SITE WEB www .lowemuseum.org, 1301 Stanford Drive, à l'Université de Miami à Coral Gables, tient une exposition permanente en renaissance Italienne et objets Amerindiens.

Les nombreux groupes éthniques de Miami ont influencé les arts du sud de la Floride. Le **Ballet Espanol Rosita Segovia** ( (305) 237-3582 FAX (305) 347-3738, 300 Northeast Second Avenue, est une companie de danse profesionnelle qui présente le Flamenco Espagnol. D'autre troupes, telles que Modern dance company, ou le **Black Door Ensemble** ( (305) 385-8960 FAX (305) 380-0751 valent elles aussi le détour.

Pour une information à jour sur la vie culturelle de Miami, procurez vous les éditions de *Arts and Culture in Greater Miami and the Beaches* et l'édition trimestrielle *Arts & Culture Calendar of Events.* Ces revues sont disponibles dans les salles de spectacles, et vous pouvez aussi appeler APPEL GRATUIT (800) 283-2707.

Pour la plus vaste collection des œuvres de Salvador Dali, ne ratez pas le **Salvador Dali Museum** ( (727) 822-6270 APPEL GRATUIT (800) 442-DALI SITE WEB www daliweb .com, à St. Petersburg.

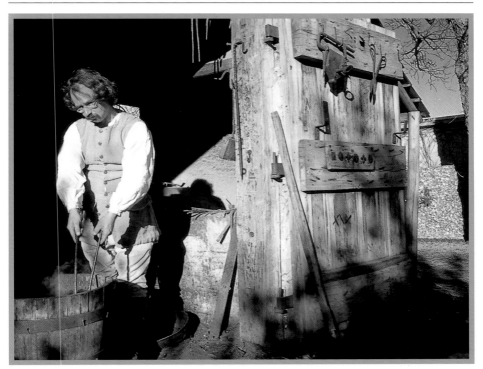

Les amateurs d'art moderne trouveront quand à eux leur bonheur au St. Pete's **Museum of Fine Arts** ( (813) 896-2667.

Sur la côte, Sarasota s'est fait une réputation de haut lieu culturel. Commencez par le **John and Mable Ringling Museum of Art** ( (941) 359-5700 or (941) 351-1660, 5401 Bay Shore road, Sarasota. S'il appartient à l'un des partenaires du célèbre Ringling Brothers Circus, ce musée posé sur la baie de Sarasota ne se concentre pas uniquement sue le thème du cirque. Le musée d'art, à l'intérieur du complexe expose 500 ans d'art européen. On y trouve aussi une capture vivante des folles années 20.

Il existe également des musées un peu plus originaux, comme le **John Gorrie Museum** ( (850) 653-9347, PO Box 267, à Apalachicola. Gorie conçut la première machine à glace artificielle en 1851 ; cela devait aboutir à l'invention de la climatisation et de la réfrigération, deux éléments essentiels sans lesquels la vie en Floride serait difficilement supportable. Le **Forest Capital**, au sud de Perry, est un musée consacré à l'industrie forestière, qui demeure, après le tourisme, l'une des premières ressources économiques de Floride. Sur place, vous pourrez découvrir la cabane traditionnelle en rondins que construisaient les premiers colons. On les surnommait «Crackers» en raison du bruit que faisaient leurs fouets lorsqu'ils conduisaient leurs chars à bœufs. À Port St. Joe, à l'écart de la route 98, vous pourrez également visiter la **Constitution Convention**, où la Constitution de la Floride fut rédigée. St. Joseph fut l'une des villes les plus prospères de l'État jusqu'en 1841. Une épidémie de fièvre jaune anéantit alors une bonne partie des habitants et fit fuir les autres. La nouvelle ville portuaire de Port St. Joe date de 1900.

La Floride possède de nombreux sites historiques et archéologiques, dont certains sont devenus des musées vivants, où des guides en costume reconstituent la vie d'autrefois :

CI-CONTRE : Dans le parc Gatorland de Kissimme, un reptile géant déguste lentement son repas.
CI-DESSUS : Un forgeron reconstitue la vie quotidienne à St. Augustine durant la colonisation espagnole.

Le **Fort Clinch State Park** fut construit à Fernandina Beach au milieu du XIX^e siècle. Les Confédérés s'en emparèrent durant la guerre de Sécession, en 1861. Un an plus tard, il fut repris par les Nordistes. Aujourd'hui, des acteurs recréent la vie des soldats de l'Union en 1864.

Chaque année, lors de la journée du dimanche le plus proche du 6 mars, le **Natural Bridge Battlefield State Historic Site**, à 10 km à l'est de Woodville, présente une reconstitution de la bataille qui opposa les Nordistes aux soldats confédérés le 6 mars 1865. Les troupes de l'Union avaient débarqué au sud de Tallahassee, avec pour mission de couper l'approvisionnement en armes des Confédérés et de s'emparer de la capitale. Après 12 heures de combat, les Nordistes durent battre en retraite, et Tallahassee demeura la seule capitale confédérée à l'est du Mississippi qui ne tomba jamais aux mains des Yankees.

Le **Kissimmee Cow Camp**, dans le Lake Kissimmee State Park, offre des distractions pour toute la famille. Il s'agit de la réplique d'un ranch de 1876, typique de ceux qui jalonnaient le parcours annuel du bétail. Les vaches que l'on peut voir aujourd'hui sont des descendantes directes des andalouses de cette époque. Chaque année au printemps, les bovins étaient rassemblés, puis conduits vers Punta Rassa, non loin de Fort Myers, d'où on les expédiait vers Cuba. Aujourd'hui, des acteurs retracent la vie des cow-boys dans les ranchs il y a plus d'un siècle.

**Fort Foster**, dans le Hillsborough River State Park, à 10 km au sud-ouest de Zephyrhills, est également animé par des acteurs en costumes, munis de mousquets, qui reconstituent la vie des soldats durant les guerres contre les Indiens dans les années 1830.

Parmi les sites archéologiques intéressants, on peut citer les **Lake Jackson Mounds** ( (850) 562-0042 ou (850) 922-6007, au nord de Tallahassee, des tumulus funéraires amérindiens datant de l'an 1200, et le **Fort George Island Cultural Site** ( (904) 251-2320, 12157 Hecksher Drive, à 26 km à l'est de Jacksonville sur la route A1A, une île continuellement habitée par l'homme depuis plus de 5 000 ans. Sur le même site, le mont Carnelia, du haut de ses 20 m, est le point culminant de la côte atlantique au sud de Sandy Hook, dans le New Jersey. Le complexe de **Crystal River**, à l'écart de la route 19-98, présente également des traces d'occupation indienne datant de 200 av. J.-C., notamment des tumulus funéraires, un temple et des centaines de tombes.

Il existe aussi un certain nombre de jardins d'agrément gérés par l'État, comme celui de **Ravine** ( (904) 329-3721, à Palatka. Les azalées et les camélias sont plantés dans un ravin qui génère son propre microclimat le long de la berge ouest de la rivière St. Johns. Les fleurs sont en plein épanouissement en mars et avril. **Washington Oaks** ( (904) 446-6780, 6400 North Oceanshore Boulevard, Palm Coast, à 3 km au sud de Marineland sur la route A1A, est un jardin à la française qui abrite des azalées, des camélias et de nombreuses variétés de roses. On dénombre également une centaine de variétés de camélias et 50 azalées différentes, ainsi que 160 autres plantes exotiques au **jardin Alfred B. Maclay** ( (850) 487-4556, 3540 Thomasville Road, à Tallahassee. Vous pourrez y faire des visites guidées, des promenades dans la nature et des randonnées, ou encore louer des canoës.

# Le plaisir du shopping

Au moment de faire vos bagages pour partir en Floride, emportez si possible un fourre-tout vide dans lequel vous pourrez rapporter vos achats. Avec ses taxes très faibles, la concurrence acharnée que se livrent les commerçants et ses millions de consommateurs prêts à dépenser, la Floride est l'endroit idéal pour réaliser de bonnes affaires. On y trouve toutes sortes de boutiques d'antiquités, de grands magasins, de centres commerciaux à prix d'usine, de boutiques et de marchés aux puces. Ces derniers varient par l'aspect et la taille, et la plupart d'entre eux se

composent de centaines d'échoppes – généralement rassemblées dans un hangar – où on trouve aussi bien des surplus de l'armée que des vêtements de haute couture, des antiquités et les chaînes hi-fi les plus modernes. Certains magasins proposent même leurs propres attractions à thème. Ainsi, au Swap Shop de Fort Lauderdale, vos enfants pourront jouer sur des manèges et assister chaque jour à des représentations de cirque, tandis qu'Old Town, à Kissimmee, possède un manège de chevaux de bois à l'ancienne et une grande roue.

Même s'il existe peu de spécialités typiques de la Floride à l'exception de l'artisanat local et des paniers d'agrumes que l'on peut expédier dans le monde entier, les bonnes affaires ne manquent pas, en particulier pour les visiteurs européens. En effet, il n'existe pas de TVA en Floride et, tous les produits, des caméras ou des bagages à la lingerie, sont nettement moins chers qu'en Europe.

Sur ce point, mon conseil sera le même que pour les restaurants : cherchez ce que les habitants de la région réussissent le mieux et ce que vous ne trouveriez pas ailleurs. Ainsi, peut-être reviendrez-vous avec une valise pleine de cigares, un

sourire innocent sur les lèvres au moment de franchir la douane. La Floride, en particulier Tampa, est en effet un paradis pour les amateurs de cigares qui surveillent leur budget.

La région enchantera également les amateurs de kitsch : si vous appréciez les objets délicieusement vulgaires, outrageusement colorés, incroyablement stupides ou totalement inutiles, vous avez choisi le bon endroit. N'oubliez pas que les flamants roses sont rares en Floride, en dehors des boutiques de souvenirs.

En matière de cadeaux, les plus légers et les plus beaux sont certainement les coquillages que l'on trouve un peu partout, en particulier le long de la côte Sud-Ouest. Vous pourrez aussi faire expédier dans votre pays des sacs ou des cageots d'agrumes savoureux. Enfin, n'hésitez pas à acheter des vêtements décontractés pour la plage, et tous les accessoires tels que lotion solaire ou draps de bain, aux prix très intéressants.

Les authentiques bottes de cow-boy, À GAUCHE, font des souvenirs originaux, tandis qu'à Tarpon Springs, À DROITE, les éponges coûtent beaucoup moins cher qu'ailleurs.

Si vous souhaitez emporter des objets typiques, esthétiques et peu coûteux, optez pour l'artisanat des Indiens Séminoles. Ils réalisent des vêtements colorés cousus à la main et des tentures murales, mais aussi des objets en cuir et des bijoux ornés de turquoises.

Pour les étrangers, les meilleures affaires concernent cependant l'électronique. Vous trouverez ici tout ce dont vous pouvez avoir besoin – ainsi que les gadgets les plus inutiles – pour le bureau ou la maison, et à des prix imbattables. N'oubliez pas toutefois que les appareils américains fonctionnent sur du courant 110 volts : vous devrez utiliser un transformateur.

La taxe sur les ventes varie d'une région à l'autre, mais se situe en général autour 6 %. Cette taxe n'apparaît pas sur les étiquettes, mais est automatiquement ajoutée à la caisse, ce qui cause parfois des malentendus.

Enfin, et même si ce n'est pas à la mode, je souhaiterais ajouter un mot favorable à propos des centres commerciaux américains. Si vous cherchez la qualité, des prix intéressants et un cadre pratique, dirigez-vous vers l'un des milliers de centres commerciaux qui parsèment la Floride. Ils sont tous – ou presque – ouverts jusqu'à 21 h sept jours sur sept, et méritent une visite, quoi que vous cherchiez. Voici les adresses de quelques boutiques très intéressantes à travers la Floride.

## NORD-OUEST

BOUTIQUES ET MAGASINS D'ANTIQUITÉS
**The Antique Cottage** ( (904) 769-9503, 903 Harrison, Avenue, Panama City.
**The Brown Pelican** ( (904) 785-7389, 3213 West Highway 98, St. Andrews 32401.
**Galleria Gifts of Distinction** ( (904) 769-4906, 2303 Winona Drive, Panama City 32405.
**Gorman's Antiques** ( (904) 265-9705, 1205 Ohio Avenue, Lynn Haven 32444.
**The Rast Gallery** ( (904) 769-2962, 571 Harrison Avenue, Panama City 32401.
**Shady Oaks** ( (904) 785-3308, 3706 West Highway 98, Panama City 32405.
**Specialists of the South** ( (904) 785-2577, 3706 East 6th Street, Panama City 32401.

MARCHÉS AUX PUCES
**Cob Web Corner** ( (904) 872-8321, 2417 Highway 231, Highland Park 32405.
**Music Barn Flea Market** ( (904) 233-1616,

20520 Back Beach Road, Panama City Beach 32413.
**The Redwood Flea Market** ( (904) 872-9290, 1517 East 11th Street, Panama City 32401.
**15th Street Flea Market** ( (904) 769-0137, 2233 West Highway 98 et 15th Street, Panama City 32405.
**Springfield Flea Market** ( (904) 769-4999, 3500 Highway 22, Panama City 32401.

CENTRES COMMERCIAUX À PRIX D'USINE
**Russell Mills Outlet Store**, 127 Miracle Strip Parkway ( (904) 243-3425, Unit N7, Fort Walton Beach 32548.

BOUTIQUES DIVERSES
**Seaside** ( (904) 231-4224, County Road 30A, Santa Rosa 32549.
**The Shores Shopping Center** ( (904) 837-3600, 853 East Highway. 98 East, Dunedin 32541.

## NORD-EST
MARCHÉS AUX PUCES
**ABC Flea Market** ( (904) 642-2717, 10135 Beach Boulevard, Jacksonville 32216.
**Jacksonville Market Place Flea and Farmers Market** (pas de téléphone)

614 Pecan Park Road, Jacksonville 32218.

CENTRES COMMERCIAUX
**Orange Park Mall** ( (904) 269-2422, 1910 Wells Road, Orange Park 32073.
**Regency Square Mall** ( (904) 725-1220, 9501 Arlington Expressway, Jacksonville 32225.

BOUTIQUES DIVERSES
**Jacksonville Landing** ( (904) 353-1188, 2 Independent Drive, Jacksonville 32202.

## CENTRE-EST
MARCHÉS AUX PUCES
**Daytona Beach Flea Market** (pas de téléphone) 1425 Tomoka Farms Road, Daytona Beach 32119.
**Frontenac Flea Market** ( (407) 631-0241, 5601 North US Highway 1, Cocoa 32922.

BOUTIQUES DIVERSES
**Historic Cocoa Village** ( (407) 690-2284, 301 Brevard Avenue, Cocoa 32922.

CI-CONTRE : On découvre des trésors dans les petites boutiques et sur les marchés aux puces.
CI-DESSUS : Les centres commerciaux, comme celui-ci à Miami, sont souvent ouverts nuit et jour.

CENTRES COMMERCIAUX À PRIX D'USINE
**Daytona Outlet Mall** ( (904) 756-8700,
2400 South Ridgewood Avenue, South
Daytona 32119.

## CENTRE
BOUTIQUES ET MAGASINS D'ANTIQUITÉS
**Antique Mall** ( (813) 293-5618, 3170 Highway
17 North, Winter Haven 33881.
**Attic Gallery** ( (813) 967-2267, 205 Bartow
Avenue, Auburndale 33823.
**Biggar Antiques** ( (813) 956-5113, 140 West
Haines Boulevard, Lake Alfred 33850.
**The Peach Magnolia** ( (813) 956-5113,
1070 South Lake Shore Way, Lake
Alfred 33850.
**Potpourri Antiques** ( (813) 956-5535, 144 West
Haines Boulevard, Lake Alfred 33850.

MARCHÉS AUX PUCES
**Bartow Outdoor Drive-in Theater and Flea
Market** ( (813) 533-6395, 2850 US Highway
17 South, Bartow 33830.
**Flea World** ( (407) 647-3976, Highway
17-92, entre Orlando et Sanford, à un
1,5 km de la sortie 50 sur l'autoroute I-4.
**King Flea** ( (813) 688-9964, 333 North Lake
Parker Avenue, Lakeland 33801.
**Lakeland Farmers Market** ( (813) 682-4809,
2701 Swindell Road, Lakeland 33801.
**International Market World**
( (813) 665-0062, 1052 US Highway 92,
West Auburndale 33823.
**192 Flea Market** ( (407) 396-4555, 4301 West
Vine Street, Kissimmee 34746.
**Osceola Flea and Farmers Market**
( (407) 846-2811, 2801 East Highway 92,
Kissimmee 32742.

CENTRES COMMERCIAUX À PRIX D'USINE
**Belz Factory Outlet Mall** ( (407) 352-9600,
5401 West Oakridge Road, Orlando, L 32819.
**Kissimmee Manufacturers Mall** ( (407)
396-8900, 2517 Old Vineland Road,
Kissimmee 34741.

BOUTIQUES DIVERSES
**Church Street Station Exchange**
( (407) 422-2434, 129 West Church Street,
Orlando 32801.
**Mercado Mediterranean Village**
( (407) 345-9337, 8445 South International
Drive, Orlando 32819.

**Old Town Shopping** ( (407) 843-4202, 5770 West Irlo Bronson Memorial Highway, Kissimmee 34741.

## CENTRE-OUEST
BOUTIQUES ET MAGASINS D'ANTIQUITÉS
South Tampa et Ybor City regorgent de boutiques d'antiquités et de galeries d'art.

MARCHÉS AUX PUCES
**Gunn Highway Flea Market** ( (813) 920-3181, 2317 Gunn Highway, Tampa 33637.
**The Big Top Flea Market** ( (813) 986-4004, 9250 East Fowler Avenue, Tampa 33637.
**North 301 Flea Market** ( (813) 986-1023, 11802 North US Highway 301, Tampa 33637.
**Oldsmar Flea Market** ( (813) 855-5306, 180 North Race Track Road, Oldsmar 33626.
**Top Value Flea Market** ( (813) 884-7810, 8120 Anderson Road, Tampa 33634.
**University of South Florida Flea Market** ( (813) 974-5309, 4202 East Fowler Avenue, Tampa 33612.

BOUTIQUES DIVERSES
**Old Hyde Park Village** ( (813) 251-3500, 1517 Swan Avenue, Tampa 33606.
**St. Armands Circle** ( (813) 388-1554, à l'écart du Boulevard of Presidents, Sarasota 34236.
**The Shops on Harbour Island** ( (813) 229-5093, 601 South Harbour Island Boulevard, Tampa 33602
**Ybor Square** ( (813) 247-4497, 1901 North 13th Street, Tampa 33605

## SUD-OUEST
BOUTIQUES ET MAGASINS D'ANTIQUITÉS
**Third Street South** ( (813) 649-6707, 1262 Third Street South, Naples 33940.

BOUTIQUES DIVERSES
**Bell Tower Shops** ( (813) 489-1221, 13499 US Highway 41 South, Fort Myers 33919.
**Coastland Center** ( (813) 262-7100, 1900 North Tamiami Trail, Naples 33940.
**Fifth Avenue South** (pas de téléphone) 1700 North Tamiami Trail, Naples 33940.
**Old Marine Marketplace** ( (813) 262-4200, 1200 Fifth Avenue South, Naples 33940.

**Royal Palm Square** ( (813) 939-3900, 1400 Colonial Boulevard, Fort Myers 33907.
**Springs Plaza** ( (813) 992-7770, US Highway 41 et Bonita Beach Road, Bonita Springs 33923.
**Third Street South** ( (813) 649-6707, 1262 Third Street South, Naples 33940.

## SUD-EST
BOUTIQUES ET MAGASINS D'ANTIQUITÉS
**The Esplanade** ( (407) 833-0868, Palm Beach 33417.

MARCHÉS AUX PUCES
**New Opa Locka-Hialeah Flea Market** ( (305) 688-8080, 12705 Northwest 42nd Avenue, Opa Locka 33054.
**Thunderbird Swap Shop** ( (305) 791-7927, 3501 West Sunrise Boulevard, Fort Lauderdale 33311.

CENTRES COMMERCIAUX À PRIX D'USINE
**Palm Beach Square Factory Outlet** ( (407) 684-5700, 5700 Okeechobee Boulevard, West Palm Beach 33417.
**Sawgrass Mills** ( (305) 846-2300, 12801 West Sunrise Boulevard, Sunrise 33323.

BOUTIQUES DIVERSES
**Bal Harbour Shops** ( (305) 866-0311, 9700 Collins Avenue, Bal Harbour 33154.
**Bayside Marketplace** ( (305) 577-3344, 401 Biscayne Boulevard, Miami 33132.
**Galleria** ( (305) 564-1015, 2414 East Sunrise Boulevard, Fort Lauderdale 33304.
**Haitian Art Company** ( (305) 296-8932, 600 Frances Street, Key West 33040.
**Key West Aloe** ( (305) 294-5592, 524 Front Street, Key West 33040.
**Key West Handprint** ( (305) 294-9535, 201 Simontown Street, Key West 33040.
**Las Olas Boulevard**, Fort Lauderdale, créations, galeries et boutiques.
**Mayfair Shops in the Grove** ( (305) 448-1700, 2911 Grand Avenue, Coconut Grove 33133.
**The Partridge Christmas Shop** ( (305) 294-6001, 120 Duval Street, Key West 33040.

Conques et T-shirts sont vendus comme souvenirs à Key West, l'extrême pointe méridionale des États-Unis.

## Brèves excursions

Quel que soit votre lieu de séjour, essayez de découvrir autant de régions que possible durant vos vacances. Depuis Orlando et les principales attractions de Floride centrale, vous ne serez qu'à une heure environ de Cocoa et du Kennedy Space Center sur la côte atlantique, ou de Tampa, Clearwater et St. Petersburg au bord du golfe du Mexique. En trois heures, vous atteindrez St. Augustine, au nord, et vous devrez passer une nuit sur place si vous souhaitez explorer le nord-ouest de la Floride. Au départ d'Orlando, il vous faudra également trois heures pour vous rendre à Miami, au sud sur la côte Atlantique, ou à Everglades City, sur le golfe du Mexique, porte d'entrée du Parc national des Everglades.

Les possibilités sont cependant bien plus nombreuses. Au nord du Kennedy Space Center, Port Canaveral accueille de nombreux paquebots. De là, vous pourrez embarquer pour une mini-croisière de trois jours vers les Bahamas.

Contactez l'une des companies de croisière suivantes sur leur numero vert pour plus d'information sur les croisières :

**Canaveral Cruise Lines** au ( (800) 910-SHIP, **Carnival Cruise Line** ( (800) 327-7276, **Disney Cruise Line** ( (800) 951-3532, **Norwegian Cruise Line** ( (800) 327-7030, **Premier Cruise Line** ( (800) DREAM-54 ou **Royal Caribbean International** au ( (800) 327-6700.

Si vous avez déjà visité la Floride, pourquoi ne pas vous envoler pour deux jours vers la Nouvelle-Orléans, Boston, New York ou toute autre destination qui vous séduit ?

Dans la mesure où la plupart des visiteurs séjournent dans la région centrale de la Floride, soit dans les environs d'Orlando, soit sur les côtes, les suggestions suivantes vous permettront d'effectuer des excursions d'une longue journée ou de deux jours si vous souhaitez prendre votre temps. En dehors des très hautes saisons touristiques (Noël et le mois d'août) vous devriez aisément trouver une chambre dans un hôtel ou un motel mais, par précaution, il est toujours préférable de réserver.

**Ocala et la région des chevaux.** Le centre historique d'Ocala, avec ses demeures datant de l'époque de la guerre de Sécession, possède une place principale dans la tradition du XIXe siècle, à un peu plus d'une heure d'Orlando. Procurez-vous une brochure indiquant l'itinéraire d'une visite individuelle auprès de la chambre de commerce, puis partez à la découverte des sites historiques et de la campagne environnante. Ocala est entourée de nombreux haras, où vous admirerez des pur-sang arabes, des quarterons, des Tennessee Walkers, des Morgans et bien d'autres races. Des panneaux indiquent les nombreux élevages ouverts aux visiteurs.

**Gainesville**, à deux heures de route au nord d'Orlando, mérite une visite pour son quartier historique bien préservé. Même si la plupart des demeures n'ont guère plus d'un siècle, plus de 700 d'entre elles sont classées. Northeast Third Street et Third Avenue sont bordées de résidences de style Queen Anne du XIXe siècle. Sur University Avenue, on découvre des maisons de style italien, et les marchepieds de pierre autrefois utilisés pour monter et descendre des calèches ont été conservés. D'autres édifices historiques se dressent dans les quartiers de Southeast et Pleasant ainsi qu'au centre-ville, avec l'Hippodrome Star Theatre, aménagé dans l'ancien bureau de poste, l'un des plus beaux exemples du style classique école des Beaux-Arts en Floride. Le campus de l'université comprend également 19 bâtiments de briques rouges construits entre 1905 et 1939 dans le style gothique collégial qui caractérise Yale et Princeton, mêlant moulures ouvragées, plafonds voûtés en éventail et gargouilles.

**St. Augustine** mérite que l'on s'y attarde, car il est vraiment difficile de découvrir tous ses charmes en une seule journée. C'est la ville la plus ancienne, et l'une des plus charmantes des États-Unis. On y trouve beaucoup d'agréables pensions où le séjour et la chaleur de l'hospitalité rehausseront votre plaisir, même s'il est préférable de réserver. La ville se trouve à deux bonnes heures de route d'Orlando. L'itinéraire le plus rapide passe par l'autoroute I-4, puis l'I-95 vers le nord jusqu'à la sortie de l'US Highway 1 ou à celle de la State Road 214, ces deux routes conduisant au quartier historique. La marche reste le meilleur moyen de découvrir la ville, mais un tramway relie les principaux sites.

Le même billet vous permettra de faire autant d'arrêts que vous le souhaiterez, et les tramways circulent régulièrement toute la journée : vous pourrez donc prendre le temps de découvrir chaque site avant de repartir. Les horaires d'ouverture et les tarifs varient selon les saisons. Passez d'abord au centre d'accueil à l'angle de Castillo Drive et de San Marco Avenue : vous y trouverez des brochures et des cartes gratuites, et un film vidéo de quinze minutes vous familiarisera avec les environs. Le stationnement est toujours difficile : garez-vous à l'écart du centre, et allez-y à pied ou en tramway.

Parmi les sites à ne pas manquer, on peut citer le Castillo de San Marcos, où les gardes du parc, vêtus d'uniformes du XVIIe siècle, reconstituent la vie dans un fort et font des démonstrations de l'utilisation des armes d'époque. Le quartier espagnol de St. George Street est également fascinant. Beaucoup d'édifices ont été restaurés pour présenter la vie des colons et des soldats espagnols il y a trois siècles, et des artisans, en costume d'époque, recréent la vie quotidienne du XVIIIe siècle. Les bons restaurants sont nombreux dans le quartier. Visitez également la Oldest House (plus ancienne maison) le Oldest Store (plus ancien magasin) et la Oldest Schoolhouse (plus ancienne école) la Old Jail (ancienne prison) le château mauresque Zorayda, et le musée Lightner.

Vous aurez le choix entre 25 gîtes historiques de style victorien ou colonial espagnol, avec leurs paniers garnis de pains d'épices et leur verre de cidre chaud de bienvenue.

## Fêtes et traditions

Avec plus de 40 millions de visiteurs par an, chaque journée est une fête en Floride, mais un certain nombre de manifestations méritent votre attention.

**JANVIER**
Commencez la nouvelle année, du 6 au 9 janvier avec la **célébration de**

CI-CONTRE : Les impressionnants jardins qui entourent le Castillo de San Marcos à St. Augustine.

**l'épiphanie** à Tarpon Spring, organisée par la communauté Othodoxe Grecque ☏ (813) 937-3540. La cérémonie commence avec le service du matin et se déplace vers les sources Bayou, là où les jeunes garçons plongent pour aller chercher la croix blanche. Ensuite, tout le monde se retrouve aux Sponge Docks (docks des éponges) pour déguster la cuisine locale et danser.

À Miami Beach, un **festival de rue** ☏ (305) 672-2014 se déroule sur sept pâtés de maisons pour mettre en valeur le quartier historique Art Déco de la ville trois jours durant, à la mi janvier.

## FÉVRIER

La **bataille d'Oust** fut la plus importante de la guerre de Sécession en Floride, et elle évita à Tallahassee de tomber aux mains des Nordistes. Elle est reconstituée chaque année à Lake City par plus de 2 000 personnes, et suivie d'un festival au centre-ville avec parades et expositions d'artisanat.

La **Speed Week** de Daytona Beach, l'un des principaux événements du calendrier américain des sports mécaniques, comprend des épreuves de course et de stock-cars. La compétition la plus importante est la Daytona 500.

À Tampa, vous pourrez aussi profiter de la **Florida State Fair** ☏ (813) 223-1000 APPEL GRATUIT (800) 345-FAIR SITE WEB www.fl-ag.com/statefair, qui se tient du 4 au 15, avec expositions culinaires et agricoles, et animations diverses.

On découvre une autre période historique à Tampa lors du **Gasparilla Pirate Fest Weekend** ☏ (813) 251-4500. Gasparilla fut le pirate le plus célèbre de Floride, et il est commémoré par une parodie d'invasion de pirates qui lance le départ d'un défilé sur Bayshore Boulevard et une immense fête de rue en centre ville. La fête dure deux jours, en général le premier week-end du mois.

Vous aurez un aperçu de l'histoire afro-américaine lors du **Sistrunk Historical Festival** organisé à Fort Lauderdale, le long de Sistrunk Boulevard, avec gastronomie, artisanat et animations.

Fort Myers rend hommage au plus célèbre de ses habitants lors du **festival**

**Edison de la lumière**, qui donne lieu à deux semaines de manifestations et de parades. Contactez le Lee Island Coast Visitor and Convention Bureau ☏ (941) 338-3500 APPEL GRATUIT ☏ (800) 237-6444 FAX (941) 334-1106 SITE WEB www.LeeIslandCoast.com, 2180 West First Street, Suite 100, Fort Myers.

On retrouve la Floride d'autrefois au **rodéo de Silver Spurs** ☏ (407) 847-4052, à Kissimmee. Malgré les attractions de renommée mondiale installées tout près, la Floride centrale demeure avant tout une région agricole qui produit des agrumes et des bovins. À Silver Spurs, lors de l'un des 25 rodéos les plus réputés du pays, des cow-boys professionnels participent à des épreuves comme la chevauchée du taureau et du cheval sauvage, et la capture du veau.

## MARS

La plus importante fête hispanique du pays, qui rappelle le carnaval de Rio, se déroule à Miami, dans le quartier de Little Havana, et culmine lors du **Calle Ocho Festival**, une célébration organisée sur 23 pâtés de maisons au cœur de la ville,

CI-CONTRE : Un danseur bahaméen au Miami Pasco. CI-DESSUS : Vous pourrez cueillir vos fruits vous-même dans les champs d'agrumes comme ici, à Lake Wales.

avec gastronomie, danse, musique, défilés costumés et spectacles donnés par les plus célèbres artistes latino-américains. Appelez le ( (305) 644-8888. En général entre le 5 et le 14 mars.

Tallahassee évoque également la guerre de Sécession, en reconstituant la **bataille de Natural Bridge**, qui se déroula en 1865. À Gainesville, les courses de dragsters des **Gatornationals**, hautes en couleur et très bruyantes, constituent le plus important événement de ce genre sur la côte Est.

À Kissimmee, vous pourrez assister au **festival annuel de musique Bluegrass** ( (407) 473-7773, du 6 au 8 mars.

À New Port Richey, la **fiesta Chasco** célèbre l'amitié qui unissait les Indiens calusas et les colons espagnols. S'y déroulent des compétitions sportives, un bal du couronnement, une parade indienne, des expositions d'artisanat et de gastronomie ainsi que des spectacles.

## AVRIL

La base aérienne d'Elgin, près de Fort Walton, la plus importante base aérienne d'Occident, ouvre ses portes – et son ciel – une fois par an, à l'occasion du Elgin Air Show. L'occasion de voir les évolutions acrobatiques de la célèbre équipe des

Thunderbirds. Durant la même période, vous pourrez profiter de la **Fête des fruits de mer** de Fort Walton Beach.

Pendant deux jours, le **Festival de jazz** ( (904) 829-2992 de Pensacola attire d'excellents artistes, et le **Tallahassee's Springtime** est devenu une célébration du printemps qui se prolonge quatre semaines, avec parades, concours, festivals et expositions d'artisanat. Lors de la **parade de Pâques** organisée au centre de St. Augustine, vous admirerez des calèches, des fanfares et des chars. Les chevaux portent des chapeaux offerts par des célébrités. Debut de la parade dans l'après midi du dimanche de Pâques.

La **Sunfest** ( (561) 659-5992 de West Palm Beach met l'accent sur le jazz, l'art et l'eau, tandis que la **Seven mile Bridge Run** ( (305) 743-8513 (course des Sept Ponts) attire des coureurs du monde entier vers Marathon.

## MAI

Fort Walton Beach présente la régate de **Hog's Breath Hobie**.

Le festival annuel de **Bluegrass de Flagler County** est organisé à Bunnell, tandis que durant les **Heritage Days**, le centre et les quais de Jacksonville sont envahis par des parades costumées, des musiciens de rue et des expositions d'artisanat.

Les amateurs de crevettes se dirigeront vers Fernandina Beach lors de la **Fête de la crevette de l'Isle of Eight**, un week-end qui commémore la naissance de l'industrie de la crevette, tandis que le Greater Daytona Beach **Striking Fish Tournament**, le plus important concours de pêche au gros de la côte Est, rassemble plus de 250 bateaux.

## JUIN
La **Fiesta of the Five Flags** (fête des Cinq Drapeaux) rend hommage aux cinq pays qui ont tour à tour dominé la Floride. Elle se déroule à Pensacola et donne lieu à des parades et à des corsos nautiques, des spectacles musicaux et des festivals ethniques, ainsi que des concours de châteaux de sable. À Destin et Fort Walton Beach, le **festival Billy Bowlegs** est dédié à un autre pirate renommé : 500 bateaux participent à une «invasion» de la Côte d'Émeraude.

## JUILLET
Le **4 juillet**, fête nationale, est célébré dans toutes les villes et les villages, mais Tallahassee offre le feu d'artifice le plus spectaculaire, tandis que Flagler Beach associe les festivités au **concours de Miss Flagler County**, et que Daytona Beach accueille bien sûr une **course automobile**, mais aussi un festival de **jazz** et de **musique country**. À Key West, les **Hemingway Days** ( (305) 294-4440 évoquent durant une semaine la vie et l'œuvre de l'écrivain, et à Big Pine Key, le **Festival de musique sous-marine** rassemble des plongeurs qui se rendent au Looe Key National Marine Sanctuary pour écouter une symphonie sous-marine.

Vinoy Park de St. Petersburg, accueille, le troisième week-end, le **Carnaval Caribbean Calypso** ( (813) 821-6164 avec des orchestres de percussions, la gastronomie des Caraïbes et des danses de limbo.

## AOÛT
Panama City organise le **Beach Fishing Classic**, un concours de pêche pour passionnés de tous âges.

Autour du premier du mois, Miami accueille le **Reggae Festival**, un festival annuel tenue à l'AT&T Amphitheater à Bayfront Park ( (305) 891-2944, 401 Biscayne Boulevard dans le centre de Miami.

## SEPTEMBRE
On déguste certains des meilleurs fruits de mer du pays à Pensacola Beach lors du **Seafood Festival**, qui propose également des concerts et des expositions d'artisanat.

## OCTOBRE
Madeira Beacha, près de St Petersburg, accueille la **fête des fruits de mer John's Pass**, où l'on déguste de massives quantités de poisson, de crevette set des crabes. Beaucoups d'animation et des artisans lors de cet événement qui dure un week-end, vers la fin du mois. Appellez le ( (813) 391-7373 pour plus d'information.

A Destin, plus de 1 000 concurrents viennent du monde entier pour participer au **rodéo de pêche**, avec concours de pêche en rivière, en mer et dans le bayou.

Jacksonville ouvre ses portes au plus grand **concert de jazz gratuit** au monde, Naples accueille la **Fifth Avenue Oktoberfest** avec spectacles, manèges, danseurs, orchestres et gastronomie.

## NOVEMBRE
À Pensacola, le **Blue Angels Homecoming Show** permet d'admirer les évolutions de cette célèbre patrouille d'acrobates aériens, de retour après un an de représentations à travers le monde.

Sarasota présente le **Festival du film français**, tandis qu'à Fort Lauderdale, lors du plus important **Festival du film** de la côte Est, on découvre des longs-métrages en provenance du monde entier. et vous pourrez vous initier à l'art des **châteaux de sable** lors du concours annuel de Fort Myers Beach.

A St Petersburg, c'est le mois du **Sunsational Museum** ( (800) 345-6710, un événement qui met en valeur les musées les plus exceptionnels de la ville.

Les rodéos demeurent très populaires en Floride, où l'élevage bovin occupe une place prépondérante.

## DÉCEMBRE

Tallahassee accueille durant un mois les **Southern Accents of Winter**. La ville fut le site de la première célébration de Noël d'Amérique du Nord. Des **parades de Noël** se déroulent dans de nombreuses villes, mais celle de St. Augustine est particulièrement spectaculaire et suivie de la **Grande Illumination**. À Fernandina Beach, le **Noël victorien en bord de mer** se prolonge un mois, avec visite des demeures historiques, spectacles de ballet, thés officiels et gala du Nouvel An. A Fort Myers, les résidences d'hiver de Thomas Edison et Henry Ford sont richement décorées durant la semaine de Noël.

## Aventures gastronomiques

La gastronomie a fait son apparition relativement récemment aux États-Unis. Il n'y a pas si longtemps, les repas prolongés entre amis n'étaient pas chose courante. Les Américains déjeunaient très rapidement, d'un hamburger ou d'un hot dog, avant de reprendre leurs activités.

Les très nombreux fast-foods de Floride permettent d'ailleurs aux familles de se restaurer dans une ambiance amusante et pour un prix très raisonnable (souvent inférieur de moitié à ceux que pratiquent les établissements similaires en Europe).

On trouve aussi d'intéressants buffets familiaux où l'on peut se resservir à volonté. Au petit déjeuner, vous pourrez y «faire le plein» pour la journée moyennant 2 ou 3 $ US.

Ne croyez pas que ces restaurants bon marché soient médiocres ; si c'était le cas, ils ne dureraient pas longtemps en Floride, où la concurrence est rude et le niveau de qualité élevé. Ces établissements sont certes peu coûteux, mais ils offrent un rapport qualité-prix exceptionnel.

Ainsi, la chaîne Sizzlers, présente dans toute la Floride, propose des buffets à volonté toute la journée, et on y trouve parfois un choix entre 100 plats différents au déjeuner et au dîner. Pendant que vous dégusterez une salade, des pâtes, du poisson ou de la viande, vos enfants pourront par exemple prendre une soupe,

avant de se diriger vers le vaste assortiment de desserts. Les sodas sont compris dans le prix, et une famille de quatre personnes peut aisément se rassasier pour environ 25 $ US.

Les restaurants de Floride surprennent agréablement les visiteurs par leurs prix très raisonnables, leurs portions copieuses, la qualité de leur cuisine et de leur service, ainsi que par le choix considérable des plats proposés.

Ils sont très nombreux, mais la plupart d'entre eux répondent au goût prononcé des Américains pour le steak, le poulet, les pâtes ou le poisson. N'oubliez pas que le plat de résistance est souvent accompagné d'une salade ou d'une soupe : si vous commandez plusieurs plats, vous aurez du mal à les terminer.

Le choix devient encore plus vaste si vous préparez vous-même vos repas dans une chambre de motel ou une

maison de location. Les rayons des supermarchés regorgent de victuailles, des fruits tropicaux et homards vivants aux repas surgelés. Que vous dîniez chez vous ou au restaurant, vous ne serez pratiquement jamais déçu.

Parmi les spécialités locales, on peut citer les crevettes géantes du golfe du Mexique et la tarte au citron Key Lime, mais une multitude de produits frais arrivent chaque jour du monde entier. Vous trouverez notamment des fruits exotiques comme les mangues, les papayes, les caramboles, mais aussi les poissons et les crustacés les plus variés.

En bord de mer, il est particulièrement agréable de déguster des fruits de mer en admirant un superbe panorama. Vous aurez le choix entre l'albacore, le lutjanide, le mulet, le pompano, le mérou et le petit grogneur, mais aussi le mahi-mahi, le homard épineux, les huîtres, les conques, les crevettes roses géantes et de délicieuses pinces de crabe. Ces crabes proviennent de l'ouest de la Floride, où les pêcheurs qui les pêchent, brisent leurs grosses pinces, puis, conformément à la loi, les rejettent à l'eau, où de nouvelles pinces pousseront pour remplacer celles que vous aurez consommées. Sachez cependant que lorsque la pêche est fermée, de la mi-octobre à la mi-mai, on ne trouve que des crabes surgelés.

Les fruits de mer sont grillés, bouillis, rôtis ou sautés. Ils permettent de préparer de délicieuses soupes et bouillons. Enfin, le homard et le crabe peuvent se déguster froids, accompagnés de mayonnaise.

Les «raw bars» spécialisés dan les fruits de mer, sont nombreux dans le sud-est de Floride.

Très nourrissantes, les conques peuvent s'accommoder de différentes manières : grillées, moulues en steak haché, frites, ou même crues en salade.

La viande de bœuf est presque toujours excellente et très tendre, ce qui n'est pas surprenant dans la mesure où la Floride est le deuxième producteur de bœuf du pays après le Texas. Les steaks sont toujours copieux, parfois énormes. La cuisine du Sud est représentée par le poulet frit, les boulettes de viande et les *hush puppies* (des boulettes frites de maïs et d'oignon).

La plupart des restaurants disposent de merveilleux comptoirs de salades, et leurs menus complets sont à la fois agréables et bon marché. Les buffets où l'on se ressert à volonté enchanteront les parents accompagnés d'enfants en pleine croissance, et si vous souhaitez dîner un peu tôt, la plupart des restaurants proposent des réductions spéciales appelées «early bird».

Vous pourrez également découvrir un certain nombre de cuisines ethniques, allant des spécialités cubaines jusqu'aux plats chinois, créoles, italiens, allemands ou japonais. Vous goûterez une cuisine grecque authentique à Tarpon Springs, des spécialités espagnoles autour de

St. Augustine, de la cuisine créole dans le Nord-Ouest, et des plats indo-américains comme les pains frits et les racines de cassave broyées dans les Everglades.

Goûtez les plus célèbres plats du Sud, quelques spécialités cubaines et la cuisine «floridienne». Parmi les plats typiques du vieux Sud, on peut citer l'inévitable poulet frit, les *hush puppies*, le jambon, la dinde farcie, les *grits* (boulettes de maïs blanc), le riz arrosé de sauce aux abats, l'okra, les rouleaux de légumes verts, les pois chiches, le pain de maïs, et la tarte aux noix de pécan. Les principales spécialités de la cuisine cubaine sont les haricots noirs et le riz, les plantains frits, la paella, l'*arroz con pollo* (poulet au riz), le *picadillo* (bœuf haché avec olives et oignons dans une sauce piquante), et une grande diversité de plats à base de porc. À Miami et ailleurs, vous pourrez goûter le *lechon* d'inspiration cubaine, ou le rôti de porc à l'ail et aux oranges amères qui lui donnent un parfum très particulier. Essayez également la *ropa vieja*, un plat à base de bœuf dont la traduction littérale est «vieux vêtements». Tous sont généralement accompagnés de riz blanc bouilli ou de riz jaune, parfumé au safran ou aux fruits de mer, et de haricots noirs. Les plus célèbres plats locaux sont le steak, toutes les grillades au barbecue (en particulier les côtelettes), tout ce qui porte le nom de salade, les sandwichs de style traiteur et – même si c'est une hérésie – la cuisine de type fast-food. Ce n'est certes pas de la haute gastronomie, mais pour faire un repas rapide, savoureux, pratique et bon marché, rien ne vaut la restauration rapide américaine – ce qui explique qu'elle ait colonisé les papilles gustatives du monde entier.

Il est sans doute inutile de vanter les fruits de Floride ; après tout, vous en mangez sans doute depuis toujours, si on considère que cet État produit 70 % des pamplemousses et 25 % des oranges de la planète, sans parler des mandarines, des citrons, des citrons verts et autres agrumes que la Floride place sur les tables du monde entier. Toutefois, ces fruits sont sans doute plus savoureux ici, quand ils viennent d'être cueillis. En outre, les agrumes ne représentent qu'une moitié des fruits de la Floride, où l'on trouve aussi de délicieuses mangues, papayes, caramboles, litchis, goyaves, sapotilles et noix de coco.

Faites un arrêt dans une échoppe en bord de route pour acheter un grand sac d'oranges, de pamplemousses, de citrons verts ou de pamplemousses roses juteux pour quelques dollars, mais n'allez pas vous servir vous-même sur les arbres bordant la route : le vol de fruits est un délit (passible de prison). Si vous voyagez durant l'hiver, vous verrez certainement d'énormes camions chargés d'oranges, qui se dirigent vers les usines de production de jus de fruits. Les cultivateurs développent constamment de nouvelles variétés de fruits, plus juteuses ou présentant moins de pépins. Vers la fin de la saison, cherchez les fruits tardifs, comme les oranges Valencia et les pamplemousses sans pépins. Même hors saison, vous serez enchanté par les nombreux produits à base d'agrumes, comme la marmelade, le vin d'orange, la gelée et les bonbons au citron. Les échoppes proposent également des cacahuètes locales, bouillies ou rôties, et des noix de pécan ; dans le sud, vous trouverez du sucre de canne, ainsi que le sirop et la mélasse qu'il permet de préparer.

Parmi les desserts, on peut citer les flans et les crèmes caramel, les goyaves farcies au fromage blanc, mais aussi les fruits tropicaux, parfois accompagnés d'une glace au même parfum. Les fraises hivernales de Floride sont particulièrement succulentes. N'oublions pas la tarte Key Lime, à base de lait condensé ou déshydraté et du jus et du zeste râpé des citrons des Keys. Le dessert officiel de Floride est si sacré pour les habitants de la région qu'il fait l'objet de débats quasi théologiques : quelle variété de jus de citron est la meilleure, à quelle température la tarte doit-elle être réfrigérée ? Doit-elle être accompagnée d'une meringue ou faut-il battre des œufs dans la pâte elle-même ? Quoi qu'il en soit, deux choses sont certaines : la tarte doit être préparée avec des citrons des Keys (petits et jaunes) et sur une pâte brisée.

Deux derniers commentaires à propos des restaurants de Floride : à l'exception des plus raffinés, ils sont très décontractés, et ils ouvrent et ferment plus tôt (pour tous les repas) que les restaurants du reste du monde.

CI-CONTRE : Si vous souhaitez emporter les saveurs de la Floride, vous pourrez faire expédier les agrumes dans le monde entier. CI-DESSUS : Le restaurant Columbia, fréquenté par les touristes depuis 1905.

# Intérêts particuliers

### L'HISTOIRE NATURELLE

Si vous vous intéressez à l'histoire naturelle, munissez-vous d'une petite paire de jumelles, d'un appareil-photo équipé d'un bon téléobjectif et de nombreuses pellicules. La faune locale est très riche et, dans la plupart des régions, les animaux sont si habitués à la présence de l'homme que l'on peut les approcher de très près. Même dans les Everglades et à Merritt Island, non loin du Kennedy Space Center, vous pourrez photographier des alligators à quelques mètres de distance. Vous découvrirez également de nombreux oiseaux exotiques : les ibis et les aigrettes viennent se nourrir au bord des chemins, les colibris volent sur place et les pélicans se livrent à des acrobaties au-dessus des vagues. On peut même voir des perruches et des perroquets voler en liberté.

Particulièrement fascinantes, la flore et la faune de Floride sont issues d'Amérique du Nord et d'Amérique Centrale, ainsi que des Caraïbes. Pour les ornithologues européens, la plupart des espèces d'oiseaux locales constitueront une découverte.

Les forêts couvrent plus de 50 % du territoire : on y dénombre plus de 300 variétés d'arbres et plus de 3 500 plantes. Les feuillus du nord cèdent la place, vers le sud, aux forêts tropicales et à la mangrove, à laquelle se mêlent des essences des Caraïbes comme l'acajou, le gumbo-limbo, les palmiers et les cocotiers.

Dans le sud, on admire toute l'année une multitude de fleurs tropicales aux couleurs éclatantes : flamboyants, poinsettias, gardénias, jasmins, bougainvillées, jasmins trompettes, lauriers roses, hibiscus, orchidées, volubilis et azalées. À cela s'ajoutent toutes sortes d'arbres et d'arbustes produisant des fruits et des arachides, de la mangue à la papaye, en passant par la carambole, la banane, le citron des Keys et la noix de coco.

Rares sont les visiteurs qui savent que la faune exotique de la Floride comprend des panthères, des ours noirs et des crocodiles, à ne pas confondre avec les alligators, beaucoup plus communs. On dénombre une centaine d'espèces de mammifères, 420 variétés d'oiseaux (le moqueur étant l'oiseau officiel de l'État) 700 espèces de poissons, et 60 variétés de serpents – dont quatre sont venimeuses : le crotale, le serpent corail, le mocassin d'eau et le trigonocéphale. La nuit, vous avez de bonnes chances d'apercevoir au bord des routes des armadillos, des putois et des porcs-épics. De plus, l'écureuil, le raton laveur et l'opossum sont très répandus. Des loutres et des martres vivent à proximité des rivières, et des cerfs à queue blanche habitent les bois ; la Floride abrite aussi une dizaine d'espèces de chauves-souris et des sangliers dans ses marais et ses forêts.

On aperçoit un peu partout de gracieuses aigrettes blanches, et la plupart des vacanciers emportent des photos de vautours planant sans effort au-dessus de leur tête et de pélicans qui posent sur des piquets au bord des plages.

Les eaux chaudes des rivières sont le domaine du pacifique lamantin, qui a grand besoin d'être protégé, et les dauphins à long nez pullulent dans les eaux côtières.

### COQUILLAGES

Si vous êtes collectionneur de coquillages, la Floride vous enchantera. Des conques roses de 20 cm de long sont parfois rejetées sur les plages ; les tritons sont rares, mais peuvent atteindre 22 cm de long. Parmi les coquillages les plus communs, on peut citer le distorsio, la volute, la tulipe, le murex, le cône, l'olive, la marginelle, la porcelaine, la turritelle et la fasciolaire, coquillage officiel de l'État, dont la longueur peut dépasser 60 cm. On trouve parfois des buccins et des melongenas des Caraïbes, leur variété la plus petite, à proximité des mangroves et dans les baies abritées. La Floride compte plus d'une cinquantaine d'espèces d'escargots arboricoles superbes de 5 cm et moins. Les îles de Sanibel et de Captiva sont les plus riches en coquillages, mais la côte Ouest et les Keys en recèlent également beaucoup.

## LES VINS DE FLORIDE

La Floride fut le berceau de la viticulture américaine, car c'est ici que les premières vignes furent cultivées par des huguenots français vers 1562. Ils utilisaient le raisin local, résistant aux fortes chaleurs. Aujourd'hui, le **vignoble Lakeridge**, à Clermont, est l'un des deux derniers de Floride. Vous pourrez le visiter et déguster ses produits – les enfants et les conducteurs siroteront du jus de raisin. Le vignoble est en cours d'expansion et devrait atteindre une superficie de 44 ha. On y cultive différents cépages, depuis les variétés classiques jusqu'aux croisements expérimentaux. Il est ouvert du lundi au samedi de 10 h à 18 h et le dimanche de 12 h à 18 h. Un musée évoque l'histoire de la viticulture en Floride, qui connut un essor considérable au début du XXᵉ siècle : les vignes couvraient alors plus de 800 ha dans la région de Clermont.

Le **vignoble Eden**, sur la State Road 80, à l'est de Fort Myers, est le plus méridional des États-Unis. Il produit sept variétés de vin, à partir de cepages hybrides américains et français, et propose des dégustations et une visite en tramway.

## FANTÔMES ET ESPRITS

Bon nombre d'auberges et de pensions historiques de St. Augustine se prétendent hantées, et les riverains du lac Wales affirment qu'un fantôme est à l'origine de l'un des phénomènes les plus étranges de Floride, à ne pas manquer.

Suivez les panneaux indiquant **Spook Hill**, à l'écart de la US Highway 17 et à l'intersection de North Avenue et de Fifth Street. Gravissez une partie de la colline, arrêtez-vous à l'emplacement signalé au sol, mettez votre voiture au point mort et retirez votre pied du frein, après vous être assuré que la voie est libre derrière vous. Votre véhicule commencera à reculer lentement, mais si vous regardez par la vitre arrière, vous aurez l'impression d'avancer. Il s'agit d'une illusion d'optique très particulière, que les habitants attribuent à un vieux chef Séminole du nom de Cufcowellax. Il serait resté à l'affût pendant un mois avant de tuer un énorme alligator qui avait décimé sa tribu. Depuis, l'esprit de l'alligator hanterait cette colline, et serait à l'origine de cet étrange phénomène.

Le grand héron bleu est le plus gros des nombreux hérons qui habitent la Floride.

# Voyages organisés

Plus d'un million de Britanniques passent chaque année leurs vacances en Floride, une destination qui est également de plus en plus appréciée des Français, des Allemands et des Scandinaves, sans oublier les Brésiliens et les Japonais.

Compte tenu de cet afflux de visiteurs, les agences de voyages se livrent une rude concurrence. Air France, British Airways, Virgin, Lufthansa, SAS, KLM et Icelandair assurent régulièrement des liaisons vers Orlando.

Des sondages récents révèlent que la plupart des visiteurs séjournent au centre de la Floride lors de leur premier voyage, et optent pour deux destinations différentes s'ils sont déjà venus – passant une semaine à proximité des attractions de Floride centrale, avant de se diriger vers la côte. Plus de 80 % des visiteurs se déclarent prêts à revenir dans le Sunshine State (l'État du Soleil) pour de prochaines vacances.

De nombreux organismes proposent des séjours spécialisés à l'intention des golfeurs, des ornithologues ou des plongeurs. Votre agence de voyages vous donnera toutes les brochures possibles.

Trois possibilités s'offrent à vous : le voyage organisé, le séjour que vous préparez vous-même avant votre départ, et les vacances improvisées, pour lesquelles vous réservez uniquement vos billets d'avion et choisissez votre destination finale une fois sur place.

Le voyage organisé comprend le transport aérien, l'hébergement et, bien souvent, une voiture de location. Vous pourrez séjourner dans un grand hôtel de villégiature, un établissement plus simple ou une villa. Plus de 27 000 Britanniques possèdent une résidence de vacances en Floride, qu'ils louent souvent à de grandes agences de voyages durant la majeure partie de l'année. Ces villas sont spacieuses et offrent plus de liberté qu'un hôtel, surtout si vous avez des enfants. Elles sont généralement dotées d'une piscine.

Si vous souhaitez préparer vous-même votre voyage, intéressez-vous à la location

de villas. La concurrence est si farouche qu'en basse saison, on peut trouver pour environ 325 $ la semaine une villa de trois chambres et deux salles de bain, avec piscine chauffée et à proximité des grandes attractions ; la même prestation aurait coûté le double il y a cinq ans. Cette solution est économique, surtout si vous voyagez en famille ou en groupe. Vous pourrez prendre vos repas au restaurant, mais la plupart de ces demeures sont dotées de cuisines entièrement équipées, avec lave-vaisselle. Avant de confirmer votre réservation, assurez-vous qu'il reste des billets d'avion disponibles. La demande est si forte que pour les vacances d'été et les fêtes de fin d'année, les avions sont souvent complets un an à l'avance. Optez pour une autre période : les billets sont alors moins chers, et les touristes moins nombreux.

La troisième option, de plus en plus prisée, consiste à profiter des réductions importantes proposées à la dernière minute sur les billets d'avion et à organiser votre séjour une fois sur place. Si vous choisissez cette solution, réservez une voiture de location qui vous attendra à votre arrivée. La Floride, et notamment la Floride centrale, compte plus d'hôtels et de motels que toute autre destination touristique au monde ; par conséquent, en dehors des périodes d'affluence, vous trouverez toujours une chambre. Parcourez les routes où s'alignent les hôtels, et vous verrez des enseignes lumineuses qui précisent le prix de la chambre et les différents services offerts par chaque établissement. Bon nombre d'entre eux proposent le petit déjeuner gratuit ou offrent des billets pour de grandes attractions, ce qui permet de réaliser des économies substantielles. N'hésitez pas à demander de visiter la chambre avant de faire votre choix : c'est une pratique courante. De même, vous pouvez essayer d'obtenir une réduction si vous comptez séjourner plusieurs jours.

La plupart des chambres d'hôtel et de motel sont équipées de deux lits doubles. Le prix étant calculé par chambre, et non par personne, vous pourrez séjourner en Floride pour un prix très raisonnable si vous êtes en famille. Les chambres sont généralement spacieuses et il est facile

d'obtenir un lit pour enfant ou un berceau moyennant un petit supplément. La plupart des chambres disposent d'une salle de bain et du téléphone, de la climatisation et de la télévision par câble ou satellite. Elles sont souvent dotées d'une cafetière ou d'une théière et, dans les motels, les chambres disposent d'une kitchenette où vous pourrez préparer vos repas.

Les prix varient selon la saison et la qualité des services proposés. La plupart des chaînes hôtelières pratiquent le système des coupons de nuitées prépayées, qui offrent des réductions considérables : renseignez-vous auprès de votre agence de voyages. De même, les personnes retraitées bénéficient souvent de tarifs préférentiels.

Beaucoup d'hôtels et de motels possèdent leur propre restaurant, et proposent l'hébergement en pension complète ou en demi-pension. S'il n'y a pas de restaurant, le café est généralement servi gratuitement dans le hall, et des distributeurs automatiques de boissons fraîches et chaudes sont installés à chaque étage.

Si vous souhaitez partager vos vacances entre deux destinations, passez la première semaine dans la région d'Orlando, et la seconde sur la côte Ouest, de préférence entre Clearwater et Fort Myers Beach.

Une voiture de location vous sera indispensable. Les distances entre les attractions, les centres commerciaux et les hôtels sont si importantes que la voiture reste le seul mode de transport pratique. Les plus grands hôtels de Floride centrale proposent des navettes gratuites vers les principales attractions, mais cela ne vous permettra pas de vous écarter des sentiers battus. Le service d'autobus publics de Floride centrale est pour le moins irrégulier, et si les taxis sont nombreux, ils sont également coûteux, sauf sur les très courtes distances.

La plupart des voyageurs n'éprouvent aucune difficulté, au terme d'un long vol transatlantique, à s'installer au volant de leur voiture de location pour se rendre à leur hôtel. La signalisation routière est claire, les routes sont larges, et les conducteurs respectent scrupuleusement les limitations de vitesse, ce qui vous laissera le temps de lire les panneaux et de trouver votre chemin.

Si vous craignez d'être trop fatigué pour conduire dès votre arrivée, prenez un taxi jusqu'à votre hôtel ou votre villa, et faites-vous livrer votre voiture de location sur place le lendemain.

La végétation tropicale rehausse le charme de cet hôtel de Key West.

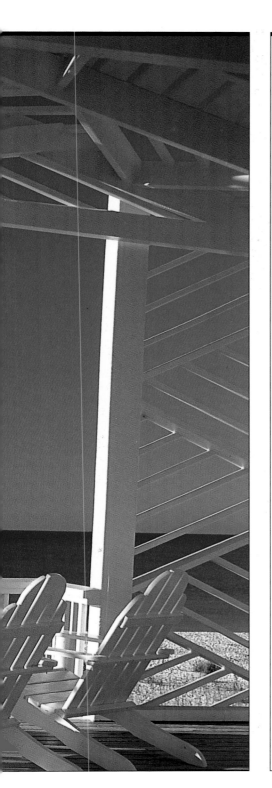

# Bienvenue
# en Floride

IL EST DE BON TON – pour ne pas dire inévitable – de commencer un guide de voyage en décrivant la région concernée comme une «terre de contrastes». C'est une formule rhétorique très commode, qui permet à l'auteur de rassembler en quelques phrases des phénomènes disparates qui auraient pu nécessiter plusieurs paragraphes, voire plusieurs pages d'explications laborieuses. Grâce aux «contrastes», on peut cerner et résumer un lieu en une parenthèse géante, puis avancer d'un bon pas.

Malheureusement pour l'auteur, on ne saurait qualifier la Floride de «terre de

contrastes». C'est une région d'une uniformité étonnante. Il est vrai que la ville la plus ancienne des États-Unis, St. Augustine, se trouve à deux pas du siège de la conquête de l'espace, Cap Canaveral ; certes, au cœur d'un ancien territoire indien s'étendent les 11 600 ha de la réserve appelée Disney World. En outre, nul ne pourrait confondre les charmes sudistes de Tallahassee avec les rythmes latins de Miami, ou les lettrés de Key West avec les «m'as-tu-vu» de Palm Beach. Alors que dans les autres États il existe des différences marquées entre le mode de vie des différentes générations, en Floride, c'est un abîme qui les sépare : d'un côté, les jeunes y affluent pour «vivre leur vie», et de l'autre, les personnes âgées viennent y finir leurs jours.

Néanmoins, sans être monotone, la Floride offre une image de variations mineures sur quelques thèmes importants. Le principal est, bien sûr, le soleil : la Floride mérite son surnom de «Sunshine State» (État du Soleil). À cela s'ajoute une absence de relief : le point culminant de l'État n'est qu'à 105 m au-dessus du niveau de la mer. N'oublions

pas l'humidité : outre le vaste marécage des Everglades, la Floride compte 30 000 lacs et 16 000 km de rivières, auxquels s'ajoutent évidemment ses 2 200 km de côtes océaniques. Par ailleurs, seuls les prix permettent de différencier la plupart des 30 000 restaurants de l'État, de même qu'on distingue les chambres d'hôtel à leur adresse, les plages à leur nom et les routes à leur numéro ; dans ces conditions, comment parler de la Floride comme d'une terre très variée ?

En dépit de cette standardisation et de cette uniformité, la Floride attire chaque année 40 millions de visiteurs. Pourquoi ? La réponse est simple : parce que les critères de qualité sont uniformément élevés, et les établissements et les services excellents. C'est là que réside tout l'attrait de la Floride. On ne risque pas d'avoir de surprises. Lorsque l'on sait que le temps sera ensoleillé, les plages superbes, les gens aimables, le service compétent, les chambres confortables et les prix abordables, on n'hésite pas un instant. C'est la raison pour laquelle la Floride est la destination touristique la plus fréquentée au monde. Nul autre lieu de la planète ne peut offrir autant de qualités avec Mickey en prime.

Toutefois, si cette cohérence et cette fiabilité des prestations font de la Floride un lieu très facile à visiter, elles compliquent également la tâche de ceux qui doivent la décrire. Avec un tel niveau de qualité, les choix d'adresses à recommander se font encore plus difficiles et subjectifs qu'ailleurs. À cela s'ajoute le problème de la quantité. Dans le domaine de l'hôtellerie, par exemple : plus de 300 hôtels furent construits en l'espace d'un an à Miami Beach, une étroite bande de terre de 11 km de long seulement ! Il en va de même pour les parcours de golf : aux environs de Fort Lauderdale, une ville de taille modeste, on dénombre pas moins de 60 parcours ! Avec une telle pléthore d'aménagements touristiques, on ne sait par où commencer.

Néanmoins, je peux vous prédire avec une certitude absolue que vous vous amuserez beaucoup en Floride. En fait, si vous n'arrivez pas à vous distraire dans cette région, ne prenez même pas la peine d'essayer ailleurs.

CI-DESSUS : Dans le parc Gatorland de Kissimme. CI-CONTRE EN HAUT : Un artiste de rue amuse la foule qui se rassemble chaque soir au Mallory Market, à Key West. EN BAS : La jetée de Naples s'avance dans le golfe du Mexique.

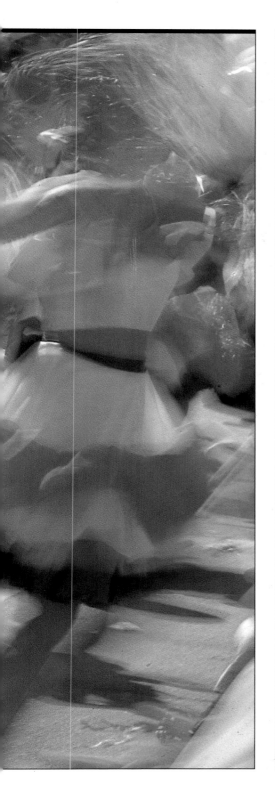

# La Floride et ses habitants

## HISTORIQUE

Il est peut-être approprié que la population du lieu de vacances le plus visité au monde se compose principalement de nouveaux arrivants. Un tiers seulement des neuf millions d'habitants de la Floride y sont nés. Et aucun d'entre eux ne descend des peuples indigènes qui y vécurent pendant plus de dix mille ans avant l'arrivée des Européens au XVIᵉ siècle. Ces derniers entreprirent une extermination systématique de la population indienne d'origine.

Christophe Colomb revendiqua le territoire au nom de l'Espagne en 1492, sans même l'avoir vu ; mais le premier Européen qui posa son regard sur la Floride fut presque certainement le cartographe anglais John Cabot, qui navigua le long de la côte Est du continent américain au nom du roi Henry VII en 1498. Le premier Européen qui mit le pied sur le sol de la Floride fut l'explorateur espagnol Juan Ponce de León, qui débarqua le 2 avril 1513 près de l'actuelle St. Augustine, à la recherche de la légendaire île de Bimini et de sa miraculeuse fontaine de Jouvence. Ayant débarqué à Pâques, il baptisa cette nouvelle terre du nom que donnent les Espagnols à la célébration de cette fête religieuse, «Pascua Florida», ou «Pâques Fleuries».

Ponce fit ensuite voile le long de la côte, contournant les Keys (qu'il baptisa **Los Martires**, car elles évoquaient à ses yeux des martyrs agenouillés dans l'eau) puis il remonta la côte Ouest de la péninsule jusqu'à Charlotte Harbor, près de l'actuelle Fort Myers. Il retourna en Floride en 1521, accompagné de 200 colons, et tenta d'établir une communauté près de Charlotte Harbor. Cependant, les Indiens autochtones n'avaient pas l'intention de laisser les Européens s'emparer de leurs terres, et ils lancèrent sur la colonie un assaut farouche au cours duquel Ponce lui-même fut gravement blessé. La colonie entière dut se replier sur Cuba, où le malheureux de León succomba à ses blessures.

Sept ans plus tard, un autre Espagnol, Pánfilo de Narváez, accosta à Tampa Bay avec 300 aspirants colons. Il mena une expédition jusqu'à la côte nord-ouest de la Floride, où les Espagnols devaient rejoindre leurs vaisseaux après s'être chargés de l'or qu'ils étaient

certains de trouver en chemin. Non seulement ils ne découvrirent pas d'or, mais ils ne retrouvèrent pas leurs navires au rendez-vous. Narváez décida donc avec son groupe, nettement réduit par les escarmouches avec les Indiens rencontrés en route, de construire de nouveaux vaisseaux et de faire voile jusqu'au Mexique. Mais le groupe n'arriva jamais à destination.

Nullement découragé par le destin tragique de ses deux prédécesseurs, Hernando de Soto partit de Cuba en 1539 avec 600 marins ; il débarqua à Tampa Bay et fit route vers le nord, marchant plus ou moins sur les brisées de Pánfilo de Narváez, à la recherche du même trésor que les Espagnols. Il ne trouva rien, mais poursuivit inlassablement ses recherches, avant de s'éteindre trois ans plus tard sur les rives du Mississippi.

En 1559, le conquistador Don Tristán de Luna débarqua avec 1 500 hommes à Pensacola Bay, où il tenta d'établir une colonie. Au terme de deux années d'âpres difficultés, il abandonna ses efforts et repartit vers son pays.

Paradoxalement, les Français furent indirectement responsables de la colonisation de la Floride par les Espagnols. En 1562, Jean Ribault explora l'embouchure de la rivière St. Johns et revendiqua ce territoire pour la France. En moins de deux ans, une colonie de 300 huguenots s'installa dans le nouveau Fort Caroline. Ennuyés par la présence de ces colons français – et, qui plus est, protestants – sur «leur» territoire, les Espagnols mandèrent un ancien contrebandier, Pedro Menéndez de Avilés, dans la région pour y fonder une colonie, et ainsi faire échec aux ambitions des Français. Il s'acquitta de ces deux tâches.

Débarquant au sud de Fort Caroline le 28 août 1565, jour de la Saint-Augustin, Menéndez baptisa sa nouvelle colonie en l'honneur du saint, avant de diriger ses troupes vers le nord pour évincer les Français. Malheureusement pour la petite communauté huguenotte, Jean Ribault, animé d'une hostilité tout aussi farouche à l'égard des Espagnols, leva l'ancre presque en même temps pour aller détruire la colonie de St. Augustine. Menéndez trouva donc Fort Caroline pratiquement sans défense et s'en

*Une réplique du HMS Bounty est amarrée à Miami.*

empara facilement, n'épargnant que les femmes et les enfants. Pendant ce temps, la petite armée de Ribault avait essuyé une tempête en mer et s'était échouée avant d'atteindre St. Augustine. Le lieu où Menéndez découvrit plus tard les survivants porte encore aujourd'hui le nom de Matanzas – «tueries» en espagnol – car le mercenaire n'avait pas l'habitude de faire des prisonniers.

Jusqu'à la fin du siècle, les Espagnols œuvrèrent laborieusement à la consolidation et au déploiement de leur mainmise sur la péninsule. Ils érigèrent un chapelet de

forteresses, ainsi qu'un réseau de missions franciscaines pour convertir les Indiens. Bien que Sir Francis Drake ait réussi à incendier St. Augustine en 1586, deux ans avant sa victoire sur l'Armada espagnole, ni les Anglais, ni les Français ne tentèrent de remettre en cause la suprématie coloniale des Espagnols en Floride au XVIIᵉ siècle. Dans le même temps, la résistance indienne s'effondrait rapidement. Ceux qui n'étaient pas tués par les armes à feu des Espagnols succombaient aux maladies apportées par ces derniers – variole, diphtérie et syphilis – ou étaient réduits à l'esclavage dans les plantations des Antilles. Pendant plus d'un siècle, les Espagnols demeurèrent les maîtres incontestés de la Floride.

Toutefois, en 1700, des signes de fragilité apparurent dans la cuirasse espagnole. Au nord, les colonies anglaises proliféraient. À l'ouest, La Salle avait revendiqué au nom de la France toute la vallée du Mississippi. En 1702, la guerre de Succession d'Espagne attira des troupes anglaises en Floride, où, avec l'aide des Indiens creeks, les Britanniques se rendirent maîtres de la plupart des avant-postes militaires espagnols au nord et détruisirent bon nombre de missions. De leur côté, les Français s'emparèrent de Pensacola en 1719. Ils la restituèrent peu après, dans le seul but de la maintenir hors des mains des Anglais, mais le glas avait déjà sonné pour l'Espagne.

Enfin, en 1763, après que la défaite de la France lors de la guerre de Sept Ans eut fait de l'Angleterre le maître incontesté du continent américain, l'Espagne céda la Floride à l'Angleterre en échange de La Havane, dont les Britanniques s'étaient emparés. Tous les Indiens avaient disparu, remplacés par des Creeks renégats des territoires voisins du nord et de l'ouest. On les baptisa Séminoles, d'après le mot espagnol *cimarrones*, signifiant renégat ou fugitif. Les Anglais s'entendaient bien avec les Séminoles, qu'ils traitaient en partenaires commerciaux au lieu de les exterminer ; toutefois, l'Angleterre dut remiser ses ambitieux projets pour le développement de la Floride lorsque la rébellion née dans les 13 colonies du nord menaça de se transformer en révolution.

La présence coloniale anglaise en Floride fut brève – deux décennies, de 1763 à 1783 – et sans brutalité : la Floride resta d'ailleurs à l'écart de la Révolution américaine, et servit d'asile aux Anglais qui fuyaient la guerre. Après leur défaite, les Britanniques abandonnèrent de nouveau la Floride à l'Espagne en échange des Bahamas.

Au cours des années qui suivirent la guerre d'Indépendance, les citoyens des jeunes États-Unis d'Amérique commencèrent à s'intéresser à ce territoire espagnol accolé à la nouvelle nation. Les Séminoles, toujours loyaux envers leurs anciens maîtres britanniques, craignaient – à juste titre – les Américains, qui achetaient d'énormes portions de terrain autour d'eux ; ils se montrèrent très hostiles envers ces nouveaux colons, à tel point qu'en 1817, Andrew Jackson mena une expédition punitive contre les Indiens dans le nord de la Floride. C'est ainsi que débuta la première guerre Séminole. Outre la brutale leçon infligée aux Indiens, elle apprit aux Espagnols qu'ils étaient manifestement incapables de protéger leur territoire. Ils vendirent la Floride aux États-Unis en 1821.

Andrew Jackson fut logiquement nommé gouverneur militaire du territoire nouvellement annexé. Plus surprenant, en revanche, fut le choix de Tallahassee comme siège du gouvernement de Floride. Pour des raisons administratives, l'Angleterre avait subdivisé le territoire en Floride Orientale et Floride Occidentale, avec St. Augustine et Pensacola comme capitales respectives. Ces deux villes revendiquèrent donc le statut de capitale de la Floride réunifiée. Pour régler ce litige, la législature du territoire imagina une solution originale. Un homme partit de St. Augustine pour Pensacola, tandis qu'un autre se rendait de Pensacola à St. Augustine. La nouvelle capitale serait établie à leur point de rencontre. Ils se croisèrent en pleine forêt, à Tallahassee.

Avec l'afflux des nouveaux colons venus du nord, la résistance Séminole se durcit, incitant le Congrès à adopter en 1830 une politique de déportation, la «Removal Law», qui forçait tous les Indiens à partir s'installer sur le territoire de l'Arkansas, à l'ouest du Mississippi. Encore une fois, les Séminoles résistèrent, et en 1835, une embuscade meurtrière tendue par des guerriers Séminoles à un détachement de 139 soldats américains dirigés par le commandant Francis Dade, près de Tampa, fournit au nouveau président Andrew Jackson une occasion inespérée de «pacifier» définitivement les Séminoles. Pourtant, une fois encore, les Américains avaient sous-estimé l'esprit farouche et déterminé des Indiens. La deuxième guerre des Séminole fut sanglante et se prolongea sept ans, en dépit de la capture du grand chef Osceola, en 1837, alors qu'il négociait avec les Yankees après qu'une trève eut été déclarée.

En 1842, la plupart des Séminoles survivants furent déportés aussi loin que dans l'actuelle région de État d'Oklahoma. Malgré tout, plusieurs centaines d'Indiens refusèrent de capituler, et s'échappèrent dans les Everglades, où ils défendirent farouche-

ment leur indépendance jusqu'à ce que les États-Unis finissent par signer un traité avec eux en 1934.

En 1845, la Floride devint le vingt-septième État de l'Union. Elle comptait alors environ 80 000 habitants, dont la moitié étaient des esclaves noirs, tandis que les Indiens avaient pratiquement disparu.

Compte tenu de la situation géographique et de l'économie de plantations de la Floride, il n'est pas surprenant qu'elle se soit ralliée à la Confédération pendant la guerre de Sécession. La vulnérabilité historique de

l'État à l'occupation étrangère explique qu'aucune bataille importante ne s'y soit déroulée, alors que les forces de l'Union progressaient et s'emparaient sans grandes difficultés de tous les points stratégiques. La période de la reconstruction fut moins traumatisante que dans les autres États du Sud – et plus brève, grâce à un riche industriel de Philadelphie nommé Hamilton Disston qui, en 1881, se laissa convaincre d'acheter deux millions d'hectares de marécages au centre-sud de la Floride pour un million de dollars, effaçant ainsi d'un seul coup la dette de l'État.

CI-CONTRE : Une rue typique du quartier historique de Seville, à Pensacola. CI-DESSUS : L'ancien Capitole de Tallahassee abrite aujourd'hui un musée.

Au cours des années suivantes, plusieurs aménagements allaient permettre à la Floride de devenir, un siècle plus tard, la première destination de vacances au monde. Tout d'abord, l'Association médicale américaine décréta que St. Petersburg bénéficiait de l'air le plus sain des États-Unis. Puis, un jeune inventeur infirme, Thomas Edison, quitta le New Jersey pour Fort Myers, où il construisit une propriété dotée de la première piscine moderne des États-Unis. Vint alors Henry Bradley Plant, un Yankee du Connecticut qui construisit l'Atlantic Coastline Railroad, une

ligne de chemin de fer côtière qui reliait Richmond, en Virginie, à Tampa. L'attraction principale du voyage était le Tampa Bay Hotel construit par Plant, un édifice fantasmagorique s'étirant sur 500 m et doté de minarets, de coupoles et de dômes. Dans le même temps, Henry Morrison Flagler, un cadre en retraite de Standard Oil, construisit son propre chemin de fer sur la côte Est de la Floride (le Florida East Coast Railroad). Il posa ses rails jusqu'à St. Augustine, relia ensuite Ormond Beach, Palm Beach, puis le petit hameau de Miami et, enfin, grâce à une série de ponts à arches enjambant l'océan et les Keys de Floride, il parvint à Key West. À chaque arrêt important de cette ligne, Flagler édifia au moins un hôtel somptueux pour

loger les voyageurs : le Ponce de León et l'Alcazar à St. Augustine, l'Ormond à Ormond Beach, le Royal Poinciana à Palm Beach, et le Royal Palm à Miami. Au cours de cette marche triomphale vers l'extrême Sud des États-Unis, Flagler créa aussi deux futures agglomérations : Palm Beach et Miami.

En 1912, un an avant la mort de Flagler, un millionnaire d'Indianapolis, Carl Fisher, découvrit un grand banc de sable exondé à Biscayne Bay ; il y acheta une vaste étendue de terrain qu'il agrandit par dragages et remblais. C'est ainsi que naquit Miami Beach, qui devint un lieu de villégiature très prisé après qu'on y eut ajouté quelques hôtels, de nombreux parcours de golf et des courts de tennis. Au sud de Miami, George Merrick créa Coral Gables, la première ville du pays qui fut intégralement construite sur plans, tandis que sur la côte, l'excentrique architecte Addison Mizner bâtissait des propriétés à Palm Beach et achetait des terres broussailleuses à l'endroit où allait surgir Boca Raton. Dans le même temps, le marécage des Everglades était assaini pour donner naissance à de riches terres agricoles.

Cette activité entraîna un boom spectaculaire de la propriété foncière au début des années 1920 ; on affluait de tout le pays pour profiter de l'aubaine. Les prix grimpaient en flèche, et des escrocs revendaient le même terrain à de nombreuses victimes. D'autres achetaient et revendaient un lot le même jour. Beaucoup acquérirent des terres sans même les avoir vues, pour découvrir plus tard que le lopin en question était submergé. En 1925, au terme de cette frénésie, deux millions et demi de personnes avaient acheté des propriétés en Floride. L'année suivante, le marché de l'immobilier s'effondra brutalement.

Cet essor fulgurant était voué à l'embolie, mais un élément vint précipiter la crise : la capacité limitée du chemin de fer, qui ne pouvait pas répondre à l'énorme demande de transports née des besoins en matériaux de construction. De nombreux promoteurs firent faillite. Un navire qui apportait des matériaux à Miami coula dans le chenal du port, bloquant ainsi son accès, ce qui provoqua de nouvelles faillites. Le coup de grâce fut porté le 27 septembre 1926, par un violent ouragan qui s'abattit sur Miami, endommageant la moitié des bâtiments et emportant les constructions voisines. La fête était finie et, trois ans plus tard, lorsque le krach boursier entraîna la Grande Dépression, les lumières s'éteignirent.

Elles se rallumèrent lors de la Seconde Guerre mondiale, quand l'armée américaine décida de profiter du climat de la Floride pour y établir un camp d'entraînement permanent. Non seulement cette décision permit à des milliers de jeunes gens de découvrir cette terre subtropicale ensoleillée, mais elle produisit aussi des bienfaits secondaires, parmi lesquels le réseau si nécessaire de routes et d'aéroports qui devait permettre

aux agriculteurs d'expédier leurs produits dans tout le pays. Par ailleurs, la recherche militaire aboutit à la mise au point de systèmes de refroidissement qui allaient doter la Floride d'efficaces climatiseurs pour ses étés torrides et permettre de produire des concentrés surgelés utilisant ses millions d'agrumes. La guerre profita incontestablement à la Floride.

La faillite immobilière de 1926 eut aussi des avantages car, lorsque les habitants et la prospérité furent de retour après la guerre, la leçon n'avait pas été oubliée. Les transactions immobilières furent réglementées, les aménagements contrôlés, un cadastre rigoureux fut instauré. Tout cela permet à la Floride de continuer à profiter de la remarquable croissance

lancée pratiquement en même temps que la première fusée de Cap Canaveral en 1950.

Certains pensent que cette croissance s'est produite en partie aux dépens de l'environnement, et qu'on accorde trop peu d'attention à la beauté naturelle qui fait le charme de cette région. D'autres citent un paradoxe : le merveilleux climat de la Floride commence à se transformer en un fardeau financier. Il attire tant de retraités venus de régions moins hospitalières que le coût des soins médicaux et des programmes pour les personnes âgées doit augmenter au même rythme.

Pour le moment, ces inconvénients restent cependant très marginaux par rapport aux multiples atouts de la Floride ensoleillée.

## GÉOGRAPHIE ET CLIMAT

Au premier abord, il semble assez inutile de décrire la géographie et le climat de la Floride. Après tout, rares sont les voyageurs, de quelque origine soient-ils, qui ne savent pas situer cet État sur une carte du monde, ou qui ignorent tout de son climat. Néanmoins, certains aspects des conditions géographiques et

CI-CONTRE : Coucher de soleil sur le nord-ouest de la Floride. CI-DESSUS À GAUCHE : La petite ville de Seaside, dans le Nord-Ouest. CI-DESSUS : Un alignement de fusées au Kennedy Space Center.

climatiques sont susceptibles de surprendre le visiteur.

Selon les critères américains, l'État n'est pas très grand – moins de 97 000 km². Sa topographie n'est pas vraiment diversifiée. La plus grande partie de la Floride se compose de marais, ou d'anciens marais entourés de plaines côtières. Au large, ces plaines continuent de faire surface par intermittences, sous la forme d'îles, de bancs de sable ou de récifs de corail. Sur les côtes de Floride, là où cette terre émergea il y a quelque vingt millions d'années, les plages ne varient guère, ni par leur charme, ni par leur aspect. Sur le rivage atlantique nord, les plages sont larges et le sable est plutôt compact ; sur la côte atlantique sud, elles sont également larges, mais plus douces ; elles sont jonchées de coquillages dans le sud ; dans le Nord-Ouest, de Pensacola à Panama City, les plages ont la couleur et la consistance du sucre en poudre.

À l'arrière de ces bordures sablonneuses, on dénombre plus de 300 variétés d'arbres, plus de 400 espèces et sous-espèces d'oiseaux, et au moins 80 mammifères terrestres. L'arbre symbole de l'État est le merveilleux palmier «sabal», presque omniprésent ; dans certaines régions, il est cependant concurrencé par les pins, les cyprès, les magnolias et les chênes verts. Le centre et le centre-sud de l'État sont occupés par les plantations d'agrumes.

Parmi les oiseaux qui habitent la région en permanence, les plus spectaculaires à l'intérieur des terres (et souvent dans les marais) sont les ibis, les aigrettes, les hérons, les balbuzards, les cormorans, les cardinaux, les spatules roses et les flamants. Le long du rivage, on trouve une gamme moins exotique de bécasseaux, de sternes et de pélicans. À ceux-ci s'ajoutent les canards et les oies sauvages qui hivernent en Floride.

Les mammifères les plus intéressants sont malheureusement les plus rares : renards gris, ours noirs, pumas et chats sauvages. Il existe cependant un mammifère à la fois très intéressant et très commun : le sympathique dauphin, que l'on voit souvent nager près des plages ou le long des bateaux. Tout aussi familier, mais moins amical, l'alligator (*gator* pour les Floridiens) ressemble à un énorme sac à main qui se dandine.

La Floride doit son nom aux «Pâques Fleuries» espagnoles, mais elle le justifie par le chatoiement de fleurs qu'elle offre aux regards. C'est particulièrement vrai au printemps, lorsque bougainvillées, flamboyants, orchidées, géraniums, azalées, chèvrefeuilles et lys tigrés créent une véritable explosion de couleurs.

Quant au climat, c'est naturellement parce qu'on le connaît que l'on a envie d'en savoir plus sur le reste. Il est ensoleillé toute l'année, avec des températures qui varient généralement d'une chaleur modérée à une chaleur torride. Au cœur de l'hiver, dans le nord de l'État, le thermomètre tombe parfois à 10°C, mais la température moyenne est plutôt de l'ordre de 15°C. Elle augmente à mesure que l'on progresse vers

le sud, et il peut facilement faire 24°C à Key West en janvier.

L'été est plus chaud dans certaines régions, mais – et c'est une bonne nouvelle – sans excès. Le mercure dépasse rarement les 32°C, et les régions côtières sont naturellement climatisées par les brises marines. (Toutes les régions de l'intérieur des terres qui ne sont pas rafraîchies par les vents océaniques bénéficient de la climatisation.) Par ailleurs, grâce à l'influence du Gulf Stream, les eaux qui entourent la Floride sont agréablement chaudes toute l'année.

Cette médaille possède cependant un revers : l'humidité et les cyclones. Ces deux inconvénients restent mineurs. On peut échapper à l'humidité en restant à l'intérieur ou dans l'eau à midi en plein été ; et on se protège des ouragans en s'enfermant dans les habitations. Heureusement, ils sont relativement rares, même pendant la saison des cyclones (de la fin juillet à la mi-novembre) et leur arrivée est annoncée longtemps à l'avance par les médias. En outre, les immeubles sont construits pour résister aux vents forts (tout comme les immeubles de Californie sont conçus à l'épreuve des tremblements de terre). Les Floridiens sont tellement habitués aux ouragans que lorsque l'un d'eux est imminent des milliers de «hurricane parties» sont organisées et conjurent ainsi le sort.

D'une manière générale, rien en Floride ne viendra s'interposer entre vous, la mer et le soleil.

Coucher de soleil, sable doux et sérénité sur une plage de Seaside.

# Miami
# et sa
# région

LE 28 JUILLET 1890, LA PETITE COMMUNAUTÉ DE 343 PÊCHEURS ET AGRICULTEURS DE MIAMI SE CONSTITUA EN MUNICIPALITÉ. En 1920, la ville comptait déjà 30 000 habitants, et son développement touristique était en plein essor. Aujourd'hui, près de deux millions de personnes vivent dans les 26 municipalités qui composent l'agglomération de Miami. Parmi ces communes, on peut citer Miami Beach, avec ses hôtels Art Déco et ses kilomètres de plages de sable ; les îles tropicales de Virginia Key et Key Biscayne, au sud de Miami Beach ; Coral Gables, surnommée la «Riviera de Miami» en raison du style méditerranéen de ses constructions et de sa «haute société» ; Coconut Grove, renommée pour ses magasins et son animation nocturne ; et Little Havana, le quartier cubain de la ville, à l'ouest des principales rues commerçantes. L'agglomération de Miami s'étend aujourd'hui sur 3 284 km – dont 58 ha de plages publiques qui s'étirent sur 24 km de côtes entre Key Biscayne et Bal Harbour – et 570 km carrée d'eau.

Cette région rassemble de multiples groupes ethniques : 36 % de Blancs, 18 % de Noirs et 46 % de Latino-Américains, dont la majorité sont cubains, mais il y a aussi beaucoup d'immigrants originaires du Panama, de Colombie, du Salvador et du Nicaragua, ainsi que 150 000 Haïtiens francophones. Cet afflux d'étrangers a valu à Miami le surnom de «Casablanca américaine», car certains immigrants, en particulier ceux qui sont issus d'Amérique Latine ou des Antilles, sont des réfugiés économiques ou politiques.

Malgré les tensions inévitables que provoque un tel mélange racial, et en dépit de sa réputation (très exagérée) de capitale du crime, l'agglomération de Miami a été classée vingtième sur les 333 villes proposées comme les plus agréables à vivre par le sondage *Places Rated Almanac* de Rand McNally. Ce sondage tient compte du niveau de criminalité, de la qualité des services médicaux et sociaux, de l'environnement, des transports en commun, de l'éducation, des loisirs, des arts et du climat. Selon ces critères, Miami se place parmi les meilleures villes des États-Unis.

L'aéroport international de Miami est le deuxième du pays : on y dénombre jusqu'à 850 mouvements quotidiens. Le port de Miami est incontestablement le plus grand centre mondial de plaisance, avec ses somptueux paquebots de croisière qui accueillent chaque année plus de deux millions et demi de passagers. Toutefois, un chiffre est plus déterminant que tous les autres : 24°C. C'est la température moyenne annuelle dans la région de Miami.

## MIAMI

### HISTORIQUE

Le premier colon américain de cette région fut un planteur de Caroline nommé Richard Fitzpatrick, qui, en 1826, fit venir un groupe d'esclaves pour cultiver les environs de la rivière Miami. Le neveu de Fitzpatrick, William English, hérita des propriétés de son oncle en 1842, à la fin la deuxième guerre des Séminoles. English mesura immédiatement le potentiel de ce site et commença à tirer des plans pour établir un village à l'embouchure de la rivière Miami. Il décida de baptiser cette nouvelle colonie «Miami», une déformation du mot indien tequesta *mayaime*, signifiant «très vaste». Les Indiens avaient autrefois attribué ce nom au lac Okeechobee, au nord-ouest.

English annonça dans les journaux des villes du nord de l'État qu'il vendait des parcelles à 1 $ pièce. Les Séminoles ne représentent plus un danger, cette aubaine attira de nombreux acheteurs. Des fermes se construisirent, et la communauté se développa régulièrement jusqu'en 1855, date de la troisième guerre Séminole.

Durant la guerre de Sécession, Miami devint un refuge d'espions, de déserteurs et de briseurs de blocus, mais les véritables combats se déroulèrent au nord de l'État. De nouveaux colons arrivèrent après la guerre, et la croissance reprit ; des communautés agricoles furent établies à Lemon City, Coconut Grove, Buena Vista et Little River, tandis qu'un marchand nommé William Brickell installait un comptoir commercial près de l'embouchure de la Miami, où il se lança dans un commerce actif avec les Indiens de la région.

La «mère de Miami» (ainsi nommée parce qu'elle aurait conçu la ville) une riche veuve du nom de Julia Tuttle, arriva en 1875. Elle s'installa dans l'ancienne maison de William English et, au cours des quinze années suivantes, elle devint le propriétaire foncier le plus important de la région. Elle persévéra dans ses efforts pour convaincre Henry Flagler d'étendre sa ligne de chemin de fer jusqu'à Miami, et n'hésita pas à lui offrir 120 ha de terres, mais en vain. En 1895, cependant, des conditions atmosphériques exceptionnelles vinrent au secours de Mme Tuttle. Ce fut l'année du Grand Gel, qui détruisit 90 % de la production d'agrumes de l'État, mais laissa la région de Miami relativement indemne.

Les effets du Grand Gel réduisirent les bénéfices du chemin de fer de Flagler et ternirent considérablement l'image de ses stations balnéaires au nord. Saisissant la balle au bond, Mme Tuttle envoya à Flagler un bouquet de fleurs d'oranger pour lui rappeler que la région de Miami jouissait d'un climat assez fiable pour produire des agrumes toute l'année. Flagler comprit le message, et son chemin de fer rallia Miami l'année suivante, en 1896. Les promoteurs suivirent rapidement, construisant hôtels et lotissements, et Flagler lui-même investit dans la ville en construisant le Royal Palm Hotel.

Le boom immobilier s'accéléra rapidement et, en 1910, la ville comptait 5 000 habitants, parmi lesquels quelques milliardaires qui construisirent des demeures luxueuses sur Brickell Avenue, dominant la baie de Biscayne. La somptueuse Villa Vizcaya de James Deering, qui attire toujours les curieux, était probablement le plus impressionnant de ces palais privés. En 1920, le planteur John S. Collins et son partenaire, l'homme d'affaires Carl Fisher, avaient acheté la presque totalité des 640 ha de l'île marécageuse située au large de la côte ; ils l'asséchèrent et l'aménagèrent, donnant ainsi naissance à Miami Beach. Miami connut une expansion gigantesque pendant les années 1920 ; au cours de l'hiver 1924-1925, 300 000 visiteurs séjournèrent dans la ville, dont la population permanente atteignait alors 100 000 habitants. Cet essor fut cependant stoppé net en 1926, et les financiers et promoteurs qui l'avaient créé se retirèrent rapidement.

La croissance se poursuivit à un rythme plus modeste pendant les années de la Dépression. George Merrick fit de Coral Gables l'une des banlieues les plus huppées de la région, et Glenn H. Curtiss transforma Hialeah et Miami Springs en stations de villégiature

très prisées durant l'hiver. À Miami Beach, de merveilleux hôtels Art Déco jaillirent du sable. Au cours de l'hiver 1937-1938, plus de 800 000 touristes se rendirent à Miami. La ville s'étendit implacablement pour loger le nombre toujours croissant de touristes et de nouveaux arrivants jusqu'à ce que, à l'instar de Los Angeles sur la côte Ouest, il soit difficile de savoir où la ville s'arrêtait et où commençait le reste du pays.

Après la révolution cubaine de 1959, Miami accueillit plusieurs vagues de réfugiés : plus d'un demi-million de Cubains s'installèrent en ville au cours des quelques années suivantes. La composante cubaine ajouta une toute nouvelle dimension à l'apparence et au cachet socio-culturel de la ville. L'architecture, la cuisine, la musique, la politique, les médias

et, bien sûr, la langue parlée à Miami furent fortement influencés par les nouveaux venus. Ils apportèrent aussi leurs considérables talents d'entrepreneurs, dynamisant l'économie locale et contribuant à faire de Miami l'un des centres financiers les plus importants du pays. Outre les centaines de banques et de compagnies d'assurances qu'abrite la ville, plusieurs multinationales ont installé leur siège social pour l'Amérique latine à Miami, qui offre des liaisons aériennes sans pareilles vers les Antilles et l'Amérique du Sud.

Comme toutes les grandes métropoles, Miami possède sa part de difficultés. Il faut cependant préciser que rares sont les villes au monde qui ne seraient pas prêtes à échanger leurs problèmes contre les siens – surtout si le climat faisait partie du marché.

*Miami et sa région*

## INFORMATIONS PRATIQUES

Vous obtiendrez des renseignements très détaillés à propos des hôtels, des moyens de transport, des manifestations sportives et des attractions assez diverses auprès de **The Greater Miami Convention and Visitors Bureau** ( (305) 539-3063 ou 539-3034 APPEL GRATUIT (800) 283-2707 FAX (305) 539-3113 SITE WEB www.miamiandbeaches.com, 701 Brickell Avenue Suite 2700, Miami. Pour des informations plus précises concernant les possibilités d'hébergement, contactez la **Greater Miami Hotel and Motel Association** ( (305) 531-3553 APPEL GRATUIT (800) SEE-MIAMI

Les gratte-ciel du centre de Miami confirment que cette ville est l'un des plus importants centres financiers des États-Unis.

FAX (305) 531-8954 SITE WEB www.gmbha.org, 407 Lincoln Road, Suite 10G, Miami Beach.

Pour vous renseigner à propos des principaux sites touristiques, adressez-vous aux différentes chambres de commerce : **Miami Beach Chamber of Commerce** ( (305) 672-1270 fax (305) 538-4336 SITE WEB www .sobe.com /miamibeachchamber, 1920 Meridian Avenue, Miami Beach ; la **Key Biscayne Chamber of Commerce** ( (305) 361-5207, 95 West McIntire, Key Biscayne ; la **Coconut Grove Chamber of Commerce** ( (305) 444-7270, 2820 McFarland Road, Coconut Grove ; la **Coral Gables**

**Chamber of Commerce** ( (305) 446-1657, 50 Aragon Avenue, Coral Gables ; la South **Miami Chamber of Commerce** ( (305) 238-7192, 6410 Southwest 80th Street, South Miami ; et la **Bal Harbour Chamber of Commerce** ( (305) 573-5177, 655 96th Street, Bal Harbour.

Si vous souhaitez obtenir d'autres informations vous pouvez passer par le centre des visiteurs, situé à **Aventura Mall** ( (305) 935-3836, 19501 Biscayne Boulevard ou **Bayside Marketplace** ( (305) 539-8070, 401 Biscayne Boulevard pour des dépliants et des cartes gratuits. Les grands magasins Sears à Coral Gables, Miami International Mall et Westland Mall disposent aussi de centres d'information.

Pour vous déplacer, vous trouverez des taxi pour à peu près 1 $ le kilomètre. Deux des companies recommandées sont **Flamingo Taxi** ( (305) 885-7000 FAX (305) 754-4600, 198 Northwest 79 Street and **Metro Taxi** ( (305) 888-8888 FAX (305) 947-0371.

CI-DESSUS : Toutes voiles déployées, l'*Heritage of Miami* croise un paquebot dans la baie de Biscayne.
CI-CONTRE : Les transports à Miami.

**Metrorail** ( (305) 638-6700, un métro aérien de 30 km part du centre ville de Miami et s'enfonce vers le sud jusqu'à Kendall et vers l'ouest jusqu'à Hialeah. Le trajet coûte 1,25 $.

**Water taxis** ( (954) 467-6677 FAX (954) 728-8417 SITE WEB www.watertaxi.com, qui vous prend dans les hotels, les restaurants et les, transporte de 27 à 49 passagers.

Pour les urgences médicales, **Mercy Hospital** ( (305) 854-4400 FAX (305) 285-2971 SITE WEB mercymiami.com, 3663 South Miami Avenue, Coconut Grove, offre un service pour les patients internationaux, et pour trouver un docteur appelez le ( (305) 285-2929.

Les urgences dentaires sont traitées à **Beach Dental Center** ( (305) 532-3300 FAX (305) 267-4568, 1370 Washington Avenue No. 201, Miami Beach.

## QUE VOIR, QUE FAIRE

### Excursions

Il y a tant de choses à découvrir à Miami que la meilleure solution consiste à vister les quartiers un par un. Commencez par le centre-ville, haut lieu des affaires et du commerce. Le **Miami Art Museum** ( (305) 375-3000 FAX (305) 375-1725, 101 West Flagler Street, est un musée consacré à l'art occidental depuis la seconde guerre mondiale. Il s'agit de l'une des trois composantes du Miami Cultural Center.

Vous pourrez découvrir l'histoire de la région au **Historical Museum of Southern Florida** ( (305) 375-1492 FAX (305) 375-1609 SITE WEB www.historical-museum.org, installé dans le même immeuble. Le musée illustre le mode de vie et la culture des Indiens et des colons du XIXe siècle, et une exposition de photos ainsi que des films retracent le développement de Miami.

Si la technologie moderne vous intéresse plus que les arts ou l'histoire, dirigez-vous vers le **Miami Museum of Science and Space Transit Planetarium** ( (305) 854-424 ou 854-4242 FAX (305) 285-5801 SITE WEB www .miamisci.org, 3280 South Miami Avenue. Ce musée met à la disposition de ses visiteurs près de 150 expositions interactives autour des sciences naturelles, de la biologie et de l'anatomie humaine ; vous découvrirez également des expériences scientifiques *in vivo*, les toutes dernières nouveautés de l'informatique, et un Exploratorium animal doté d'une

collection de spécimens rares. Au planétarium, surmonté d'un dôme de 20 m de haut, vous assisterez à des spectacles d'astronomie et de lasers. La nuit, on peut observer les étoiles au Weintraub Observatory. Le musée est ouvert tous les jours de 10 h à 18 h, et l'observatoire reste ouvert plus tard en fin de semaine.

Au centre-ville, ne manquez pas le **Vizcaya Museum and Gardens Gardens** ( (305) 250-9133 FAX (305) 285-2004, 3251 South Miami Avenue, une villa de style Renaissance italienne regorgeant d'antiquités, de tableaux et de décorations orientales. Cette demeure

SITE WEB www.miamiseaquarium.com, 400 Rickenbacker Causeway, où une orque du nom de Lolita donne des spectacles. Vous y verrez également Flipper le dauphin, héros de plusieurs films et d'une série télévisée, un bassin de requins, des otaries et des dizaines d'autres créatures marines. Le Seaquarium est ouvert tous les jours de 9 h 30 à 18 h 30.

À la pointe sud de l'île, au 1200 South Crandon Boulevard, la **Bill Baggs Cape Florida State Recreation Area** ( (305) 361-5811, 1200 South Crandon Boulevard, abrite des sentiers de promenade et des plages, ainsi que

de 34 pièces appartint autrefois à James Deering. Les jardins à la française et les fontaines qui l'entourent figurent parmi les plus beaux du pays. La villa est ouverte tous les jours de 9 h 30 à 17 h.

Pour vous rendre à Virginia Key et Key Biscayne, empruntez le Rickenbacker Causeway sur le continent, à l'intersection de Brickell Avenue et Southwest 26th Street, face à la baie de Biscayne. Les deux îles sont bordées de parcs et de plages, où vous pourrez vous baigner et pratiquer différentes activités sportives. Il reste aussi quelques traces des anciens marécages qui recouvraient autrefois Miami Beach, au nord. À Virginia Key, dirigez-vous d'abord vers le **Miami Seaquarium** ( (305) 361-5705 FAX (305) 361-6077

le plus ancien édifice du sud de la Floride, le **phare de Cape Florida**, haut de 30 mètres. Du sommet, vous découvrirez une superbe vue sur la baie de Biscayne et l'océan Atlantique.

De retour sur le continent, au sud-ouest du centre-ville sur Bayshore Boulevard, le quartier de **Coconut Grove** fut un repaire de hippies dans les années 1960 ; il abrite aujourd'hui une population beaucoup plus raffinée, qui apprécie les élégantes boutiques, les cafés de style français et une vie nocturne branchée. Dans ce quartier, on peut admirer le **Silver Bluff**, une fascinante formation rocheuse vieille de plusieurs millénaires : elle se trouve sur Bay Boulevard, entre les rues Crystal View et Emathia. Le **Barnacle State Historic Site** ( (305) 448-9445, 3485 Main Highway, est une propriété paisible de 2 ha, où se dresse l'une des plus anciennes maisons de la région, construite en 1870. Elle est décorée de meubles d'époque et de photos historiques.

À quelques kilomètres le long de la côte, Coral Gables a été surnommée «la Riviera de Miami» en raison de son architecture méditerranéenne et du niveau de vie élevé de ses habitants. Pour avoir un aperçu intéressant de cette architecture, allez visiter la **Coral Gables Merrick House** ( (305) 460-5361, 907 Coral Way, une demeure de corail construite à la fin du siècle dernier pour

l'Université de Miami, vous admirerez plusieurs tableaux signés par Le Greco et une superbe collection d'œuvres d'art de la Renaissance et baroques.

Un peu plus loin le long de la côte, on pénètre dans le comté de South Dade, qui rassemble certaines des plus fascinantes attractions touristiques de la région. Le **Miami Metrozoo** ( (305) 251-0400 FAX (305) 378-6381, 12400 Southwest 152nd Street, est le plus vaste parc animalier du pays ; il présente de superbes et très rares tigres blancs du Bengale, des koalas et plus de 300 oiseaux exotiques dans une

George Merrick, fondateur de ce village. Au 2701 DeSoto Boulevard, le **Venetian Pool** ( (305) 460-5356 est un lagon taillé dans la roche, agrémenté de grottes, de ponts de pierre et d'une plage de sable. C'est un lieu enchanteur où flâner dans l'après-midi.

Le **Fairchild Tropical Garden** ( (305) 667-1651 FAX (305) 661-8953 SITE WEB www.ftg.org, 10901 Old Cutler Road, est le plus grand jardin botanique tropical du pays ; un petit train sillonne toutes les heures ses 33 ha de flore exotique. La serre abrite des essences rares et une forêt équatoriale miniature. Le jardin est ouvert tous les jours de 9 h 30 à 16 h 30. Au **Lowe Art Museum** ( (305) 284-3535 FAX (305) 284-2024 SITE WEB www.lowemuseum.org, 1301 Stanford Drive, Coral Gables à

immense volière. Les animaux vivent dans des habitats naturels, séparés du public par des fossés. Le parc est ouvert tous les jours de 9 h 30 à 17 h 30. À **Parrot Jungle and Gardens** ( (305) 666-7834 FAX (305) 661-2230 SITE WEB www.parrotjungle.com, 11000 Southwest 57th Avenue, plus d'un millier d'oiseaux exotiques évoluent dans une jungle subtropicale. Le parc est ouvert tous les jours à partir de 9 h 30.

Des passages grillagés sillonnent **Monkey Jungle** ( (305) 235-1611 FAX (305) 235-4253, 14805 Southwest 216th Street, une merveilleuse colonie de singes qui vivent pratiquement à l'état sauvage dans un habitat tropical naturel.

CI-CONTRE : La Villa Vizcaya, la résidence de style Renaissance italienne de John Deering, et CI-DESSUS, sa barge en pierre sculptée.

Des spectacles de chimpanzés sont proposés chaque jour. Cette réserve est ouverte tous les jours de 9 h 30 à 17 h.

Le **Weeks Air Museum** ( (305) 233-5197 SITE WEB www.weeksairmuseum.com, 14710 Southwest 128th Street, est récent et de plus en plus fréquenté. Le musée présente 35 avions civils et militaires très anciens et en parfait état. Des objets et des photos retracent l'histoire de l'aviation. Le musée est ouvert tous les jours, de 10 h à 17 h.

Vous découvrirez des trains historiques au **Gold Coast Railroad Museum** ( (305)

### Sports

Les amateurs de **football américain** pourront assister aux rencontres des Miami Dolphins de septembre à janvier au Pro Player Stadium ( (954) 452-7000 SITE WEB www.pwr.com/ dolphins, 2269 Northwest 199th Street, Miami. Pour connaître le prix des billets, appelez le ( (305) 620-2578. L'équipe de **basketball** des Miami Heat ( (954) 835-7000 SITE WEB www.heat.com, dispute ses matches de novembre à avril dans la Miami Arena ( (305) 577-4328, 721 Northwest First Avenue, Miami. Très bientôt, l'équipe des Heat jouera

253-0063, 12450 Southwest 152nd Street. Une locomotive à vapeur offre même des promenades dans l'enceinte du musée. Ouvert tous les jours de 10 h 00 à 15 h 00.

De nombreuses compagnies de croisières proposent une large gamme de promenades hors du port de Miami. Les plus appréciées sont les croisières d'une demi-journée, les dîners-croisières et les excursions d'une journée vers Bimini et les Bahamas. Les tarifs sont très raisonnables, variant de 50 $ et plus pour les croisières d'une demi-journée à 100 $ et plus pour celles d'une journée. Contactez **Costa Cruise Line** ( (305) 358-7325 APPEL GRATUIT (800) 462-6782 FAX (305) 375-0676 SITE WEB www.costacruises.com, 80 Southwest Eighth Street, Miami.

dans le nouveau stade construit à leur intention dans le centre ville de Miami. Les plus récents couronnées de Miami sont les **Florida Marlins** ( (305) 626-7400 SITE WEB www .flamarlins.com, qui ont remporté la Major League Baseball World Series en 1997. Pour des renseignements sur le prix des billets, appelez le ( (305) 930-4487. La saison de baseball commence en avril et se termine au début octobre.

On trouve même dorénavant une équipe de football avec les **Miami Fusion** ( (888) FUSION4. Ils jouent au Lockhart Stadium à Fort Lauderdale.

Des **courses hippiques** se déroulent au charmant Hialeah Park ( (305) 885-8000, 105 East 21st Street, Hialeah. Le clubhouse et les tribunes sont construits dans le style provençal. Une station de métro est aménagée dans l'enceinte de l'hippodrome.

Les passionnés de **jai alai** (pelote basque) se rendront au **Miami Jai Alai Fronton** ( (305) 633-6400 FAX (305) 633-4386 SITE WEB www .flag-aming.com, 3500 Northwest 37th Avenue, Miami. C'est ouvert toute l'année et les paris sont autorisés.

Chaque année en mars, les plus grands champions de **tennis** se retrouvent au **Crandon Park Tennis Center** ( (305) 365-2300, 7300 Crandon Boulevard, Key Biscayne, à l'occasion du **Lipton Championships** ( (305) 446-2200 APPEL GRATUIT (800) 725-5472 FAX (305) 446-9080 SITE WEB www.lipton.com, 150 Alhambra Circle Suite 825, Coral Gables, un des cinq premiers tournoi au monde par sa dotation (4,5 millions de dollars).

Si vous-même préférez pratiquer un sport, vous trouverez dans l'agglomération de Miami 34 parcours de **golf** publics, parmi lesquels le **Fontainebleau Golf Club** ( (305) 221-5181 FAX (305) 221-3265, 9603 Fontainbleau Boulevard, Miami ; le **Golf Club of Miami** ( (305) 829-4700 FAX (305) 829-8457, 6801 Northwest 186th Street ; le **Crandon Golf Course** ( (305) 361-9129 FAX (305) 361-1062, 6700 Crandon Boulevard, Key Biscayne ; le **Biltmore Golf Club** ( (305) 460-5366 FAX (305) 460-5315, 1210 Anastasia Avenue, Coral Gables ; et le **Palmetto Golf Course** ( (305) 238-2922 FAX (305) 233-7840 SITE WEB www.metro-dade.com/parks, 9300 Southwest 152nd Street à South Dade County.

Les joueurs de **tennis** auront le choix entre 11 centres de tennis publics, dont le **Biltmore Tennis Center** ( (305)460-5360, 1210 Anastasia Avenue à Coral Gables, qui compte 10 courts en ciment, et le **Tennis Center at Crandon Park** ( (305) 365-2300, Key Biscayne, doté de 17 courts en ciment.

Pour plus de renseignements à propos des courts de tennis de Miami et de sa région, contactez le **City of Miami Parks and Recreation Department** ( (305) 416-1313 FAX (305) 416-2154, 444 Southwest Second Avenue, Miami, ou le **Miami-Dade Park and Recreation Department** ( (305) 755-7800 FAX (305) 755-7857 SITE WEB www.co-miami-dade.fl.us/parks, 275 Northwest Second Street, Miami.

Les eaux de Miami sont propices à la **pêche**. Si vous désirez organiser une sortie, contactez **Mark the Shark Charters** ( (305) 759-5297 FAX (305) 375-0597, 1633 North Bayshore Drive, Miami à la Marina de Biscayne Bay Marriott. On peut louer des **voiliers** auprès de **Biscayne America Company-Sail Miami**. ( (305) 857-9000 FAX (305) 274-0069, Dinner Key Marina, Coconut Grove, qui dispose également de bateaux à moteur et d'équipements de plongée. Pour prendre des leçons ou réserver une séance de **plongée** vers les différents récifs tout proches, adressez-vous à **Diver's Paradise**

( (305) 361-3483, 4000 Crandon Boulevard, Key Biscayne, qui loue également du matériel. Enfin, vous pourrez louer des **planches à voile** et des jet-skis auprès de **Water Sports** ( (305) 932-8445 FAX (305) 944-0195 SITE WEB members.aol.com/ dd1wtps, 17875 Collins Avenue, Miami Beach.

### Shopping

L'**Aventura Mall** ( (305) 935-1110 FAX (305) 935-9360, SITE WEB www.shopaventuramall.com, 19501 Biscayne Boulevard, Aventura, au nord de Miami, est un immense centre commercial qui abrite plusieurs grands magasins et 150 boutiques très variées. Impressionnant

CI-CONTRE : Quelques habitants de Parrot Jungle accueillent un visiteur. CI-DESSUS : Le Bayfront Park, au centre de Miami.

également, le **Bayside Marketplace** ✆ (305) 577-3344 FAX (305) 577-0306 SITE WEB www .baysidemarketplace.com, 401 Biscayne Boulevard, dans le centre de Miami, est un centre commercial en plein air sillonné par des allées de brique bordées d'arbres et de plantes tropicales ; il compte une centaine de boutiques de mode, de bijoux, de cadeaux, d'artisanat africain et oriental, et de souvenirs personnalisés. À Little Havana, des boutiques d'artisanat cubain s'alignent le long **Southwest Eighth Street**, une rue très colorée située entre la Route 95 West et 35th Street. On trouve des boutiques plus élégantes à la **Streets of Mayfair** ✆ (305) 448-1700 fax (305) 448-1641 SITE WEB www.streetsofmayfair.com, 2911 Grand Avenue, Coconut Grove, ou à **The Shops at Sunset Place** ✆ (305) 663-9110 FAX (305) 663-6619, 5701 Sunset Drive, South Miami.

Dans le même quartier, ne manquez pas le **Miracle mile** entre Douglas Road et Lejeune Road dans Coral Gables et **Paseos** ✆ (305) 444-8890 FAX (305) 447-9177, SITE WEB www .paseos.com, un centre commercial futuriste au 3301 Coral Way, à Miami.

## Vie nocturne

De nombreuses manifestations culturelles illuminent les nuits de Miami. Vous en trouverez une liste détaillée dans la rubrique "Arts" du *Sunday Miami Herald* et dans l'hebdomadaire *Miami new times*. La plupart des événements importants sont organisés au **Gusman Center for the Performing Arts** ✆ (305) 374-2444 FAX (305) 374-0303, 25 Southeast Second Avenue, Miami, qui accueille par ailleurs le **Miami Film Festival** au mois de février. Au **Lincoln Theater** ✆ (305) 673-3330 FAX (305) 673-6749, 541 Lincoln Road, Miami Beach, vous pouvez écouter la **New World Symphony** ✆ (305) 673-3330 FAX (305) 673-6749.

Les amateurs d'opéra iront admirer la troupe du **Florida Grand Opera** ✆ (305) 476-1234 FAX (305) 476-9292, une des plus vieilles institutions culturelles du quartier, qui attire régulièrement des stars telles que Pavarotti et Domingo. Le Dade County Auditorium ✆ (305) 547-5414 fax (305) 541-7782, 2901 West Flagler Street, Miami s'est fait lieu l'hôte du **Florida Philharmonic Orchestra** ✆ (305) 476-1234 FAX (305) 476-9292 et du **Miami City Ballet** ✆ (305) 532-4880 FAX (305) 532-2726.

C'est au cœur de Miami, à Little Havana et à Coconut Grove, que la vie nocturne est la plus animée. Le **Tobacco Road** ✆ (305) 374-1198, 626 South Miami Avenue, est l'un des plus anciens bars de Miami. Situé au centre-ville, il accueille régulièrement des orchestres de blues.

À Little Havana, toute l'animation se rassemble autour de Southwest Eighth Street. Au n° 3850, **La Taberna** ✆ (305) 448-9323, est un piano bar du Lundi au vendredi et propose des orchestres «live » les autres soirs. Au n° 2212, les sons de vieux film cubains se mélangent à la musique «live » au **Café Nostalgia** ✆ (305) 541-2631.

À Coconut Grove, Plusieurs boîtes très viavntes sont ouvertes dans le complexe Coco Walk ou The Shops à Mayfair. L'un des endroits les plus branchés, le **Club 609** ✆ (305) 444-6092, 3342 Virginia Street, Coconut Grove. mélange les genres, avec de la house, du funk, et du hip hop, diffusés sur trois niveaux avec, en plus, une grande terrasse pour se reposer et prendre l'air.

Le **Club St. Croix** ✆ (305) 446-4999, 3015 Grand Avenue, tout en haut de Coco Walk, propose lui aussi une variété de sons durant toute la semaine.

Le **Hungry Sailor** ✆ (305) 444-9359, 3064 1/2 Grand Avenue, est un pub qui sert des spécialités anglaises et de la bière sur fond de jazz, de reggae et de musique folk.

## OÙ SE LOGER

Le logement à Miami peut être relativement honéreux, mais la ville offre aussi les endroits où l'on prendra le plus grand soin de vous en Floride, des hotels qui valent bien l'argent que l'on y dépense.

### Luxe

À quelques minutes en taxi de l'aéroport, le **Doral Golf Resort and Spa** ✆ (305) 592-2000 APPEL GRATUIT (800) 71-DORAL FAX (305) 591-6670 SITE WEB www.doralgolf.com, 4400 Northwest 87th Avenue, Miami. Le Doral possède l'un des plus importants complexes de golf au monde, avec cinq parcours de championnat couvrant 1 000 ha. Il dispose aussi de 15 courts de tennis, et vous pourrez prendre des leçons avec le professeur du club, Fabio Vasconcellos. Parmi ses autres installations

Un parcours agrémenté de palmiers et d'étangs.

exceptionnelles, on peut citer le Doral Spa, un centre thermal de quatre étages avec bains de vapeur, saunas, hammams et salles de gymnastique, ainsi que le Doral Equestrian Center, comptant 24 stalles et proposant des leçons d'équitation. Si ces activités ne vous suffisent pas, l'hôtel offre un service de navettes régulières jusqu'à la plage. Au centre-ville, à proximité du Bayside Marketplace, l'**Hotel Inter-Continental Miami** ( (305) 577-1000 APPEL GRATUIT (800) 327-3005 FAX (305) 372-4440 SITE WEB www.interconti.com, 100 Chopin Plaza, est un immeuble triangulaire de

34 étages comprenant 645 belles chambres et suites, un théâtre et un espace loisirs sur le toit avec courts de tennis, jeu de paume, piscine, jardins et piste de jogging. Dans le hall de l'hôtel, on ne peut manquer la sculpture de 70 tonnes signée Henry Moore.

En ville, le luxueux **Wyndham Hotel Miami** ( (305) 374-0000 APPEL GRATUIT (800) 2-WYNDHAM FAX (305) 374-0020, 1601 Biscayne Boulevard, est situé au dessus de l'Omni International Mall et a été recemment rénové. Un bon nombre des chambres offrent des vues éblouissantes sur Miami et la baie de Biscayne. L'hôtel abrite un centre de loisirs, avec boutiques de luxe, bars et night-clubs. À Key Biscayne, au 350 Ocean Drive, le **Sonesta Beach Resort Sonesta Beach Resort** ( (305) 361-2021 APPEL GRATUIT (800) SONESTA FAX (305) 361-2082 SITE WEB www.sonesta.com, est très apprécié des familles car il offre un programme complet d'activités pour enfants. Toutes les chambres et suites sont dotées de balcons donnant sur l'île ou sur l'Atlantique, et l'établissement dispose de 28 villas indépendantes avec piscine privée.

Deux des meilleurs hôtels de la région sont situés à Coconut Grove. Prestigieux et extrêmement cher, le **Mayfair House** ( (305)

441-0000 SITE WEB www.hotelbook.com/live/welcome/2137 #top, 3000 Florida Avenue, abrite son propre centre commercial avec boutiques de mode, neuf restaurants et un atrium central décoré de fontaines et de plantes vertes. Ses 181 suites disposent de bains chauds japonais ou d'un Jacuzzi, tandis qu'une piscine et un solarium ont été aménagés sur le toit. Les journaux vous seront apportés avec le petit déjeuner, et le caviar est offert gracieusement au Tiffany Bar. L'élégant **Grand Bay Hotel** ( (305) 858-9600 APPEL GRATUIT (800) 327-2788 FAX (305) 858-1532 SITE WEB www.miami.vcn.net/grandbay, 2669 South Bayshore Drive, Coconut Grove, offre des suites anglaises et françaises avec petit piano à queue et, dans chaque chambre, fleurs et champagne accueillent les nouveaux arrivants. Le service est irréprochable, et un concierge très serviable se chargera de vos réservations si vous souhaitez pratiquer le golf, le tennis ou la voile. L'hôtel abrite en outre l'un des meilleurs restaurants de Miami, le Grand Café.

À Coral Gables, le **Biltmore Hotel** ( (305) 445-1926 APPEL GRATUIT (800) 727-1926 FAX (305) 913-3152 SITE WEB www.biltmorehotel.com, 1200 Anastasia Drive, évoque un château mauresque. Ses chambres grandioses sont ornées d'antiquités et dotées de plafonds voûtés décorés de fresques. Le superbe jardin abrite un parcours de golf, des courts de tennis et une immense piscine.

### Prix moyens

Dans la catégorie des prix modérés, et à proximité de l'aéroport, l'**Hotel Sofitel Miami** ( (305) 264-4888 APPEL GRATUIT (800) 258-4888 FAX (305) 261-7871, 5800 Blue Lagoon Drive, dispose d'un sauna et de courts de tennis. Le petit déjeuner continental est offert, et les chambres sont bien insonorisées. L'**Everglades Hotel** ( (305) 379-5461 APPEL GRATUIT (800) 327-5700 FAX (305) 577-8445 SITE WEB www .miamigate.com/everglades, 244 Biscayne Boulevard en centre ville, offre des chambres modernes et très confortables. Une piscine et un bar ont été aménagés sur le toit. Toujours dans le centre, à proximité des boutiques de Bayside, le **Biscayne Bay Marriott Hotel and Marina** ( (305) 374-3900 FAX (305) 375-0597, 1633 North Bayshore Drive, dispose d'installations de yachting, de pêche et de planche à voile ; il abrite également cinq restaurants, une salle de jeux, et des films sont offerts gratuitement dans les chambres.

À Coral Gables, l'**Hotel Place St. Michel** ( (305) 444-1666 APPEL GRATUIT (800) 848-HOTEL FAX (305) 529-0074 SITE WEB www.hotelplacestmichel.com, 162 Alcazar Avenue, constitue le meilleur choix dans cette catégorie. Récemment rénové, chaque chambre est décorée avec goût et meublée d'antiquités européennes. Outre le petit déjeuner continental gratuit, son restaurant français est d'une très grande qualité, à l'instar de tous les services de l'établissement.

proche de commerces du centre ville et des lieux d'organisation des conventions. Près de l'aéroprt, vous trouverez le **Miami Airport Fairfield Inn South** ( (305) 643-0055 APPEL GRATUIT (800) 228-9290 FAX (305) 649-3997, qui offre le petit déjeuner ainsi qu'un service de navettes vers l'aéroport.

## RESTAURANTS

### Prix élevés
Le **Pavillion Grill** ( (305) 577-1000, 100 Chopin Plaza à l' Hotel Inter-Continental Miami,

### Économiques
Coral Gables dispose de plusieurs motels bon marché, situés du côté de l'Universite de Miami. Le **Riviera Court Motel** ( (305) 665-3528 APPEL GRATUIT (800) 368-8602, 5100 Riviera Drive, est posé sur le Coral Gables Waterway, a quelques minutes des grands centre commerciaux tels que Dadeland Mall et Miracle mile.

Le **Budget Inn** ( (305) 871-1777 APPEL GRATUIT (800) 4-BUDGET FAX (305) 871-8080 SITE WEB www.budgetel.com, 3501 Northwest LeJeune Road, Miami Springs, propose de grandes chambres pour un prix raisonnable. Dans le centre-ville de Miami, vous trouverez le **Royalton Hotel** ( (305) 374-7451 APPEL GRATUIT (800) 972-8436 FAX (305) 358-5842, 131 Southeast First Street, Miami, agréablement

devrait fournir un atlas avec son menu : parmi ses spécialités, on peut citer le thon de Key West, le faisan de Caroline, le cactus texan, le lapin du Wyoming et les petits oignons de Hawaï. **Chef Allen's** ( (305) 935-2900, 19088 Northeast 29th Avenue, Aventura, a adapté la nouvelle cuisine aux influences des caraïbes.

À Southwest Eighth Street, dans le quartier de Little Havana, deux restaurants se distinguent : **Casa Juancho** ( (305) 642-2452, SITE WEB www.casajuancho.com, 2436 Southwest Eighth Street, est un restaurant espagnol qui sert ses plats avec abondance, y compris le porc

CI-CONTRE, l'intérieur de cet édifice de style mauresque et CI-DESSUS, l'immense piscine de l'hôtel Biltmore de Coral Gables.

rotit et épicé. Au nº 2499, le **El Bodegon de Castilla** ℂ (305) 649-0863, sert des plats castillans, mais aussi catalans.

À Coconut Grove, ne manquez pas le **Mayfair Grill** ℂ (305) 441-0000, à l'hôtel Mayfair House, 3000 Florida Avenue. Le point d'orgue du menu est le buffle grillé.

## Prix modérés

Pour déguster d'authentiques plats du Nicaragua, choisissez le **El Novillo** ℂ (305) 284-8417, 6830 Bird Road, South Miami. Ce restaurant sert un délicieux steak au poivre et à la crème et d'excellents desserts. Si vous appréciez la cuisine espagnole, rendez-vous au **Las Tapas** ℂ (305) 372-2737, 401 Biscayne Boulevard au centre-ville, sur le front de mer de Bayside. Les *tapas* sont naturellement les spécialités de la maison : vous pourrez les consommer en quantité suffisante pour en faire un délicieux repas.

Pour goûter la cuisine cubaine, essayez **La Esquina de Tejas** ℂ (305) 545-0337, 101 Southwest 12th Avenue, ne serait-ce que pour ses délicieux plats aux aux haricots noirs.

À Coconut Grove, le **Monty's Stone Crab Seafood House** ℂ (305) 858-1431 SITE WEB www.montysstonecrab.com, 2550 South Bayshore Drive, est un grand favoris des locaux, avec son bar en plein air devant la marina, et ses groupes de reggae et de calypso qui jouent le weekend.

À Coral Gables, les adeptes de la cuisine thaï apprécieront le **Bangkok, Bangkok** ℂ (305) 444-2397, 157 Giralda Avenue, tandis que les amateurs de spécialités indiennes opteront pour le **House of India** ℂ (305) 444-2348, 22 Merrick Way à Coral Gables.

## Économiques

À North Miami, le **Sara's of North Miami** ℂ (305) 891-3312, 2214 Northeast 123rd Street, sert des mêts au parfum de moyen orient, et confectionne les meilleurs falafels, challah et hummus.

Offrant un vaste choix de pâtes «faites maison», **The Pasta Factory** ℂ (305) 261-3889, 5733 Southwest Eighth Street, dont vous savez qu'elles sont fraîches parce que vous les voyez sortir des machines et travaillées par les cuisiniers, au centre du restaurant. Mais pour de très bons plats, très peu cher, le plus

simple est simplement de flâner dans Southwest Eight Street dans Little Havana : vous serez surpris du nombre et de la qualité des petits restaurants.

Pour la cuisine cubaine à emporter ou en fast food, deux adresses à retenir : **La Carreta** ℂ (305) 444-7501, 3632 Southwest Eight Street, Miami (also in West Dade and Key Biscayne), ou **Latin American Cafeteria** ℂ (305) 381-7774, 401 Biscayne Boulevard, Bayside Marketplace. Vous retrouverez les restaurants Latin American eateries dans plus d'une demi-douzaine d'endroits dans Miami.

Si vous cherchez un restaurant à l'ambiance plus retro, essayez **Picnics at Allen's Drug Store** ℂ (305) 665-6964, 4000 Red Road, où vous mangerez du poulet frit maison dans une ambiance des années 50, avec un jukebox et un personnel qui ont tout pour vous rappeler l'époque.

Enfin, **Shorty's Bar-B-Q** ℂ (305) 670-7732 9200 South Dixie Highway, est devenu une légende, après une cinquantaine d'années de présence dans ce quartier du sud de Miami. L'odeur des cotelettes ou du poulet fumé vous fera indubitablement entrer dans ce lieu si vous passez par là.

## COMMENT S'Y RENDRE

Plus de 80 compagnies aériennes nationales et internationales desservent **l'aéroport international de Miami** ℂ (305) 876-7000 SITE WEB www.miami-airport.com, situé à une dizaine de kilomètres seulement à l'ouest du centre-ville. De nombreuses sociétés de taxis et de limousines, comme **SuperShuttle** ℂ (305) 871-2000 FAX (305) 871-8475 SITE WEB www.supershuttle.com, qui propose des transport porte-à-porte de et vers l'aéroport, assurent les transferts depuis l'aéroport. Il faut compter une vingtaine de minutes pour se rendre au centre, moyennant 18 $ environ. Appelez le (305) 375-2460 si vous avez des questions ou des plaintes à propos du service de taxi. Une station de **Metrobus** ℂ (305) 638-6700 est aménagée à l'aéroport : le métro vous conduira jusqu'au centre-ville pour un prix nettement plus modique.

Si vous arrivez du nord en voiture, plusieurs possibilités s'offrent à vous ; l'I 95 et la Route 1 longent la côte du nord au sud, tandis que l'Interstate 75 (Florida's Turnpike) est

---

Quelques rappels du passé automobile et architectural dans le quartier Art Déco de Miami Beach.

une autoroute à péage qui relie le sud-est de l'État à la Floride centrale et à Orlando. La Route A1A, qui borde l'océan et dessert les Keys, est plus pittoresque, mais aussi plus lente. Si vous arrivez de l'ouest, vous emprunterez la Route 84, également appelée Everglades Parkway ou «Alligator Alley».

Le **port de Miami** ℂ (305) 371-7678 SITE WEB www.metro-dade.com/portofmiami est l'entrée nautique de la vile aussi appellée la capitale mondiale de la croisière.

La chose la plus importante à retenir, s'il s'agit de votre première visite à Miami, est de suivre les panneaux avec un soleil orange sur un fond bleu. Suivez le soleil et il vous emmenera des routes principales de l'aéroport vers les destinations les plus touristiques.

## MIAMI BEACH

Miami Beach est une étroite bande de terre de 11 km de long sur seulement 1,6 km en son point le plus large. Elle est séparée du centre-ville par la baie de Biscayne, enjambée par trois ponts. Miami Beach compte sans doute plus d'hôtels que toute autre ville comparable au monde et, les quelques pâtés de maisons de la pointe sud de l'île rassemblent la plus importante concentration de bâtiments Art Déco des États-Unis. À cela s'ajoute la plage elle-même qui s'étire sur toute la côte est de l'île et, qui ne cesse de s'élargir : au moment de la mise sous presse de ce guide, une opération de dragage extrayait du sable des fonds marins pour en garnir le rivage de l'île, de sorte que la plage atteint par endroits 91 m de large.

## HISTORIQUE

En 1912, Miami Beach était un îlot de mangrove et de raphias surtout habité par les crocodiles. Seul un horticulteur, John S. Collins, y avait acheté du terrain pour établir une plantation d'avocats et d'agrumes. Il fonda la Miami Beach Improvement Company en 1912, entreprit de vendre quelques parcelles et commença à construire un pont vers le continent.

Onze kilomètres de plage, le soleil hivernal et un grand sens de l'entreprise ont transformé un ancien marécage de mangrove et de palmiers nains pour donner naissance à Miami Beach, l'une des plus importantes stations balnéaires américaines.

Collins se trouva à court de fonds dès l'année suivante, et le pont, resté inachevé, fut bientôt surnommé «la folie de Collins». Imperturbable, celui-ci s'associa à Carl Fisher qui, en échange de vastes terrains dans l'île, injecta le capital nécessaire au développement de la société, ce qui permit d'achever le pont et de lancer d'autres travaux. Fisher décida d'assécher les marais qui couvraient ses terres et d'étendre leur superficie cultivable en drainant les baies peu profondes. Une île tropicale émergea lentement, bordée par une large plage dont Fisher et Collins comprirent immédiatement le potentiel touristique. Dans les années 1920, ils donnèrent une impulsion à l'aménagement de l'île en construisant hôtels, galeries marchandes, parcours de golf et courts de tennis.

Les retraités commencèrent dès lors à affluer, tandis que les vacanciers arrivaient par milliers. Puis, dans les années 1930, lorsque les pires moments de la Dépression furent passés, un nouveau boom de l'immobilier se produisit à la pointe sud de l'île. Des édifices pastels aux formes géométriques et profilées firent leur apparition : Miami Beach découvrit le style Art Déco. Aujourd'hui, on peut admirer plus d'une centaine de résidences et d'hôtels de ce style, formant l'un des quartiers les plus étonnants du pays. Depuis les années 1930, Miami Beach a connu une croissance et un développement réguliers qui en ont fait l'une des premières stations de villégiature du pays ; des hordes de touristes se bousculent pour profiter de ses plages et de son soleil hivernal. En outre, les retraités sont de plus en plus nombreux à

choisir cette destination pour finir leurs jour et l'afflux régulier de Latino-Américains contribue à la croissance de l'île.

## INFORMATIONS PRATIQUES

La **chambre de commerce de Miami Beach** ( (305) 672-1270 FAX (305) 538-4336, située à 1920 Meridian Avenue, Miami Beach offre une grandes variété de cartes et d'informations. Pour obtenir 24 heures sur 24 des renseignements à propos des hôtels, des locations de voitures, des croisières et des principales attractions de l'île, contactez la **Miami and the Beaches Hotel Association** ( (305) 531-3553 APPEL GRATUIT (800) SEE-MIAMI FAX (305) 531-8954 SITE WEB www.gmbha.miami.fl.us, 407 Lincoln Road, Suite 10G.

### Excursions

La principale attraction de Miami Beach est sans aucun doute son **quartier Art Déco**, situé à un pâté de maisons au nord de Sixth Street, entre Lummus Park et la plage, à la pointe sud de l'île. Chacun des bâtiments cintrés et multicolores possède un cachet qui lui est propre. Pour en savoir plus, contactez la **Miami Design Preservation League** ( (305) 672-2014 FAX (305) 672-4319, 1001 Ocean

Drive à l'Art Deco Welcome Center, qui organise des visites guidées du quartier.

Trois des plus grands et des plus impressionnants hôtels Art Déco de Miami Beach sont installés sur **Collins Avenue**, qui est en quelque sorte l'épine dorsale de l'île : il s'agit du Delano, du National et du Ritz Plaza, qui ressemblent respectivement à un vaisseau spatial, un ballon et un sous-marin. Le plus imposant de tous les hôtels de Miami Beach reste cependant le majestueux **Fontainebleau Hilton**, niché dans une végétation luxuriante, parmi des lagunes et des chutes d'eau. L'un de ses murs extérieurs est orné d'une superbe et gigantesque fresque murale en trompe-l'œil.

Le plus vieux musée de l'île est le **Bass Museum of Art** ( (305) 673-7530 FAX (305)

673-7062, 2121 Park Avenue, dont la collection comprend des œuvres de la Renaissance, du Baroque et du Rococo, ainsi que des tableaux modernes. Vous y admirerez notamment de superbes peintures de Rubens et de Toulouse-Lautrec. Il est ouvert du mardi au samedi de 10 h à 17 h et le dimanche de 13 h à 17 h. L'entrée coûte 5 $ pour les adultes et 3 $ pour les enfants.

Peut-être préférerez-vous flâner sur le **Boardwalk**, la promenade en planches qui longe la plage de 21st à 46st Streets.

Chacun des quartiers qui bordent la plage semble posséder son caractère propre. Aux environs de **21st Street**, par exemple, on croise surtout des jeunes et des couples accompagnés d'enfants ; au niveau de **35th Street**, la population est plus calme et plus âgée ; bon nombre d'hôtels en bord de mer ouvrent leur bar au public. Le secteur de **46th Street** est fréquenté par les VIT («Very Important Tourists») qui séjournent au Fontainebleau et dans les autres grands hôtels ; enfin, c'est autour de **53rd** et de **64th Streets** que l'on trouve les plages les plus tranquilles de l'île.

### Sports

Miami Beach possède plusieurs parcours de golf publics : **Bayshore Golf Course** ( (305) 532-3350 FAX (305) 532-3840, 2301 Alton Road, et le **Haulover Golf Course** ( (305) 947-3525 FAX (305) 948-2802, 10800 Collins Avenue, **North Miami Beachle Bayshore Golf Course** ( (305) 673-7706, 2301 Alton Road. Les amateurs de **tennis** se rendront au **Flamingo Park** ( (305) 673-7761, 1000 12th Street à l'angle de Michigan Avenue et 12th Street, où les 17 courts publics sont ouverts de 9 h à 21 h ; vous trouverez également des courts publics à **North Shore Tennis Center** ( (305) 673-7754, N° 350 73rd Street. **The City of Miami Beach Recreation, Culture and Parks Department** ( (305) 673-7730 FAX (305) 673-7725 SITE WEB www.ci.miami-beach.fl.us, vous fournira plus de précisions à propos des terrains de golf et de tennis.

Si vous êtes un passionné de **pêche au gros**, participez à l'une des croisières organisées par la **Kelly Fishing Fleet** ( (305) 945-3801 FAX (305) 757-2870, 10800 Collins Avenue, the Haulover

CI-DESSUS et CI-CONTRE : Les édifices Art Déco de Miami Beach.

Marina ou la **Reward Fishing Fleet** ( (305) 372-9470 FAX (305) 534-8188 SITE WEB www.worldwidefishing.com /b193.htm, 300 Alton Road, Miami Beach Marina. ; leur durée peut varier de quelques heures à plusieurs jours. Les amateurs de **plongée** pourront louer du matériel, prendre des leçons et s'inscrire aux excursions organisées par **South Beach Divers** ( (305) 531-6110 FAX (305) 531-0511 SITE WEB www .southbeachdivers.com, 6850 Washington Avenue. Si la **navigation** vous attire, vous pourrez louer un bateau chez **Schooner Eagle** ( (305) 531-4037 APPEL GRATUIT (800) 593-7245, Miami Beach, et sillonner la baie de Biscayne et les canaux environnants ; on peut aussi louer des yachts auprès de **Carrousel Yacht-Great Bay Yacht Charters** ( (305) 530-9700 APPEL GRATUIT (800) 950-5336 FAX (305) 539-5108, 1717 North Bayshore Drive, Suite 2500 Miami, à la Fontainebleau Hilton Marina. Le secteur le plus propice à la pratique du **surf** est Haulover Beach, à la pointe nord de l'île, mais n'espérez pas de grands frissons : la région n'est pas renommée pour ses vagues. De plus, récemment, Haulover Park est devenu une plage nudiste.

## Shopping

Les magasins les plus élégants sont rassemblés dans le centre commercial de **Bal Harbour Shops** ( (305) 866-0311 SITE WEB www .balharbourshops.com, 9700 Collins Avenue, un ensemble de boutiques tropicales avec chutes d'eaux et ventilateurs au plafond. Pour acheter des antiquités, des objets d'artisanat ou des œuvres d'art, optez pour le **Lincoln Road Shopping District**, sur Lincoln Road entre Collins Avenue et Michigan Avenue.

## Vie nocturne

Le quartier Art Déco est le cœur de l'animation nocturne de Miami Beach. Plus il est tard, est meilleure est l'ambiance de ces fêtes qui durent en général jusqu'à l'aube. Difficile de choisir par où commencer, alors tentez le **Penrod's** ( (305) 538-1111, 1 Ocean Drive, où vous aurez le choix entre plusieurs salles pour danser aux rythmes du reggae, du jazz ou du rock. La plage est à deux pas si vous voulez danser dans le sable.

Autre haut lieu de la vie nocturne bohème, le Another attractive night spot is the **Van**

**Dyke Café** ( (305) 534-3600, 846 Lincoln Road, qui propose du jazz live tous les soirs. Les DJs composent eux un son de Dance au **Living Room at the Strand** ( (305) 532-2340, 671 Washington Avenue, là où les gens plutôt branchés se retrouvent.

L'**Irish House Bar** ( (305) 672-9626, 1430 Alton Road, est un établissement plein de caractère et de personnages hauts en couleur. Vous y écouterez des chansons sur un antique juke-box, mais les clients passent le plus clair de leurs soirées à jouer au billard.

## OÙ SE LOGER

### Luxe

Le célèbre **Fontainebleau Hilton Resort and Towers** ( (305) 538-2000 APPEL GRATUIT (800) 548-8886 FAX (305) 531-9274 SITE WEB www .fountainebleauhilton.com, 4441 Collins Avenue, Miami Beach, est entouré de 7 ha de jardins superbement aménagés. Il dispose également d'une plage privée de 91 m de long, de sept courts de tennis, de plusieurs piscines dont une avec chutes d'eau, d'un immense centre thermal avec bains minéraux, saunas et jacuzzis, sans oublier ses 1 206 chambres somptueusement décorées. L'hôtel offre également un programme d'activités pour les enfants.

Les suites luxueuses de l'**Alexander Hotel** ( (305) 865-6500 APPEL GRATUIT (800) 327-6121 FAX (305) 341-6554, SITE WEB www .alexanderhotel.com, 5225 Collins Avenue, sont élégamment pourvues de meubles anciens et chacune d'entre elles possède un balcon dominant l'océan et une plage privée de 183 m de long. On peut également citer l'**Eden Roc Resort and Spa** ( (305) 531-0000 APPEL GRATUIT (800) 327-8337 FAX (305) 674-5537 SITE WEB www.edenrocresort.com, 4525 Collins Avenue, charmant et délicieusement vieillot, avec son mobilier des années 1950, ses plats cuisinés new-yorkais agrémentés de musique israélienne et son merveilleux restaurant installé face à l'océan. Mon adresse préférée reste cependant l'**Hotel Cavalier Hotel Cavalier** ( (305) 604-5000 APPEL GRATUIT (800) OUT POST FAX (305) 531-5543 SITE WEB www .islandlife.com, 1320 Ocean Drive, Miami Beach, dans le quartier Art Déco au 1320 Ocean Drive. Dès l'instant où sa limousine vous accueillera à l'aéroport, vous vivrez de merveilleux moments.

## Prix moyens

La plupart des hôtels du quartier Art Déco sont aussi coûteux que charmants, mais il existe quelques exceptions intéressantes. C'est le cas du **Park Central Hotel Hotel** ( (305) 538-1611 APPEL GRATUIT (800) 727-5236 FAX (305) 534-7520 SITE WEB www.theparkcentral.com, 640 Ocean Drive, où chaque chambre est équipée d'un ventilateur au plafond.

Loin du quartier Art Déco, le **Monaco Oceanfront Resort** ( (305) 932-2100 APPEL GRATUIT (800) 227-9006 FAX (305) 931-5519, 17501 Collins Avenue, est installé dans un cadre luxuriant de bambous et de plantes tropicales, et dispose de terrains de volley-ball et de basket-ball, mais aussi de courts de tennis, d'installations de sports nautiques et d'une plage de 122 m de long. Le charme rustique du **Chateau by the Sea** ( (305) 931-8800 APPEL GRATUIT (800) 327-0691 FAX (305) 931-6194, 19115 Collins Avenue, peut surprendre. L'hôtel possède une vaste piscine et des boutiques.

## Économiques

Le sympathique **Beachcomber Hotel** ( (305) 531-3755 APPEL GRATUIT (888) 305-4683 FAX (305) 673-8609 E-MAIL beach-comber@travelbase .com SITE WEB www.BeachcomberHotel.com, 1340 Collins Avenue, est un établissement familial qui propose des chambres propres et confortables dans le quartier Art Déco. Je vous recommande également le **Bayliss Guest House** ( (305) 531-3755 FAX (305) 673-8609 E-MAIL bayliss@travelbase.com, SITE WEB www.thebayliss.com, 500 14th Street, Miami Beach, qui dispose de chambres et de studios. Le **Beach Plaza Hotel** ( (305) 531-6421 APPEL GRATUIT (800) 395-9940 FAX (305) 534-0341 SITE WEB www.beachplazahotel.com, 1401 Collins Avenue, est bien situé près des restaurants et des zones commerçantes. Le **Banana Bungalow Beach Hotel and Hostel** ( (305) 538-1951 APPEL GRATUIT (800) 746-7835 FAX (305) 531-3217 SITE WEB www .bananabungalow.com, 2360 Collins Avenue, à un décor de bungalow tropical et se trouve près d'un canal tranquille.

## RESTAURANTS

### Prix élevés

Si vous êtes disposé à payer très cher, rendez-vous au **The Forge** ( (305) 538-8533, 432 41st Street, Miami Beach, qui a entrepris une rénovation pour que son cadre corresponde à son menu. Son décor, avec lustres, vitraux et antiquités, est désormais à la hauteur du menu et de la somptueuse carte des vins.

Un restaurants Art Déco mérite d'être cité : le **Joe's Stone Crab** ( (305) 673-0365 SITE WEB www.joesstonecrab.com, 11 Washington Avenue, où vous dégusterez naturellement des crabes (même si la véritable spécialité maison est la tarte au citron des Keys).

### Prix modérés

Dans le quartier Art Déco, deux restaurants italiens vous séduiront : le **Tiramesu** ( (305) 532-4538 SITE WEB www.winnet.net/tiramesu, 721 Lincoln Road, et le **Gino's Italian Restaurant** ( (305) 532-6426, 1906 Ocean Drive.

Pour déguster une excellente cuisine chinoise, rendez-vous au **Christine Lee's** ( (305) 947-1717, 17082 Collins Avenue, North Miami Beach.

### Économiques

Après une longue journée de farniente sur la plage près du quartier Art Déco, vous pourrez faire un excellent dîner sans vous ruiner à **The Palace** ( (305) 531-9077, 1200 Ocean Drive. L'établissement n'a rien d'un palais, puisqu'il s'agit d'une gargote dans le style des années 1950, mais sa cuisine est délicieuse. Le **News Café** ( (305) 538-NEWS, SITE WEB www.newscafe.com, 800 Ocean Drive, est un peu plus élégant, ou du moins s'efforce de l'être, mais il offre un bon rapport qualité-prix. Si vous recherchez la qualité autant que la quantité, optez pour le **Wolfie's Gourmet Deli Restaurant** ( (305) 538-6626, 2038 Collins Avenue.

## COMMENT S'Y RENDRE

Depuis Miami (voir ci-dessus), vous pourrez gagner Miami Beach en empruntant le Broad Causeway vers les Bay Harbour Islands et Bal Harbour, le John F. Kennedy Causeway en direction du nord de Miami Beach, le Julia Tuttle Causeway qui rejoint le centre de l'île, ou le MacArthur Causeway qui dessert le sud de Miami Beach.

# La côte sud-est

EN ROULANT LE LONG DES 97 KM DE LA GOLD COAST («côte Dorée») où les plages de sable blond sont bordées de scintillantes stations balnéaires, il est difficile de croire qu'il y a moins d'un siècle, cette région n'était qu'un marais infesté de moustiques.

Le nom de Gold Coast est d'ailleurs le seul vestige du passé. Il fut inspiré par l'activité la plus lucrative des habitants de cette côte au XIXe siècle : la récupération de l'or répandu lors des fréquents naufrages provoqués par les récifs. Ces opérations de récupération s'avérèrent très profitables : à tel point que les pilleurs priaient pour obtenir des naufrages d'une nature bien précise, correspondant aux besoins du marché du moment. Lorsque la nature ne répondait pas à leur attente, ils n'hésitaient pas à lui apporter un peu d'aide, en attirant vers les écueils les navires qui les intéressaient.

Ces activités disparurent vers la fin du siècle dernier, avec l'avènement d'instruments de navigation plus perfectionnés et l'arrivée du chemin de fer d'Henry Flagler, le long de la côte Est. On entreprit alors d'acheminer les richesses par voie terrestre. En 1894, Flagler lui-même lança une nouvelle ruée vers l'or en érigeant à Palm Beach l'imposant Royal Poinciana Hotel. Il y attira les familles les plus célèbres du pays. L'hôtel, démoli depuis, comptait 1 150 chambres et 1 400 employés. Deux ans plus tard, Flagler construisit dans la même ville un autre hôtel somptueux, le Breakers. Détruit par le feu à deux reprises, il fut reconstruit une troisième fois, et reste l'un des établissements les plus célèbres au monde. En 1896, Flagler étendit son chemin de fer jusqu'à Fort Lauderdale ; six ans plus tard, il se fit construire à Palm Beach une superbe résidence de 55 pièces. Ainsi, au début du siècle, tout était prêt pour que cette côte, jadis inhospitalière, devienne l'une des régions balnéaires les plus renommées et les plus fréquentées au monde.

Le flamboyant architecte Addison Mizner fut l'un des premiers à prendre conscience du potentiel de cette région. Arrivé quelques années plus tard, il décida d'y construire un groupe de bâtiments décorés de stuc aux teintes pastel. Même si ces constructions n'étaient pas indispensables, elles suscitèrent de nombreuses vocations et ont souvent été imitées depuis. Différents noms, plus barbares les uns que les autres, furent attribués à ce style : «néo-italien», «pseudo-espagnol», «Renaissance méditerranéenne», «hispano-mauresque», etc. Le chef d'œuvre de Mizner fut le Cloister Inn à Boca Raton, aujourd'hui nommé Boca Raton Hotel and Club, une merveilleuse bâtisse rose qui demeure l'un des hôtels les plus chers jamais construits. Mizner attira dans son palace autant de célébrités que possible et les foules affluèrent. L'architecte l'avait sagement prédit : «Il suffit d'appâter les gros poissons et le menu fretin suivra.».

Pendant ce temps, dans le sud, un autre visionnaire s'efforçait de redorer la Gold Coast à Fort Lauderdale. Charles Rodes, un promoteur immobilier venu de Virginie occidentale, apporta soudain la «solution vénitienne» au problème de l'exploitation de ce gigantesque marécage. Il commença par creuser une série de petits canaux qui permirent de créer dans ces terres jadis gorgées d'eau et inutilisables des terrains immobiliers de premier choix au bord de l'eau. Aujourd'hui, la «Venise américaine» comprend près de 322 km de voies d'eau intérieures et 11 km de plages superbes.

Dans les années 1920, la côte Sud-Est suscita un véritable engouement parmi les spéculateurs immobiliers, promoteurs, investisseurs, entrepreneurs, futurs retraités et migrants potentiels venus du nord pour l'hiver. Il s'ensuivit un boom immobilier considérable : au plus fort de cette période d'expansion, plus de 2 000 personnes arrivaient chaque jour pour acquérir leur petite portion de paradis. Toutefois, le marché s'effondra brutalement en 1926, acculant à la ruine bon nombre de ces nouveaux propriétaires.

Au cours des deux décennies suivantes, marquées par la Grande Dépression et la Seconde Guerre mondiale, la côte Sud-Est perdit une partie de son éclat (mais conserva ses 3 000 heures d'ensoleillement annuelles, et sa température moyenne de 24°C). L'enthousiasme revint après la guerre et, depuis lors, la Gold Coast exerce un attrait irrésistible sur des millions d'amoureux du soleil et du repos.

Perspective sur l'océan Atlantique.

## FORT LAUDERDALE

Fort Lauderdale bénéficie d'un caractère aussi ensoleillé que son climat, mais la ville a longtemps connu un problème d'image. Pendant des décennies, elle fut surnommée Fort Liquordale, un sobriquet honteux acquis durant la Prohibition, lorsque ses bars et night-clubs baignaient dans l'alcool de contrebande acheminé des Bahamas. En 1960, ce stigmate tenace fut effacé par le film *Where the Boys Are*, qui décrit Fort Lauderdale comme le lieu de prédilection des étudiants en mal de distractions pendant les vacances de printemps. Malgré le caractère réducteur de cette image, le film parvint à engendrer le phénomène qu'il évoquait ; c'est ainsi que, pendant plusieurs années, Fort Lauderdale accueillit chaque année des foules d'étudiants en quête de divertissements. Aujourd'hui, au soulagement évident des habitants de la région, l'attention des plus jeunes vacanciers semble se reporter sur Daytona Beach.

### HISTORIQUE

L'histoire de la naissance de Fort Lauderdale a disparu aussi complètement que le fort construit en 1838 par le major William Lauderdale près de l'embouchure de la rivière New, afin de protéger les colons des attaques des Séminoles. On sait en revanche que le premier colon, Charles Lewis, arrivé en 1793, établit une plantation près de la New. Un siècle plus tard exactement, un autre colon, Frank Stranahan, créa un comptoir pour commercer avec les Indiens, ainsi qu'un magasin et un service de ferries. Après quelques années, Stranahan se maria et convertit le magasin en une grande résidence, qui a été restaurée depuis et est ouverte aux visiteurs.

En 1896, l'arrivée du chemin de fer de Flagler favorisa l'installation des colons. Pourtant, Fort Lauderdale comptait toujours moins de 200 habitants lorsqu'elle devint municipalité en 1911. Ce n'est qu'après le boom immobilier des années 1920 que la croissance spectaculaire de la ville commença

Fort Lauderdale accueille les bateaux participant à la course autour du monde.

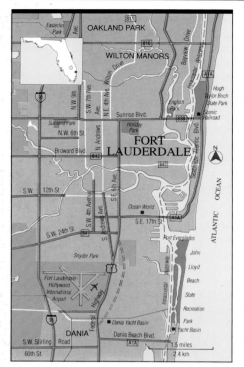

**Taxis Yellow Cabs**   565-5400
**Broward County Dental Association**
(urgences dentaires)   772-5461
**Physician Referral**
(renseignements médicaux)   345-4888

## QUE VOIR, QUE FAIRE

### Excursions

Il est rare qu'un moyen de transport constitue lui-même une attraction touristique. C'est pourtant le cas à Fort Lauderdale, où deux grands bateaux à aubes, le *Jungle Queen I* et *II*, sillonnent les eaux de la ville et de ses environs.

Le **Jungle Queen I** ( (305) 462-5596 emailJungle@bellsouth.net, SITE WEB www.introweb.com/junglequeen, peut accueillir 550 passagers. Il effectue deux croisières chaque jour, à 10 h et à 14 h, au départ du Bahia Mar Yachting Center, 801 Seabreeze Boulevard. La croisière comprend une escale dans un village indien, où vous découvrirez des oiseaux rares, des singes et des démonstrations de combats entre hommes et alligators. Chaque soir à 19 h, le bateau part de Bahia Mar pour un dîner croisière de quatre heures, avec spectacle de music-hall et attractions diverses. Le dîner, servi dans une île exotique de la New River, est un barbecue de côtes de porc, poulet et crevettes où vous serez invité à manger à volonté.

Si vous souhaitez louer un bateau, vous trouverez sur place tous les types d'embarcations imaginables. Appelez **Water Taxi** ( (954) 467-6677 SITE WEB www.watertaxi .com, 651 Seabreeze Boulevard. Ils vous emmenerons en amont ou en aval, vers les hotel, restaurant et autre zones commerçantes.

Pour découvrir Fort Lauderdale depuis la terre, embarquez à bord du **South Florida Trolly Tours** ( (954) 946-7320, un petit train sur roues tracté par une jeep blanche. Les promenades sont commentées et vous pouvez monter et descendre du train à volonté, aux différent arrêt dans les hotels, restaurants, sites historiques, et attractions culturelles. Le trolley s'arrête aussi à la plupart des station de water taxi.

Ne manquez pas d'aller visiter le **Museum of Discovery & Science** ( (954) 467-6637 SITE WEB www.mods.org, 401 Southwest

vraiment. Aujourd'hui, les fantômes d'Henry Flagler et de Charles Rodes doivent être stupéfaits par les 30 000 bateaux de plaisance qui sillonnent ses rivières et ses canaux, et les milliers d'individus qui viennent du monde entier pour rôtir sur ses plages.

## INFORMATIONS PRATIQUES

Le **Greater Fort Lauderdale Convention and Visitors Bureau** ( (954) 765-4466 APPEL GRATUIT 800-227-8669 FAX (954) 765-4467, SITE WEB www.sunny.org, se trouve à 1850 Eller Drive, Suite 303, Fort Lauderdale, 33301. La **chambre de commerce de Fort Lauderdale** ( (954) 462-6000, est installée au 512 Northeast Third Avenue, Fort Lauderdale.

La **Greater Fort Lauderdale Lodging and Hospitality Association** ( (954) 832-9477, (Association pour le logement et l'hospitalité) est au 2190 South East 17th Street, Suite 301, Fort Lauderdale, 33316.

Autres numéros de téléphone utiles (précédés de l'indicatif 954) :
**Aéroport international de Fort Lauderdale/Hollywood**   359-1200

Un concours de bikinis à Fort Lauderdale.

Second Avenue. Ce musée des sciences et de la nature présente de multiples expositions interactives ; vous pourrez notamment observer des abeilles au travail dans une ruche vitrée, faire de la spéléologie, courber des rayons lumineux et même toucher une étoile. Les enfants apprécient beaucoup ce musée qui dispose d'une salle de cinéma Imax dont l'écran géant mesure 16,70 m sur 23 m.

Le nouveau **Museum of Art** ( (954) 525-5500, 1 East Las Olas Boulevard, dont la construction a coûté des millions de dollars, mérite également une visite. Il abrite une

16 h, et le dimanche de 13 h à 16 h. La demeure donne sur Las Olas Boulevard au niveau du tunnel sous la New River.

Pour vous faire une idée (mais seulement une idée) de la façon dont vivaient certains des Indiens avec lesquels Stranahan commerçait, allez visiter le **Seminole Okalee Indian Village Museum** ( (954) 792-1213 SITE WEB www.seminoletribe.com, 5845 South State Road Seven. Les Indiens subviennent à leurs besoins en vendant des objets d'art et d'artisanat et, incroyable mais vrai, en gérant la salle de jeux **Hollywood**

extraordinaire collection d'art ethnographique, avec des objets précolombiens et amérindiens, ainsi que des œuvres provenant d'Afrique occidentale et d'Océanie. Ses collections hollandaises et flamandes sont aussi très riches. Le musée reste ouvert tard le mardi ; il est fermé le dimanche matin et le lundi.

C'est depuis la **Stranahan House** ( (954) 524-4736, le plus ancien édifice de Fort Lauderdale, qu'au début du siècle, Frank Stranahan commerçait avec les Indiens et vendait des denrées aux colons. La boutique fut ensuite transformée en maison d'habitation. Superbement restaurée, elle a retrouvé l'aspect qui était le sien avant la Première Guerre mondiale ; elle est ouverte au public du mercredi au samedi de 10 h à

**Seminole Gaming** ( (954) 961-3220, 4150 North State Road Seven.

À **Butterfly World** ( (954) 977-4400, Tradewinds Park, 3600 West Sample Road, des milliers de papillons exotiques appartenant à plus de 150 espèces s'ébattent autour de vous dans une volière qui recrée une forêt tropicale humide. À **Flamingo Gardens and Wray Botanical Gardens** ( (954) 473-2955, au 3750 Flamingo Road, vous pourrez faire une promenade en tram dans la jungle et découvrir des crocodiles, des alligators, des singes et des oiseaux tropicaux. Le parc abrite un zoo où les enfants peuvent approcher les jeunes animaux et, naturellement, les flamants roses y pullulent.

Même si cela paraît surprenant, Fort Lauderdale est l'un des endroits les plus propices à la découverte de l'Ouest sauvage, tel qu'il était (plus ou moins) à l'époque des pionniers. La banlieue de Davie s'est transformée en une authentique ville de cow-boys ; chaque vendredi, un rodéo est organisé au **Bergeron Rodeo Grounds** ( (954) 384-7075, à l'intersection de Orange Drive et de Davie Road.

### Sports

Si vous êtes passionné de **baseball**, sachez que les **Baltimore Orioles** s'entraînent dans cette

Federal Highway, le **Bonaventure course** ( (888) 650-4653, au 200 Bonaventure Boulevard, et le **Deer Creek Golf and Tennis Club** ( (954) 421-5550, au 2801 Deer Creek Country Club Boulevard, Deerfield Beach.

On peut pratiquer la **plongée** avec bouteilles ou tuba sur plus de 80 sites différents le long de la bande côtière qui s'étend sur 19 km au nord et au sud de Fort Lauderdale. Vous découvrirez des récifs de corail, des épaves englouties, et des navires qui furent délibérément coulés pour créer des récifs artificiels. Parmi les principaux établissements

région en février-mars. Durant cette période, ils disputent des matchs amicaux au **Lockhart Stadium** ( (305) 776-1921, 5301 Northwest 12th Avenue. Si vous préférez les sports plus animés, associés à des paris autorisés, allez assister à des rencontres de **jai alai** (pelote basque) au **Dania Jai Alai** ( (305) 949-2424, 301 East Dania Boulevard, de la fin juin à la mi-avril.

Les amateurs de **golf** seront enchantés de découvrir une soixantaine de parcours dans la région de Fort Lauderdale. On dénombre onze parcours publics dans la ville même, sans oublier les multiples clubs privés qui ouvrent leurs portes aux visiteurs. Parmi les plus agréables et les plus difficiles, on peut citer le parcours de l'**American Golfers Club** ( (954) 564-8760, près de la plage au 3850 North

qui louent du matériel de plongée et proposent chaque jour des leçons et des sorties, on peut citer **The Scuba School** ( (954) 566-6344, 3331 East Oakland Park Boulevard, **Force E** ( (954) 943-3483 SITE WEB www.force-e.com, située au 2160 West Oakland Park Boulevard et **Pro Dive** ( (954) 761-3413 E-MAIL prodive@icanect.net, 515 Seabreeze Boulevard.

### Shopping

Le plus important centre commercial de la ville est la **Galleria** ( (954) 564-1015, qui couvre

CI-CONTRE : Le climat agréable de la Floride permet de pratiquer le golf toute l'année.
CI-DESSUS : Une promenade sur la plage au coucher du soleil.

près de 305 000 m² au 2500 East Sunrise Boulevard, à quelques pâtés de maisons de la plage. Il abrite plus de 150 boutiques et restaurants, ainsi que des grands magasins tels que Neiman-Marcus, Lord & Taylor, Dillards, Saks Fifth Avenue et Brooks Brothers.

**Las Olas Boulevard** est une artère très chic, bordée de palmiers, où s'alignent une multitude de boutiques attrayantes, voire excentriques.

## Vie nocturne

L'adresse la plus branchée de la région, du moins lors de ma dernière visite, était

le **Shooter's Café** ( (954) 566-2855, au 3031 Northeast 32nd Avenue. S'il est branché, c'est non seulement grâce à sa superbe décoration et à son cadre (à proximité de l'Intracoastal Waterway) mais aussi en raison de la proximité d'une autre boîte de nuit très populaire, le **Bootlegger** ( (954) 563-4337, qui dispose, entre autres, de sa propre piscine.

Les amateurs de jazz se rendront au **O'Hara's Pub and Jazz Cafe** ( (954) 524-1764, le long de Las Olas Boulevard, qui accueille généralement des musiciens régionaux durant la semaine et des orchestres plus célèbres le week-end.

Si vous appréciez l'humour, le **Uncle Funny's** ( (954) 474-5653 FAX (954) 370-6930,

au 9160 State Road 84, présente de nouveaux artistes, mais aussi des numéros célèbres du mercredi au dimanche.

Ceux qui préfèrent les attractions visuelles se rendront au **Pier Top Lounge** ( (954) 525-6666, une salle tournante située au 17ᵉ étage du Pier 66 Resort and Marina, 2301 Southeast 17th Street. Malgré la présence d'un orchestre et d'une petite piste de danse, les principales attractions sont l'océan et les couchers de soleil.

---

## OÙ SE LOGER

### Luxe

Que dire d'un hôtel bordé par une plage de 335 m de long, qui dispose notamment d'une piscine originale de 2 438 m (avec chute d'eau) de cinq restaurants et cinq courts de tennis, trois boutiques de mode et trois salons ? Il s'agit du **Marriott's Harbor Beach Resort** ( (954) 525-4000 APPEL GRATUIT (800) 222-6543 FAX (954) 766-6193 E-MAIL mhbrbc@bellsouth.net, 3030 Holiday Drive. Le **Radisson Bahia Mar Resort and Yachting Center** ( (954) 627-63063 APPEL GRATUIT (800) 531-2478 FAX (954) 524-6912, 801 Seabreeze Boulevard, ne manque pas d'atouts : un port de plaisance de 16 ha, une marina de 350 places, une petite flotte de bateaux de pêche à louer, mais «seulement» quatre courts de tennis.

Le **Hyatt Regency Pier 66 Hotel and Marina** ( (954) 728-3540 APPEL GRATUIT (800) 334-5774 FAX (954) 728-3551 SITE WEB www.hyatt.com/pages/f/ftlhpa.html, 2301 Southeast 17th Street, fut le premier grand hôtel de luxe de Fort Lauderdale, et demeure l'un des meilleurs, avec sa marina de 142 places et ses équipements de sports nautiques qui rivalisent avec ceux du Bahia Mar. À l'écart de la plage – et de la ville –, le **Wyndham Resort and Spa** ( (954) 389-3300 APPEL GRATUIT (800) 225-5331 FAX (954) 384-0563, se trouve à 27 km à l'ouest de Fort Lauderdale, au 250 Racquet Club Road. Niché dans un parc de 506 ha, il compte quatre restaurants, cinq piscines, 24 courts de tennis, deux parcours de golf 18 trous, un amphithéâtre de 160 places, un bowling, une piste de patins à roulettes et un impressionnant centre thermal. Le **Riverside Hotel** ( (954) 467-0671 APPEL GRATUIT (800) 325-3280 FAX (954) 462-2148

E-MAIL RiversideHotel@worldnet.att.net, 620 East Las Olas Boulevard, est peut-être l'hôtel le plus charmant de Fort Lauderdale, et certainement celui dont le personnel est le plus prévenant et le plus aimable. Plus confortable que raffiné, il se trouve au cœur du quartier des commerces à la mode et dispose d'une piscine et d'un jardin bordant la pittoresque rivière New.

### Prix moyens

On pourrait situer le **Lago Mar Hotel** ( (954) 523-6511 APPEL GRATUIT (800) 524-6627 FAX (954) 524-6627 E-MAIL Reservations @lagomar.com, 1700 Southeast Ocean Lane, dans la catégorie luxe, mais il présente vraiment un bon rapport qualité-prix. Situé à la pointe sud de la plage, tranquille et élégant, il offre une ambiance paisible, loin des hordes de touristes. L'hôtel est bordé d'un côté par une lagune, et de l'autre par l'Atlantique. Il possède deux piscines, quatre courts de tennis et un terrain de golf.

Nettement plus classique, le **Holiday Inn Express-Fort Lauderdale North** ( (954) 566-4301 APPEL GRATUIT (800) 465-4329 FAX (954) 565-1472 est au 3355 North Federal Highway.

### Économiques

Des dizaines de motels bon marché avec piscine s'alignent le long de North Birch Road, à deux pâtés de maisons de la plage. Parmi les plus agréables, on peut citer le **Sea View Resort Motel** ( (954) 564-3151 APPEL GRATUIT (800) 356-2326 FAX (954) 561-9147, et le **Sea Chateau** ( (954) 566-8331 APPEL GRATUIT (800) 726-3732 FAX (954) 564-2411, 555 North Birch Road.

### RESTAURANTS

### Prix élevés

Malgré son nom, le **Left Bank** (Rive Gauche) ( (954) 462-5376, 214 Southeast Federal Highway, est plus américain que parisien, et plus romantique que bohème. Quoi qu'il en soit, son chef et propriétaire, Jean-Pierre Brehier, sert une excellente nouvelle cuisine. Pour déguster des plats français plus traditionnels, rendez-vous à l'intersection de la Route 1 et de East Sunrise Boulevard, où vous trouverez un excellent restaurant :

*La côte sud-est*

**La Coquille** ( (305) 467-3030, 1619 East Sunrise Boulevard, est un petit bistro enchanteur tenu par Jean et Hélène Bert.

### Prix modérés

Le **Café de Paris** ( (954) 467-2900 FAX ((54) 467-2308, 715 East Las Olas Boulevard, dirigé par Louis Flemati, est apprécié à juste titre par les habitants de la région pour son ambiance enjouée (avec musiciens ambulants) et sa cuisine savoureuse.

Ne manquez pas l'atmosphère déco du **Blue Moon Fish Co** ( (954) 267-9888, 4405 West Tradewinds Avenue, Lauderdale-

By-The-Sea, un retaurant à prix modéré qui propose un menu américain. Ne ratez pas le brunch Gospel le dimanche.

La légende dit que rien n'a été changé chez **Cap's Place** ( (954) 941-0418 depuis qu'un certain Franklin Roosevelt et un Winston Churchill vinrent y dîner, un soir de la deuxième guerre mondiale. Garez vous et sautez dans un bateau navette pour rejoindre le restaurant, à Cap's Dock, 2765 Northeast Court, Lighthouse Point. Les spécialités de la maison incluent le poisson bouilli et la salade fraîche de cœur de palmiers.

CI-CONTRE : Une jeune Grecque à La côte Dorée.
CI-DESSUS : Une voiture personnalisée à Clearwater.

113

## Économiques

Si vous préférez les repas riches et épicés, optez pour le **Ernie's Bar-B-Que (** (954) 523-8636, 1843 South Federal Highway. Quel que soit votre choix, ne manquez sous aucun prétexte la soupe aux conques d'Ernie.

Si vous êtes un adepte de la cuisine Tex-Mex, vous serez séduit par le **Carlos and Pepe's 17th Street Cantina (** (954) 467-7192, 1302 Southeast 17th Street. La cuisine est somptueuse, et les prix imbattables. Sachez cependant que la Cantina attire une foule d'habitués : si vous n'arrivez pas très tôt, vous risquez d'attendre au bar (ce qui est, somme toute, plutôt agréable).

### COMMENT S'Y RENDRE

L'aéroport international de Fort Lauderdale/Hollywood est desservi par un grand nombre de compagnies aériennes nationales et internationales, même si beaucoup de visiteurs préfèrent passer par Miami, à environ une heure de route au sud. Une dizaine de sociétés de location de voitures disposent de bureaux dans l'aéroport ou à proximité.

Si vous vous rendez à Fort Lauderdale en voiture depuis le nord ou le sud, vous pourrez emprunter le Florida's Turnpike (une autoroute à péage), la Interstate 95 ou encore la Route 1 (également appelée Federal Highway). Plus lente et plus panoramique, la Route A1A longe le bord de mer. Si vous arrivez de l'ouest, vous emprunterez la Route 84, une autoroute à péage que l'on nomme parfois Everglades Parkway ou, dans un style plus imagé, Alligator Alley.

## PALM BEACH ET BOCA RATON

D'une certaine manière, Palm Beach est un mirage, car son charme particulier peut être perçu de manières très différentes. Pour certains, c'est une oasis de bon goût et de style, une enclave chic qui accueille une population distinguée, un paradis tropical pour milliardaires. Pour d'autres, c'est un autel de 19 km de long élevé à la vulgarité et aux excès, une réserve de gibier où la faune se compose d'arrivistes aux poches pleines et de faux aristocrates sans le sou réunis pour s'entre-dévorer en toute tranquillité. Taki, grand voyageur et chroniqueur de la haute société, l'a qualifié, assez férocement, de «goulag pour riches, dernier refuge des parvenus, et Mecque du monosyllabisme».

Honnêtement, ces deux opinions se défendent. Quelle que soit la vôtre, on ne peut nier qu'il s'agit d'un endroit particulier. Où trouverait-on des volées de perroquets (spécialement importés) à la place des pigeons, ou un récif artificiel ancré par une Rolls Royce et un yacht, ou encore un arrêté municipal interdisant les cordes à linge extérieures parce qu'elles nuisent au décor ?

### HISTORIQUE

Les premiers colons s'installèrent à Palm Beach pendant la guerre de Sécession, sans doute en raison même du conflit, alors que les premiers palmiers n'arrivèrent qu'en 1878, lorsqu'un navire espagnol transportant un chargement de noix de coco, le *Providencia*, s'échoua sur l'île. On planta alors les noix de coco, et la région acquit bientôt un nom et une flore caractéristiques. En 1894, Henry Morrison Flagler, qui avait construit la voie ferrée longeant la côte, implanta à Palm Beach

CI-CONTRE : Les palmiers de Palm Beach.
CI-DESSUS : Worth Avenue, l'un des grands centres mondiaux de la consommation de luxe.

deux hôtels de luxe, le Royal Poinciana et le Breakers, afin d'attirer une clientèle fortunée. Les noms les plus prestigieux du bottin mondain affluèrent rapidement : Vanderbilt, Wanamaker, Rockefeller, Guggenheim, Gould, Astor, Post, Hutton, Chrysler, DuPont, etc. En outre, le talentueux et excentrique Addison Mizner arriva à la même époque ; ses créations architecturales allaient donner à Palm Beach et à Boca Raton leurs teintes pastel caractéristiques.

Au cours des années 1920, Palm Beach devint le lieu où tous ceux qui aspiraient à

## Informations pratiques

Vous pourrez vous renseigner auprès du **Palm Beach County Convention and Visitors Bureau** ( (561) 471-3995 fax (561) 471-3990 site web www.palmbeachfl.com, 1555 Palm Lakes Boulevard, Suite 204, West Palm Beach, FL 33401. Le **Business Development Board of Palm Beach County** ( (561) 835-1008 appel gratuit (800) 226-0028 se trouve au 222 Lakeview Avenue, Suite 120, West Palm Beach, FL 33401. **La chambre de**

la célébrité se devaient de passer l'hiver. Des propriétés surgirent parmi les palmiers. Sur le continent, face à l'île, Flagler construisit West Palm Beach «pour son personnel», une armée de domestiques qui travaillaient dans les hôtels et les résidences privées. Dans la mesure où les automobiles étaient interdites car elles troublaient la tranquillité du site, les personnalités étaient transportées par des pousse-pousse tirés par des Noirs et baptisés «Afromobiles» ! Palm Beach devint le rêve suprême des riches. Aujourd'hui, bien que ses prétentions sociales ait été quelque peu ternies par l'infiltration de parvenus tapageurs, la ville demeure un exemple fascinant du bonheur que l'argent peut acheter.

**Commerce de Jupiter-Tequesta-Juno Beach** ( (561) 746-7111 est au 800 North US Highway 1. La **chambre de Commerce de Boca Raton** ( (407) 395-4433, est au 1800 North Route 1, Boca Raton.

Autres numéros de téléphone utiles (précédés de l'indicatif 561) :
**Aéroport international de**
**Palm Beach**    471-7400
**Taxis Yellow Cabs**    689-2222

## Que voir, que faire

### Excursions

Admirer les villas et les propriétés est de loin l'activité touristique la plus pratiquée à Palm Beach, en particulier depuis l'océan. Des croisières guidées partent chaque jour de Steamboat Landing ; vous pourrez également opter pour une croisière avec spectacle à l'heure du déjeuner, du dîner ou des cocktails. Renseignez-vous auprès de **Star of Palm Beach** ℂ (407) 848-7827, Steamboat Landing, 900 East Blue Heron Boulevard, Riviera Beach, FL 33404.

Deux propriétés sont particulièrement remarquables : **Mar-A-Lago** ℂ (561) 832-2600, 1100 South Ocean Boulevard, est une somptueuse résidence de style mauresque de 118 pièces construite dans les années 1920

pour Marjorie Merriweather Post, riche héritière dont la famille avait fait fortune dans les céréales. La demeure appartient aujourd'hui à Donald Trump. Elle n'est pas ouverte au public, et seule sa tour de 23 m de haut est visible depuis la route. En revanche, le somptueux palais de marbre de 55 pièces construit par Henry Flagler en 1902 et initialement baptisé Whitehall, abrite aujourd'hui le **Henry M. Flagler Museum** ℂ (561) 655-2833. Sept variétés de marbre se côtoient dans le vestibule, et chaque chambre d'amis est décorée dans un style qui lui est propre. Le wagon privé de Flagler est garé dans le jardin.

À Palm Beach, la plupart des œuvres d'art sont enfermées dans des résidences privées.

Toutefois, la **Norton Gallery of Art** ℂ (561) 832-5194, 1451 South Olive Avenue à West Palm Beach, abrite une superbe collection de tableaux des impressionnistes français et d'artistes américains du XXᵉ siècle. Le musée possède aussi un très agréable jardin de sculptures. Il est fermé le lundi.

Les amoureux des animaux et les personnes accompagnées d'enfants iront visiter le **Dreher Park** ℂ (561) 547-9453 or (561) 533-0887 SITE WEB www.palmbeachzoo.org, 1301 Summit Boulevard in West Palm Beach. Parmi ses pensionnaires les plus insolites,

on peut citer une panthère de Floride, espèce en voie de disparition, et un cabiai de 45 kg, le plus gros rongeur du monde. À environ 24 km à l'ouest sur Southern Boulevard, le **Lion Country Safari** ℂ (407) 793-1084 SITE WEB www lioncountrysafari .com, compte 13 km de routes où vous circulerez parmi les lions, les éléphants, les zèbres, les girafes, les rhinocéros blancs, les antilopes et les chimpanzés, pour ne citer que quelques uns des animaux qui s'ébattent librement dans cette réserve de 200 ha. Un petit parc permet également d'approcher des animaux apprivoisés, et vous pourrez

CI-DESSUS : Des immeubles de style italien au centre de Palm Beach. CI-CONTRE : L'extérieur et l'intérieur du musée Henry M. Flagler.

faire gratuitement des promenades et des croisières, tandis que les enfants auront le choix entre divers jeux et activités. Si vous n'avez pas de voiture, ou si vous craignez de la conduire parmi des centaines d'animaux sauvages, vous pourrez en louer une pour la durée de la visite. Par ailleurs, un excellent terrain de camping est aménagé tout près du parc ( (561) 793-9797.

**Sports**

Au printemps, deux grandes **équipes de baseball** s'entraînent à West Palm Beach : les Montreal Expos et les **St Louis Cardinals**, qui se produisent au **Municipal Stadium** ( (407) 684-6801, à l'intersection de Lakes Boulevard et de Congress Avenue. On peut assister à des rencontres de **jai alai** (pelote basque) du début de l'année à la mi-mai au **Palm Beach Jai Alai Fronton** ( (407) 844-2444, 1415 West 45th Street, à West Palm Beach.

Le sport le plus souvent associé à Palm Beach est bien sûr le **polo**. Des matchs se déroulent de novembre à la fin avril au **Palm Beach Polo and Country Club** ( (561) 798-7000, 13198 Forest Hill Boulevard, Wellington, ainsi qu'au **Royal Palm Polo and Sports Club** ( (561) 994-1876, 6300 Clint Moore Road, Boca Raton et au **Gulfstream Polo Ground** ( (561) 965-2057, 4550 Polo Club Road, Lake Worth.

La région compte plus de 145 **parcours de golf**. Le plus prisé est généralement le célèbre golf **Emerald Dunes** ( (561) 684-4653, 2100 Emerald Dunes Drive, West Palm Beach.

Les joueurs de **tennis** trouveront ici de nombreux courts, souvent gratuits. Le **Jupiter Bay Racquet Club** ( (561) 744-9424 est au 353 South US Highway 1, le **Lake Park Recreation Tennis Club** ( (561) 881-8038 et à Kelsey Park, 535 Park Avenue et le **North Palm Beach Tennis Club** ( (561) 626-6515 est au 951 US Highway 1. Vous trouverez le long de cette côte de multiples occasions de pratiquer la **plongée avec bouteilles** ou tuba. A North Palm Beach, passez chez **Aquashop** ( (561) 848-9042, 505 Northlake Boulevard. A West Palm Beach, the **Scuba Club** ( (561) 844-2466, 4708 Poinsettia Avenue, et une référence depuis 1972 tandis qu'à Boynton Beach, contactez **TNT Dive Charters** ( (561) 762-7668 at 115 Southwest 25th Avenue.

Des joueurs de polo à Boca Raton.

## Shopping

Si vous avez entendu parler de Palm Beach, vous connaissez également **Worth Avenue** ( (561) 659-6909. Cette artère est à Palm Beach ce que Bond Street est à Londres, Rodeo Drive à Beverly Hills, la rue du Faubourg-Saint-Honoré à Paris. C'est là que les élégantes vont acheter leurs superbes bijoux et leurs vêtements de haute couture.

Cette rue ne s'étire que sur trois pâtés de maisons, de l'océan Atlantique au Lake Worth, mais elle est bordée par plus de 250 magasins et boutiques, de Saks Fifth

des grandes vedettes de temps à autre. Le **Caldwell Theatre Company** ( (561) 241-7432, Levitz Plaza, 7873 North Federal Highway propose toutes l'année des spectacles de grande qualité. **Boca Ballet** ( (561) 995-0708, est une companie de danse située au 5620-B North Federal Highway.

**Club Boca** ( (561) 368-3333, 7000 West Palmetto Park Road, est réservé aux oiseaux de nuit, puisqu'il reste ouvert jusqu'à 5 :00 du matin avec une combinaison de groupes live et de mix de DJ's. Vous y danserez sur des sons allant du reggae, ska, punk, rock à la techno.

Avenue à Chanel. Aucune rue au monde ne peut rivaliser avec cette concentration d'opulence. Même la borne d'incendie est chromée. Worth Avenue mérite une visite, même si vous n'achetez rien.

## Vie nocturne

La plupart des soirées de Palm Beach sont privées, et les night-clubs sont rares. Outre le **Ta-Boo** ( (561) 835-3500, un club très chic situé au 221 Worth Avenue, les boîtes de nuit les plus agréables sont celles des grands hôtels. Boca Raton est plus animée. Le **Royal Palm Dinner Theater** APPEL GRATUIT (800) 841-6765, 303 Southeast Mizner Boulevard Golfview Drive, présente toute l'année des comédies musicales de Broadway, et invite

## OÙ SE LOGER

### Luxe

On trouve dans cette région des hôtels d'un luxe incomparable. Citons en premier lieu **The Breakers** ( (5617) 655-6611 APPEL GRATUIT (888) 273-2537 FAX (561) 659-8403 SITE WEB www.thebreakers.com, 1 South County Road. Ce palais à deux tours de style italien, inspiré par la villa Médicis de Florence, fut reconstruit (après deux incendies) en 1926. Depuis lors, il attire les «m'as tu-vu» de Palm Beach, tout en conservant sa réputation d'élégance distinguée. Cet hôtel dispose d'une plage privée de 800 m de long, de 19 courts de tennis, de deux parcours de golf de 18 trous, et d'une piscine.

Aussi luxueux – plus luxueux même, selon certains, **The Colony** ( (561) 655-5430 APPEL GRATUIT (800) 521-5525 FAX (561) 832-7318 SITE WEB www.thecolonypalmbeach.com, 155 Hammon Avenue, était l'adresse habituelle du duc et de la duchesse de Windsor ; en revanche, John Lennon s'en vit un jour refuser l'accès en raison de sa tenue trop négligée. Bien que l'allure de l'hôtel soit typique de la Floride, il y règne une ambiance européenne : le service est excellent, discret, irréprochable. Les habitants de la région aiment à dire avec admiration qu'il représente «une centaine de chambres et une réputation».

Il semble difficile de rivaliser avec ces établissements ; pourtant, le **Brazilian Court Hotel** ( (516) 655-7740 APPEL GRATUIT (800) 552-0335 FAX (561) 655-0801 SITE WEB www.brazilaincourt.com, 301 Australian Avenue à West Palm Beach, y parvient. Construit à la même époque que le Breakers, il a été entièrement rénové il y a quelques années. C'est le genre d'endroit où l'on ne serait pas étonné de voir surgir Cary Grant ou Gary Cooper – qui ont d'ailleurs séjourné ici. Comme le Colony, cet hôtel associe les plus grandes qualités de l'hospitalité américaine et européenne. Le quatrième membre de cet éblouissant quatuor est le **Boca Raton Resort and Club** ( (561) 395-3000 APPEL GRATUIT (800) 327-0101 SITE WEB www.bocaresort.com, 501 East Camino Real à Boca Raton, également construit en 1926. Initialement baptisé Cloister Inn, cet établissement fut indéniablement le chef-d'œuvre d'Addison Mizner. Depuis cette époque, il s'est considérablement agrandi (seules 100 des 963 chambres de l'hôtel sont situées dans le bâtiment d'origine) et il compte aujourd'hui cinq piscines, des courts de tennis, un parcours de golf, une marina de 23 places, sept restaurants, et une plage privée de près d'1 km. Sa qualité n'a cependant jamais varié, et cet hôtel demeure l'un des meilleurs du monde.

**Prix moyens**

Dans la catégorie des prix moyens à élevés, on peut citer le **Howard Johnson Motor Lodge** ( (561) 582-2581 APPEL GRATUIT (800) 654-2000 FAX (561) 582-7189, 2870 South County Road à Palm Beach. Tout près, le **Beachcomber Apartment Motel** ( (561) 585-4648

APPEL GRATUIT (800) 833-7122 FAX (561) 547-9438, 3024 South Ocean Boulevard, applique des tarifs comparables.

**Économiques**

Si vous n'avez rien contre le fait de résider un peu à l'intérieur des terres, le **Sunland Motel** ( (561) 996-2817 FAX (561) 992-5273, 1080 South Main Street à Belle Glade est une valeur sûre. Au même chapitre, je recommanderais aussi le **Breezeway Motel** ( (561) 582-0882, 2001 North Dixie Highway à Lake Worth, et le **Okeechobee Inn** ( (561)

996-6517 FAX (561) 996-6517, 265 North US Highway 27 à South Bay.

## RESTAURANTS

**Prix élevés**

Comme le Casa Vecchia à Fort Lauderdale, **La Vieille Maison** ( (561) 391-6701, 770 East Palmetto Park Road à Boca Raton, est installée dans une ancienne demeure restaurée et remarquablement aménagée par Leonce Picot et Al Kocab. Dans cette élégante ruche d'un étage, composée d'alcôves et d'espaces privés, on savoure une succulente cuisine

CI-DESSUS : Le Breakers, une institution de Palm Beach depuis le début du siècle.
CI-CONTRE : Worth Avenue.

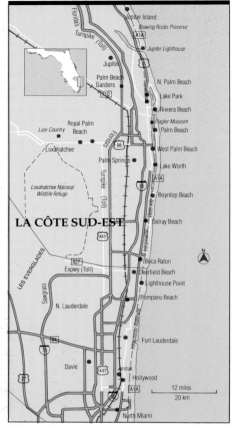

LA CÔTE SUD-EST

provinciale française. Toujours à Boca Raton, le **Maxwell's Chophouse** ( (561) 347-7077, 501 East Palmetto Park Boulevard, propose les meilleurs steaks et cotelettes, ainsi que du poisson grillé et d'énormes langoustines. Le tout dans un décor New Orleans, fait de bois sombre, de briques et de fer forgé.

Très différent, le **The Dining Room** ( (407) 655-7740, à l'hôtel Brazilian Court, propose diverses sortes de cuisines, souvent associées avec imagination.

## Prix modérés

Il est probablement inutile de faire l'éloge du **Chuck & Harold's Café** ( (561) 659-1440, 207 Royal Poinciana Way à Palm Beach, car la plupart des habitants de la région s'en chargeront à ma place. C'est l'endroit idéal pour observer des célébrités à toute heure du jour ou de la nuit, et savourer une multitude de plats dans un cadre superbe, tout en écoutant de la musique le soir.

Parmi les autres endroits appréciés des habitants de la régions, le **Panama Hattie's** ( (561) 471-2255, 361 A1A Beach Boulevard à Palm Beach Gardens, qui offre un superbe vue de l'océan ainsi que des fruits de mer cuits à la vapeur, les meilleures cotelettes et hamburgers du coin.

Pour d'excellentes pizzas et pâtes ou du veau preparés dans le respect des recettes traditionnelles familialles, arrêtez-vous chez **No Anchovies** ( (561) 684-0040, 1901 Palm Lakes à West Palm Beach. Pour une cuisine de poissons et fruits de mer de qualité et à bon prix, dans un très beau décor sur l'Intracoastal Waterway, une seule adresse **Charley's Crab** ( (561) 744-4710, 1000 North US Highway 1, Jupiter.

### Économiques

Le **Hamburger Heaven** ( (561) 655-5277, 314 South County Road à Palm Beach, propose des hamburgers exceptionnels tandis que **Duffyís** ( (561) 743-4405, 185 East Indiantown Road, est l'endroit idéal pour boire une bière et manger un morceau.

A Lake Worth, **John G's** ( (561) 585-9860, 10 Ocean Boulevard, est un endroit connu pour ses petits déjeuners et ses fish and chips au déjeuner.

Enfin, au **Toojay's** ( (561) 241-5903, at Polo Shops, 5030 Champion Boulevard, Boca Raton, vous dégusterez de délicieuses soupes et de très bons sandwiches.

---

## COMMENT S'Y RENDRE

L'aéroport international de Palm Beach n'est qu'à quelques minutes de la ville, mais celui de Fort Lauderdale est beaucoup mieux desservi.

Palm Beach et Boca Raton sont traversées par les mêmes routes nord-sud que Fort Lauderdale. L'artère la plus importante en provenance de l'ouest est la Route 98, qui prend le nom de Southern Boulevard aux abords de Palm Beach.

---

Des huttes de plage, telles des sentinelles face à l'Atlantique.

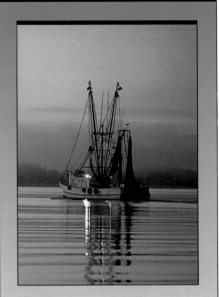

# La côte Atlantique

LA CÔTE ATLANTIQUE DE FLORIDE S'ÉTIRE SUR PLUS DE 450 KM, de Palm Beach à la frontière avec l'État de Georgie. On y trouve à la fois des sites très anciens, comme la ville de St.-Augustine, et des merveilles technologiques telles que le Kennedy Space Centre, à Merritt Island, près de Cap Canaveral.

En 1513, l'explorateur espagnol Ponce de León mena une expédition transatlantique sur les traces de Christophe Colomb, en quête des eaux légendaires de la «fontaine de Jouvence», que l'on situait alors aux environs de l'actuelle St.-Augustine. Le seul résultat de ses recherches est le Fountain of Youth Discovery Park (parc de la découverte de la fontaine de Jouvence) qui figure aujourd'hui dans tous les guides touristiques de la ville.

En 1562, un petit corps expéditionnaire de huguenots français s'était installé dans le futur Fort Caroline, près de l'embouchure de la rivière St. Johns, à l'emplacement de l'actuelle Jacksonville. Face à ce défi, le roi Philippe II d'Espagne renvoya Pedro Menéndez de Avilés en Floride avec mission d'expulser les Français et d'établir une ville de garnison sur la côte. À la fin août 1565, Menéndez remarqua un emplacement stratégique qui dominait une baie, et y accosta quelques jours plus tard. Ainsi commença la longue histoire de St. Augustine. Sans perdre de temps, Menéndez marcha sur Fort Caroline et écrasa l'armée ennemie, puis il retourna vers St.-Augustine, détruisant en chemin tout ce qu'il restait des forces françaises.

Cette victoire confirma la position dominante de l'Espagne dans cette région, mais cette suprématie fut de courte durée. En fait, Fort Caroline fut repris deux ans plus tard et, depuis 1562, huit drapeaux différents ont flotté sur Amelia Island, au nord de Jacksonville. Pendant plusieurs siècles, toute cette région fut tour à tour dominée par les Espagnols, les Français et les Anglais ; même le Mexique la revendiqua pendant quelque temps, avant que les Nordistes l'arrachent à la Confédération.

Au cours des années qui suivirent la guerre de Sécession, la côte commença à prospérer à partir du nord. Jacksonville prit de l'importance grâce à son port et, dans les années 1880, l'arrivée du chemin de fer d'Henry Flagler assura à la ville sa place de grand centre de l'industrie et des transports

maritimes. À mesure que le chemin de fer progressait vers le sud, Flagler jalonna la côte d'hôtels de grand standing destinés à satisfaire les goûts de luxe des nantis qui affluaient du nord pour passer l'hiver en Floride. Des villes balnéaires firent rapidement apparition pour accueillir les touristes. Tous les nouveaux arrivants n'étaient cependant pas uniquement des visiteurs ; dans les années 1960, le climat chaud de la Floride attira la NASA sur la côte atlantique.

## LA CÔTE DE L'ESPACE

Le Kennedy Space Center est devenu l'une des grandes attractions touristiques de l'État. Plus de deux millions et demi de personnes se rendent chaque année au Spaceport USA (le nom du centre d'accueil du complexe spatial, qui organise des visites). Bon nombre d'entre eux s'efforcent de faire coïncider leur séjour avec le lancement d'une navette. Le centre spatial est naturellement le site le plus touristique de cette région, mais la côte est parsemée de villes balnéaires et de superbes plages ; à Merritt Island, on peut admirer des animaux très rares comme l'aigle chauve et le lamantin.

## HISTORIQUE

Les Indiens Ais et Timucuans furent les premiers habitants de la région du cap. Le nom de «Canaveral» est dérivé d'un mot indien signifiant «porteur de jonc», car les flèches des Indiens étaient faites de roseaux ou de joncs. Aujourd'hui encore, de grands espaces restent occupés par des marécages infestés de moustiques, et des savanes bordant des côtes sauvages et découpées. En effet, la plus grande partie de Merritt Island est consacrée à une réserve naturelle ; 7 % seulement des 56 000 ha qui appartiennent à la NASA ont été aménagés pour le programme spatial. Le reste de l'île est une prolongation de la réserve d'animaux sauvages, ainsi que la NASA aime à le rappeler. D'anciens tumulus indiens ont été préservés et se dressent tout près des bunkers et des bâtiments du centre spatial.

Sur les talons du *Spoutnik* soviétique, le premier satellite américain, *Explorer I*, fut

Une fusée Saturn 5 exposée au Kennedy Space Center.

lancé de Cap Canaveral le 31 janvier 1958. La National Aeronautics and Space Administration (NASA) fut créée l'année suivante ; elle opéra dans un premier temps depuis le Cap même, avant de s'installer à Merritt Island en 1964. Dès 1968, le programme Apollo était en cours : il allait permettre à Neil Armstrong de poser le pied sur la Lune le 20 juillet 1969. Certaines petites villes, comme Cocoa Beach (située face au Cap Canaveral, contrairement à la ville de Cocoa, qui se trouve sur le continent, de l'autre côté de la rivière Indian) furent transformées par

l'afflux des chercheurs, techniciens et employés du centre spatial.

## INFORMATIONS PRATIQUES

Pour une information complète sur les attractions offertes sur la côte de l'espace, contactez le **Space Coast Office of Tourism** ( (407) 633-2110 APPEL GRATUIT 1-800-USA-1969 SITE WEB www.space-coast.com, 8810 Astronaut Boulevard, Suite 102. Les bureaux de la **Cocoa Beach Area Chamber of Commerce** ( (407) 459-2200 FAX (407) 459-2232 E-MAIL chamber1@iu.net SITE WEB www.cocoabeachchamber.com, 400 Fortenberry Road, Merritt Island, sont aussi un bon endroit pour se procurer des

cartes et des renseignements sur la région. Il existe aussi un numéro de télépone réservé aux touristes ( (407) 455-1309.

En cas d'urgence médicale, Cape Canaveral Hospital est situé au 701 Cocoa Beach Causeway et peut être contacté au ( (407) 799-7111.

Si vous souhaitez vous rendre au Cap à l'occasion du lancement d'une navette, contactez le **Kennedy Space Center** ( (407) 867-4636 ou APPEL GRATUIT depuis la Floride (800) 572-4636 pour les programmes des vols spatiaux et les services réservés aux visiteurs. Un nombre limité de laissez-passers sont vendu au Ticket Pavilion, à l'entrée du complexe visiteur, sur la base du premier arrivé, premier servi. Cette tickets vous permettent d'être transporté en bus dans l'enceinte du centre spatial, a à peu près 8 km du pas de tir. Tous les détails sur le Space Center's SITE WEB www.kscvisitor.com ou au ( (407) 452-2121.

N'oubliez pas que les sites d'observation sont nombreux aux environs du centre spatial. Vous pourrez notamment assister à un lancement depuis la Route 1, à Titusville et l' Highway AIA à Cape Canaveral, le ponton de Cocoa Beach Pier ou tout le long des 50 km de plages, sur la côte. L' U.S. Space Walk of Fame, un endroit en bordure des rives de l'Indian River, est aussi un lieu d'observation idéal.

## QUE VOIR, QUE FAIRE

### Excursions

Le Kennedy Space Center Visitor Complex comprend une replique de la navette Explorer, un musée des fusées où les engins spatiaux qui ont fait l'histoire de la conquête de l'espace sont exposés, ainsi qu'un memorial des astronautes. Ces trois zones (aisni que leurs parkings) sont gratuites. Mais pour mieux comprendre et apprécier les résultats du programme spacial des États Unis, un tour guidé en bus est des plus utiles.

Le Visitor est situé sur la route 405, sortie NASA Parkway. Si vous venez de Merritt Island ou de Cocoa Beach, prenez la route 3. Depuis la Interstate 95, prenez la sortie 78 si vous allez vers le nord, et la 79 si vous allez au sud.

De confortables minibus, avec air conditionné, emmènenet les visiteurs vers chacunes des trois grandes destinations, en leur permettant d'explorer ce monde au gré de leurs envies. On peut commencer par l'Apollo/Saturn V Center, qui héberge une authentique fusée Saturn V de près d'une centaine de mètres de haut, celle là même qui à emmené l'homme sur la lune. Vous trouverez aussi une vraie roche lunaire, aisni qu'une simulation multimédia du premier «attérissage» sur la lune. La plus récente des attractions lors de la visite est le **Launch Complex 39** (le complexe de lancement 39), une tour de 20 mètres de haut qui offre une vision à 360° du pas de lancement 39A.

**Island**. Pour réserver, appelez le ☎ (407) 861-0667. En voiture, vous pourrez emprunter le **Black Point Wildlife Drive** qui vous fera pénétrer dans la réserve par la County Road 402, à l'écart de la Route 1 à Titusville. Les ornithologues seront fascinés par la diversité des espèces que l'on peut observer dans cette région. Vous admirerez notamment un oiseau appelé anhinga, qui nage en gardant la tête émergée.

Si vous souhaitez vraiment prendre le large, vous pourrez faire une croisière d'une demi-heure en hydroglisseur sur le St. Johns

Prenez ensuite le bus en direction de l'International Space Station Center, où le visiteur peut suivre un parcours en hauteur vers une galerie d'exposition, où il verra l'histoire de la construction d'un module de la station orbitale qui sera envoyé dans l'espace pour être ajouté à l'actuelle structure qui tourne à près de 150 km au-dessus de nos têtes.

Si vous être friands des expériences spatiales, laissez vous tenter par les salles de cinéma Imax (avec écran géant de cinq étages de haut) qui présentent d'impressionnants films consacrés à la navette spatiale et à l'exploration de l'espace.

Après le centre spatial, vous pourrez revenir sur terre en effectuant une visite en autocar de la **réserve naturelle de Merritt**

et observer de près les alligators vautrés sur les rives. En dépit de leur expression de totale indifférence, ils semblent songer au sort qu'ils réservent à toutes les créatures plus faibles qu'eux. Les bateaux partent du **Lone Cabbage Fish Camp** ☎ (407) 632-4199, sur la Route 520, à une dizaine de kilomètres à l'ouest de l'Interstate 95, à Cocoa. Un autre service d'hydroglisseur : **Camp Holly Fishing** ☎ (407) 723-2179.

Situé au 6225 Vectorspace Boulevard, le **U.S. Astronaut Hall of Fame** est à 15 minutes à l'ouest de l'entrée du Kennedy Space Center ☎ (407) 269-6100. SITE WEB www .astronauts.org. Revivez les prouesses

Deux vues du Rocket Garden (le jardin des Fusées) au Kennedy Space Center.

courageuses des 44 premiers astronautes américains en lisant leur histoire et en marchant sur une ligne du temps des premiers jours de la conquète spaciale américaine. Beaucoup des objets personnels des astronautes – par exemple leurs uniformes de l'Académie militaire, des lettres et des photos – sont exposés. Des enregistrements interactifs vous donnent l'impression que les astronautes répondent à vos questions sur des sujets aussi variés que les toilettes de l'espace jusqu'à leur croyance dans la vie extra terrestre. Vous pourrez aussi tester la rigueur d'un entrainement d'astronaute et le stress qu'il induit dans diférents simulateurs qui vous font ressentir les forces de la gravité. Les simulations vous donnent une idée de votre capacité à effectuer un vol spacial. La pluplart des gens ne dépassent pas le stade du simulateur de force-G, qui a l'art de vous rendre malade.

Les autres attractions sur le thème de l'espace comprennent l'**Astronaut Memorial Planetarium and Observatory** ( (407) 634-3732 à Cocoa et l'**Airforce Space and Missile Museum** ( (407) 853-3245 à Cap Canaveral.

### Sports
**Sebastian Inlet State Recreation Area**, situé à Palm Bay, est devenu le spot de surf le plus populaire en Floride à cause de ses jettées naturelles et de ses rouleaux. Pour plus d'information, contactez le ( (407) 984-4852. Au rang des autres lieux appréciés par les surfeurs on peut citer Playalinda et Cocoa Beach. Chaque mois d'avril s'y déroule le festival du surf de Pâques.

Les pêcheurs en Floride iront découvrir **Stick Marsh**, où l'on sort de l'eau les plus gros poissons de la zone, au lieu appelé Farm 13.

Par ailleurs, l'endroit compte plus de 30 marinas et trois pontons de pêche. Côté Baseball, les fans pourront aller voir jouer les Florida Marlins durant leur entrainement, en février, au **Space Coast Stadium in Melbourne** ( (407) 633-9200.

### Shopping
Les boutiques les plus intéressantes de cette région sont rassemblées au **Cocoa Village**, au centre de Cocoa (pas Cocoa Beach). Plus d'une cinquantaine de commerces proposent une grande variété d'articles dans une ambiance de

marché à l'ancienne. Il y règne une atmosphère charmante et sympathique qui a disparu dans bien des centres commerciaux modernes et climatisés. La **Handwerk Haus** ( (407) 631-6367, 401 Brevard Avenue, présente une collection de superbes animaux en peluche et de poupées de chiffon fabriqués à la main. Non loin, au 4151 North Route A1A, le **Ron Jon Surf Shop** ( (407) 799-8888, 4151 North Route A1A, est la plus grande boutique de surf au monde ; ouvert sans interruption, il vend et loue tout ce dont vous pourrez avoir besoin dans l'eau.

## Vie nocturne

**Gregory's Upstairs** ( (407) 799-2557, 900 North Atlantic Avenue, Route A1A, Cocoa Beach, se trouve au dessus de Gregory's Steak and Seafood Grille. Il présente le Groucho's Comedy Club avec un nouveau spectacle tous les soirs et une nuit latine le samedi. **Coconuts on the Beach** ( (407) 784-1422, 2 Minutemen Causeway à Cocoa Beach, vous accueille jusqu'à une heure du matin. Au **Dino's Jazz Piano Bar** ( (407) 784-5470, 315 West Route 520, Cocoa Beach, vous pourrez passer quelques heures agréables dans une ambiance détendue en écoutant du jazz de qualité.

## OÙ SE LOGER

### Luxe

Le **Cocoa Beach Hilton** ( (407) 799-0003 APPEL GRATUIT (800) 345-6565 FAX (407) 799-0344 1550 North Route A1A, Cocoa Beach, est sans surprise. Ses installations sont typiques des établissements de cette chaîne, et bon nombre de ses 300 chambres donnent sur la mer. Si vous avez la chance d'arriver au bon moment, vous pourrez peut-être observer le lancement d'une navette spatiale depuis les fenêtres du premier étage au **Inn at Cocoa Beach** ( (407) 799-3460, 4300 Ocean Beach Boulevard, Cocoa Beach, une résidence superbement préservée qui associe luxe et charme.

### Prix moyens

Le **Ramada Oceanfront Resort Hotel** ( (407) 777-7200 APPEL GRATUIT (800) 345-1782 FAX (407) 777-7200, 1035 State Road AIA, Satellite Beach dispose de sa propre plage privée. **South Beach Inn** ( (407) 784-3333

APPEL GRATUIT (800) 54MOTEL, 1701 South Atlantic Avenue, Cocoa Beach, accueille aussi les animaux de compagnie et est idéal pour les familles.

Le **Surf Studio Beach Apartments** ( (305) 783-7100, 1801 South Route A1A, Cocoa Beach, propose 11 appartements à des prix modérés et un service personnalisé.

### Économiques

Le Motel familial **Sea Aire Motel** ( (407) 783-2461 APPEL GRATUIT 1-800-319-9637 FAX (407) 783-2461 E-MAIL GARCARJ@aol.com SITE WEB www.L-N.com/SEAAIRE/ 181 North Atlantic Avenue, Cocoa Beach, offre des studios tout équipés, face à l'océan. Le motel dispose aussi d'un barbecue couvert ou vous pourrez manger en famille, au bord de l'eau. Dans la même catégorie, on peut recommander le **Ocean Suite Hotel** ( (407) 784-4343 APPEL GRATUIT (800) 367-1223, 5500 Ocean Beach Boulevard, Cocoa Beach, près de l'embarcadère de Canaveral.

## RESTAURANTS

### Prix élevés

L'élégant **Black Tulip** ( (407) 631-1133 SITE WEB www.blacktulip.com, 207 Brevard Avenue, est probablement le restaurant le plus chic de Cocoa Village. Ses hors d'œuvre sont particulièrement délicieux : pâtés de crabe servis sur des petits pains, ou cœurs d'artichaut à la sauce moutarde. Les plats de résistance, à base de bœuf, de volaille ou de fruits de mer, sont moins intéressants, mais restent très convenables. **Rusty's Seafood and Oyster Bar** ( (407) 783-2041, 2 South Route A1A à Cocoa Beach, à une très bonne réputation et un menu hors du commun, avec des originalités culinaires telles que la viande d'ours ou les fourmis au chocolat. Leur crabe et homars sont célèbres – à juste titre – dans la région.

### Prix modérés

Le **Dixie Crossroads** ( (407) 268-5000, 1475 Garden Street, Titusville, est un vaste restaurant familial spécialisé dans les fruits de mer. Essayez le mulet fumé. Pour prendre un repas avant ou après la visite du centre spatial, passez au **Kountry Kitchen** ( (407) 459-3457, 1115 North Courtenay Parkway,

Merritt Island. Vous y dégusterez de généreux petits déjeuners à base d'œufs et de bacon et des dîners pantagruéliques.

### Économiques

Le **Peking Garden** ( (407) 459-2999, 155 East Route 520 Merritt Island, sert une cuisine chinoise très convenable. Si vous cherchez avant tout à calmer vos enfants, essayez plutôt le **Village Ice Cream and Sandwich Shop** ( (407) 632-2311, 120-B Harrison Street, Cocoa Village.

## COMMENT S'Y RENDRE

**L'aéroport international de Melbourne** ( (407) 723-6627, à environ 48 km au sud de Cap Canaveral, est régulièrement desservi par de Delta et Spirit Airlines Les grandes sociétés de location de voiture disposent de bureaux à l'aéroport.

Les trois routes nord-sud qui desservent la côte de l'Espace sont celles qui longent l'ensemble de la côte Est de la Floride : l'Interstate 95, la Route 1, et la route côtière A1A.

## DAYTONA

Daytona et Ormond Beach, à quelques kilomètres au nord, naquirent de la grande ruée vers le soleil de Floride qui se produisit à la fin du siècle dernier. Elles apparurent comme deux des stations balnéaires préférées des riches habitants du Nord. La plage de sable blanc et compact qui s'étend entre les deux villes, est sans doute la seule au monde qui doit sa renommée au fait qu'elle est carrossable. Tout commença au début du siècle, quand deux passionnés de l'automobile, R.E. Olds et Alexander Winton – observés par leur ami Henry Ford depuis son rocking-chair sur la véranda de l'Ormond Hotel – se livrèrent à une course sur la plage, la première compétition organisée sur le sable américain.

## HISTORIQUE

En prolongeant sa voie ferrée East Coast Railroad jusqu'à cette région à la fin des années 1880, Henry Flagler prépara le terrain aux promoteurs immobiliers et aux habitants du Nord, avides de soleil. Flagler agrandit son empire hôtelier en achetant et

en restaurant un vénérable établissement à Ormond Beach, l'Ormond Hotel. C'est dans cette même ville que John D. Rockefeller se fit construire une résidence d'hiver, The Casements, où il passa la plus grande partie de ses vieux jours.

Les stations balnéaires continuèrent à se développer et à séduire un nombre croissant de visiteurs fortunés. Les courses automobiles organisées débutèrent en 1904 avec une manifestation appelée Winter Speed Carnival, qui attira les amateurs de vitesse du monde entier et leurs banquiers vers les plages de Daytona et d'Ormond. En 1928, Malcolm Campbell, un excentrique milliardaire anglais passionné de vitesse, arriva à Daytona avec une automobile équipée d'un moteur d'avion. Il attendit que

la marée descendante ait découvert une étendue de sable assez vaste, puis accéléra jusqu'à la vitesse record de 333 km/h. Un peu plus tard, il atteignit 444 km/h sur la plage de Daytona.

Les courses sont aujourd'hui interdites sur la plage, mais l'histoire d'amour entre Daytona et les belles mécaniques se perpétue grâce aux compétitions de stock-cars et de motos. Sur la plage, la vitesse est désormais limitée à 16 km/h, et les engins les plus rapides que vous y verrez sont les surfeurs qui chevauchent les vagues.

## Informations pratiques

Le meilleur endroit pour commencer à préparer votre séjour est le **Daytona Beach Area**

**Convention and Visitors Bureau** ( (904) 255-0415 APPEL GRATUIT (800) 854-1234 fax (904) 255-5478, SITE WEB www.daytonabeach.com, 126 E. Orange Avenue, Daytona Beach. Ce office de tourisme propose des informations très récentes et de très serviables interlocuteurs au téléphone. Le site web vous donne aussi accès à des outils qui vous permettent d'optimiser votre séjour.

Une fois sur place, rendez vous à l'**Official Visitors Welcome Center** ( (904) 253-8669, 1801 W. International Speedway Boulevard, Daytona Beach situé dans l'entrée du **Daytona USA** pour récupérer brochures et autres informations utiles.

Daytona Beach, où la vitesse est désormais limitée à 16 km/h.

La **chambre de commerce d'Ormond Beach** ( (904) 677-3454, est installée au 165 West Granada Street, P.O. Box 874, Ormond Beach 32074.

Pour l'information touristique concernant d'autres villes dans le comté de Volusia, contactez la **New Smyrna Beach Chamber of Commerce** ( (904) 428-2449 APPEL GRATUIT (800) 541-9621 ou la **DeLand/West Volusia Chamber of Commerce** ( (904) 734-4331 APPEL GRATUIT (800) 749-4350.

**Le Memorial Hospital** ( (904) 676-6000 gère les urgences médicales de la région.

afin de préserver et de protéger les nids de tortues de mer.

Contactez la **Volusia County Beach Hotline** pour les informations les plus récentes sur l'état de la plage, les zones ouvertes à la circulation et les activités. Pour les plages des alentours de **Daytona Beach** ( (904) 239-SURF ; aux alentours de New **Smyrna Beach** ( (904) 423-3330 ; et aux alentours de **West Volusia** ( (904) 822-5000.

Daytona reste un rendez-vous privilégié pour les amateurs de vitesse. Le mois de janvier marque le début de la saison

Pour un taxi, composez le ( (904) 255-5555. **Votran Bus Lines** ( (904) 761-7700 est la companie de bus et de trolley.

## QUE VOIR, QUE FAIRE

### Excursions

Commencez par la **plage**. Elle est immense (37 km de long sur 152 m de large) et c'est une route (où la vitesse est toutefois limitée à 16 km/h, ne l'oubliez pas).

On peut conduire sur le sable à Ormond Beach, jusqu'au Ponce de León Inlet au sud. Ne quittez pas la piste principale, évitez l'eau et respectez les panneaux qui indiquent les secteurs dangereux. Vous pouvez stationner dans les zones qui sont clairement indiquées

des courses au **Daytona International Speedway** ( (904) 254-2700, 1801 West International Speedway Boulevard, Daytona Beach. Les courses commencent par les célèbres 24 heures de Daytona et se poursuivent avec la Daytona 500 Winston Cup race, à la mi-février. Puis la piste s'ouvre à la Daytona Motorcycle Classic, la première semaine de mars March, et la saison des courses culmine avec la Pepsi 400 durant les fêtes du 4 juillet. En dehors de la saison des courses, il est possible de visiter le complexe en prenant notamment le tramway ouvert qui vous emmène sur la piste légendaire d'un kilomètre et demi.

Sur ce même circuit, Daytona USA ( (904) 947-6800 SITE WEB www.daytonausa.com,

1801 West International Speedway Boulevard, est une nouvelle attraction interactive liée aux sports mécaniques qui vous permettra de concevoir votre propre voiture, de participer à un arrêt de ravitaillement dans le stand d'une grande écurie, et de vous familiariser avec l'histoire des courses dans la région de Daytona Beach.

Le **Museum of Arts and Sciences** ℂ (904) 255-0285, 1040 Museum Way, Daytona Beach, abrite l'une des plus belles collections mondiales d'art et de sculptures cubaines. Le clou de l'exposition

Pour vous faire une idée du mode de vie des Indiens Timucuans, allez visiter le **Tomoka State Park** ℂ (904) 676-4050, 2099 North Beach Street, Ormond Beach, au nord d'Ormond Beach sur North Beach Street, à l'écart de la Route 40. Son musée, le **Fred Dana Marsh Museum and Visitor Center** ℂ (904) 676-4045 évoque l'histoire de l'ancien village timucuan de Nocoroco.

### Sports

Daytona possède une bonne dizaine de parcours de **golf** à quelques kilomètres de la

scientifique est un mammifère du Pléistocène qui pesait cinq tonnes et mesurait plusieurs mètres de plus que la plupart des malheureuses créatures qui croisaient son chemin.

À Ormond Beach, vous pourrez visiter l'ancienne résidence d'hiver de John D. Rockefeller, **The Casements** ℂ (904) 676-3216, SITE WEB www.ormondbeach.com /thecasements, 25 Riverside Drive. La demeure, construite face à un hôtel qui n'avait pas traité le grand homme avec le respect qui lui était dû, est aujourd'hui un centre culturel où l'on découvre des créations de l'artisanat hongrois et italien et des objets d'art américains ; l'entrée est gratuite mais les donations sont acceptées.

plage. Certains hôtels proposent à leurs clients des réductions sur les parcours et réservent votre heure de départ. Trois parcours sont particulièrement intéressants : le **River Bend Golf Club** ℂ 730 Airport Road, Ormond Beach ; le parcours d'Indigo Lakes ℂ (904) 254-3607, 312 Indigo Drive, Daytona Beach ; et le **Daytona Beach Golf Course** ℂ (904) 258-3119, 600 Wilder Boulevard, Daytona Beach.

Les joueur de **tennis** pourront s'entraîner sur les six cours en dur de **City Island Courts** ℂ (904) 239-6627 ou sur les huit cours de terre battue du **Ormond Beach Racquet Club** ℂ (904) 676-3285.

CI-CONTRE : La jetée de Daytona Beach.
CI-DESSUS : Un pont serpente vers Daytona Beach.

## Shopping

Les chasseurs de bonnes affaires trouveront leur bonheur au Daytona Flea and Farmers Market ( (904) 253-3330, SITE WEB volusia.com /daytonafleamarket, un vieux centre commercial qui héberge plus de 1000 stands et boutiques en tous genres. Attention cependant, ouvert uniquement du vendredi au dimanche.

## Vie nocturne

En début de soirée, allez vous mettre dans l'ambiance à l'**Oyster Pub** ( (904) 255-6348, 555 Seabreeze Avenue, Daytona Beach. Ceux

qui préfèrent des rythmes plus calmes choisiront **The Bank and Blues Club** ( (904) 254-9272, South Wild Olive Avenue, Daytona Beach pour du Blues et du jazz live. Les amateurs de country music apprecieront **The Neon Moon & Concert Hall** ( (904) 788-2506, 2400 South Ridgewood Avenue, South Daytona. Le hall organise des week-ends de country au cours des quels se produisent des stars nationales du genre tel Charlie Daniels, Doug Stone, Lonestar et biens d'autres.

## Où se loger

### Luxe

Le **Daytona Beach Hilton** ( (904) 767-7350 APPEL GRATUIT (800) 221-2424 FAX (904) 760-

3651, 2637 South Atlantic Avenue, Daytona Beach Shores, dispose de 215 chambres spacieuses ; les plus grandes possèdent un balcon privé dominant la mer. Vous y trouverez une salle de jeux pour enfants, une piscine et deux restaurants, dont l'un, sur le toit, offre des vues panoramiques sur la ville et l'océan.

### Prix moyens

Au **Perry's Ocean Edge** ( (904) 255-0581 APPEL GRATUIT (800) 447-0002 FAX (904) 258-7315 E-MAIL relax@perrysoceanedge

.com SITE WEB www.perrysoceanedge.com 2209 South Atlantic Avenue, Daytona Beach Shores, les chambres donnent sur l'océan, un jardin clos, la piscine avec solarium, le bain bouillonnant ou le centre thermal à chauffage solaire. De nombreux hôtels de catégorie moyenne s'alignent le long de cette route, et offrent des chambres confortables et des piscines, toujours à proximité de la plage. Parmi les plus attrayants, on peut citer le **Treasure Island** ( (904) 255-8371 APPEL GRATUIT (800) 543-5070 FAX (904) 255-4984 E-MAIL oceans11@n-jcenter.com SITE WEB www.daytonahotels.com, 2025 South Atlantic Avenue, Daytona Beach Shores.

Le **Nautilus Inn** ( (904) 254-8600 APPEL GRATUIT 1-800-245-0560, 1515 South Atlantic

Avenue, Daytona Beach, offre de très belles chambres avec balcon en bord de mer, à des prix modérés.

## Économiques

Très sympathique, le **Del Aire Motel** ( (904) 252-2563, 744 North Route A1A, Daytona Beach, se trouve tout près de la plage. Si vous préférez un hotel plus loin des plages surpeuplées, allez vers Ormond. Vous pourrez prendre un chambre au tout nouveau **Symphony Beach Club** ( (904) 672-7373 APPEL GRATUIT (800) 822-7399 FAX (904)

## Prix modérés

À 6 km à l'ouest de la Route A1A sur la Route 92, le **Gene's Steak House** ( (904) 255-2059, 3674 U.S. Highway 92, propose sept variétés de steaks de première qualité cuits au charbon de bois de noyer. Chez **Aunt Catfish's** ( (904) 767-4768, 4009 Halifax Drive, Daytona Beach, vous pourrez faire accommoder le poisson-chat de multiples manières : à l'ail, style cajun, frit ou au beurre noir. Jim Galbreath propose également une spécialité appelée «Florida Cracker» – un mélange de poulet, de beignets de crabe, de jeunes

673-1174 E-MAIL sbclub@bellsouth.net SITE WEB www.visitdaytona.com/symphony, 453 South Atlantic Avenue, Ormond Beach.

## RESTAURANTS

## Prix élevés

Au **St.-Regis Hotel Restaurant** ( (904) 252-8743, 509 Seabreeze Boulevard, Daytona Beach, vous dégusterez une cuisine française classique dans l'une des salles les plus élégantes de Daytona. **La Crêpe en Haut** ( (904) 673-1999, 142 East Granada Boulevard à Ormond Beach, à l'étage supérieur d'un centre commercial avec cour intérieure, est tout proche du Birthplace of Speed Museum. Il est réputé pour ses crêpes, mais sert également d'excellents steaks.

poissons-chats, de crevettes et de salade de chou cru. À 11 km au sud de Daytona sur la Route A1A, dans le petit village de Ponce de León Inlet, le **Inlet Harbor Marina and Restaurant** ( (904) 767-5590 SITE WEB www.inletharbor.com, 133 Inlet Harbor, Ponce Inlet, est un restaurant très agréable dominant le port. Toujours à Ponce de León Inlet, au Timmon's Fishing Camp, le **Down the Hatch** ( (904) 761-4831 E-MAIL chubs@bellsouth .net SITE WEB www.visitdaytona.com /downthehatch, 4894 Front Street, Ponce Inlet, possède sa propre flotte de bateaux qui le ravitaillent en fruits de mer frais.

CI-CONTRE : Détail d'un canon de bronze au Castillo de San Marcos à St. Augustine. CI-DESSUS : Le fort, commencé en 1672 et achevé en 1756.

## Économiques

Vous cherchez un petit déjeuner ou déjeuner plein de vitamines et bon pour la santé ? Essayez le **Dancing Avocado Kitchen** ( (904) 947-2022, 110 South Beach Street, dans le centre historique de Daytona Beach, qui se spécialise dans la nourriture végétarienne et bio.

Au Castaways Beach, **Lost Island Restaurant** ( (904)254-8480 E-MAIL Castaway @america.com SITE WEB www.visitdaytona .com/lostisland, affiche un menu de petit déjeuner et de déjeuner aux environs de 5 $.

## ST. AUGUSTINE

La juxtaposition de l'ancien et du moderne est l'une des caractéristiques les plus saisissantes de St.-Augustine. Certains des plus anciens bâtiments et églises du pays se dressent aux côtés de centres commerciaux, de bars et de restaurants modernes. La ville présente aussi un agréable mélange de demeures somptueuses aux cours murées, de balcons surplombant les ruelles sinueuses et de larges avenues bordées d'arbres.

## COMMENT S'Y RENDRE

L'**aéroport international de Daytona** ( (904) 248-8069 SITE WEB www.volusia.org/airport est situé à 1,5 km de l'intersection de l'Interstate 4 et de l'Interstate 95. L'aéroport est desservi par les grandes companies internationales.

Les trains d'Amtrack vous emmèneront dans la ville voisine de DeLand.

Enfin, si vous atterissez à Orlando, à peu près 1 heure et demie à l'ouest de Daytona, vous pourrez prendre l'un des bus réguliers qui vous emmèneront à Daytona Beach International Airport. **Daytona-Orlando Transit (DOTS)** ( (904) 257-5411 pour les informations.

La plus grande partie de la vieille ville est bâtie en *coquina*, un matériau composé de coquillages noyés dans un mortier de chaux, qui lui donne un aspect très caractéristique. Près de la porte de la vieille ville, le Castillo de San Marcos est une forteresse massive qui fut construite en soixante-dix ans par les Espagnols, et qui servit souvent de refuge aux citadins pendant les sièges. Aujourd'hui, les seuls envahisseurs sont les hordes de touristes qui ont découvert les charmes de cette cité pittoresque.

## HISTORIQUE

St. Augustine fut fondée le 8 septembre 1565 – quarante-deux ans avant que les Anglais établissent Jamestown en Virginie – par l'amiral espagnol et ancien contrebandier Pedro Menéndez de Avilés. Il donna à la colonie le nom de saint Augustin, car il avait aperçu la côte pour la première fois le 28 août, jour de la fête du saint. Il projetait de faire de cette ville la principale base militaire espagnole de la côte Nord-Est de la Floride. Les Espagnols construisirent neuf forteresses en bois, qui succombèrent toutes aux attaques ennemies (parmi lesquelles un escadron britannique mené par Sir Francis Drake) ou aux éléments, avant la construction du Castillo de San Marcos, qui débuta en 1672, et ne s'acheva qu'en 1756.

Au cours du XVIIIe siècle, la ville fut administrée tour à tour par les Anglais, les Français et les Espagnols (qui y laissèrent tous leur empreinte architecturale). Elle subit plusieurs sièges avant que l'Espagne la cède aux États-Unis en 1821, avec le reste de la Floride. Après la guerre de Sécession, la ville devint un port commercial prospère pour les plantations voisines et l'arrivée du chemin de fer de Henry Flagler au début des années 1880 amena les riches touristes du Nord par trains entiers. Flagler construisit à leur intention les luxueux hôtels Ponce de León et Alcazar, et fit de la ville la tête de pont d'où il développa son empire ferroviaire et hôtelier vers le sud, le long de la côte orientale de la Floride.

## INFORMATIONS PRATIQUES

La **chambre de commerce de St.-Augustine** ( (904) 829-5681, au 1 Riberia Street, St. Augustine 32084, vous fournira des cartes et des brochures indiquant toutes les attractions de la ville. Vous obtiendrez des renseignements encore plus détaillés auprès du **St. Augustine Beach Visitors Center** ( (904) 825-1000, 350 A1A Beach Boulevard, St. Augustine Beach.

## QUE VOIR, QUE FAIRE

### Excursions
St.-Augustine regorge d'attractions, en particulier dans le dédale des rues de la vieille ville. Pour découvrir St.-Augustine dans une ambiance romantique, empruntez l'une des calèches de **Colee's Carriages** ( (904) 829-

2391 ou (904) 797-7095 FAX (904) 829-6658, qui partent du Bayfront, près du Old Fort. Peut-être préférerez-vous monter à bord de l'un des pittoresques **Sightseeing Trains** ( (904) 829-6545 APPEL GRATUIT (800) 226-6545 E-MAIL trains@aug.com SITE WEB www.redtrains.com, au 170 San Marco Avenue. La visite est guidée et vous pourrez descendre en n'importe quel point du trajet et remonter plus tard dans un autre train. Les départs ont lieu tous les quarts d'heure.

Vous aurez également la possibilité de découvrir la ville à pied, en passant sous la

**Old City Gate** (porte de la Vieille Ville) près du centre d'accueil de Castillo Drive, en direction du **Castillo de San Marcos**, un château espagnol qui ne fut jamais conquis durant son histoire militaire. L'entrée coûte 2 $, et comprend une visite guidée de diverses expositions qui recréent l'histoire du château ; le panorama offert par les remparts justifie à lui seul le prix d'entrée. Le château est ouvert tous les jours, de 8 h 45 à 16 h 45.

Face au château, autour de St.-George's Street, dans le quartier de **San Augustin Antiguo**, on a reconstitué les maisons et

CI-CONTRE : Découverte des sites historiques de St. Augustine à bord d'une calèche. CI-DESSUS : Le pont des Lions, à St. Augustine, conduit les visiteurs vers certains des plus anciens édifices du pays.

l'environnement d'une ville coloniale espagnole du XVIIIᵉ siècle. Des artisans en costume font des démonstrations des activités de l'époque. Vous découvrirez dans ces rues certains des plus anciens édifices des États-Unis, parmi lesquels le plus vieux bâtiment en bois du pays : la **Oldest Wooden Schoolhouse** au 14 St.-George Street, une école construite en 1778. On y a reconstitué une salle de classe du XVIIIᵉ siècle.

Datant de 1723, la **Oldest House** ℂ (904) 824-0192 SITE WEB www.oldcity.com /oldhouse, au 14 Francis Street, est, comme son nom l'indique, la plus ancienne maison de la ville. De pièce en pièce, on peut observer les aménagements effectués au cours des siècles par les Espagnols, les Français et les Anglais.

Ouverte tous les jours, **Basilica Cathedral** ℂ (904) 824-2806, Treasury Street, contient les plus anciennes archives paroissiales du pays. Dans cette région, Ponce de León chercha autrefois les eaux de la légendaire fontaine de Jouvence ; il est plus facile aujourd'hui de trouver le **Fountain of Youth Archaeological Park** ℂ (904) 829-3168 APPEL GRATUIT (800) 356-8222 au 11 Magnolia Avenue. Dans ce parc, vous découvrirez un planétarium, un globe spatial, un village indien reconstitué et une fontaine : le parc est ouvert tous les jours de 9 h à 17 h.

On peut admirer l'une des plus belles collections d'antiquités, d'artisanat et d'instruments de musique de Floride au **Lightner Museum** ℂ (904) 824-2874, dans l'immeuble de l'hôtel de ville, à l'intersection de King Street et de Cordova Street ; si vous n'êtes pas rassasié d'antiquités, le **Oldest Store Museum** ℂ (904) 829-9729, 4 Artillery Lane, présente des milliers d'objets parfaitement inutiles, que de tous temps, les gens ont acheté pour ensuite les entreposer dans leur grenier ; des années plus tard, leurs arrière-petits-enfants les retrouvent et les offrent à des musées comme celui-ci.

La **St.-Augustine Alligator and Crocodile Farm** ℂ (904) 824-3337, South Route A1A, rassemble une multitude de reptiles impassibles.

## Shopping

Le **Fiesta Mall**, 1 King Street, a réussi à se fondre dans cet ancien quartier espagnol, même s'il abrite les boutiques les plus élégantes de la ville. Les objets d'artisanat fabriqués de manière traditionnelle à **San Augustin Antiguo** sont tous en vente, et la boutique City Gate Crafts, au nº 1, St.-George Street, propose un grand choix de tapisseries, de maroquinerie et d'argenterie aussi finement travaillées que dans la vieille ville. Les plus belles antiquités de St.-Augustine se trouvent au **Lightner Antique Mall**, à l'intersection des rues King et Granada, à l'arrière du Lightner Museum. Ce centre commercial est installé dans la piscine

(vidée) du vieil hôtel Alcazar d'Henry Flagler, et ses échoppes proposent notamment du linge et des porcelaines de qualité à des prix raisonnables.

## Vie nocturne

Au **El Caballero** ℂ (904) 824-2096, dans le Fiesta Mall, la cuisine, la musique et la danse prennent l'accent espagnol. On retrouve l'influence anglaise au **White Lion** ℂ (904) 829-2388, à l'intersection des rues St.-George et Cuna, où la bière coule à flots en début de soirée, pendant la «Lion's Roar Happy

CI-CONTRE : L'intérieur de la plus ancienne maison de St. Augustine, construite en 1723.
CI-DESSUS : Une façade espagnole à St. Augustine.
PAGES SUIVANTES : Le pont des Lions vu de nuit.

Hour». Le **Conch House Marina Lounge**
( (904) 829-8646 SITE WEB www.conch-
house.com, 57 Comares Avenue, est un lieu
plus tranquille installé au bord du fleuve,
57 Comares Avenue ; vous y écouterez les
mélodies d'une guitare solo.

### Sports

Le plus beau parcours de **golf** est le **Radisson
Ponce de León Golf and Conference Resort**
( (904) 829-5314 APPEL GRATUIT (888) 829-5314
SITE WEB www.radison.com/staugustinefl, sur
la Route 1 North.

Pour obtenir des renseignements à propos
des 9 courts de **tennis** publics de St.Augustine,
adressez-vous au service des loisirs de la ville
( (904) 471-6616.

**Des croisières** sont proposées sur le
**Voyager** ( (904) 377-9292 qui part de la ma-
rina municipale du centre ville de St
Augustine, et vous pouvez louer des bateaux
à moteur, des **jet skis** et des voiliers chez
**Raging Water Sports** ( (904) 829-5001 à la
Conch House Marina, 57 Comares Avenue.

---

## OÙ SE LOGER

### Luxe

Le **Casa de Solana** ( (904) 824-3555 FAX (904)
824-3316 SITE WEB www.old city.com
/solana/solana2.html, 21 Aviles Street, domine la baie de Matanzas, et ses chambres
sont meublées d'antiquités locales ; à votre
arrivée, vous serez accueilli par des choco-
lats et une carafe de xérès. Le **Westcott
House Inn** ( (904) 824-4301 APPEL GRATUIT
(800) 513-9814 SITE WEB www.westcotthouse
.com, 146 Avenida Menéndez, est un élégant
édifice victorien datant des années 1880 ; ses
huit chambres sont dotées de superbes meubles européens et orientaux, et une bouteille
de vin est gracieusement offerte aux nouveaux arrivants.

### Prix moyens

Au cœur de la vieille ville, le **Victorian
House Inn** ( (904) 824-5214 FAX (9040 824-
5214 SITE WEB www.oldcity.com.victorian,
11 Cadiz Street, est aménagé dans une ancienne pension qui était tombée en ruine.
C'est aujourd'hui une auberge pittoresque,
meublée et décorée avec goût. Le ( (904)
829-2915 APPEL GRATUIT (800) 929-2915

SITE WEB www.casadelapaz.com, 22 Avenida
Menéndez, est un hôtel de style méditerranéen aux murs en stuc, doté d'une cour
fermée. Il abrite aussi une bibliothèque confortable et bien pourvue. Le **Kenwood
Inn** ( (904) 824-2116 FAX (904) 824-1689
SITE WEB www.oldcity.com/kenwood,
38 Marine Street, est l'un des rares hôtels de
St.Augustine qui dispose d'une piscine ;
il possède également un charmant patio om-
bragé par un grand caryocar (l'arbre qui
donne les noix de pécan). La décoration
a été réalisée avec soin et imagination, et

toutes les chambres évoquent un thème différent : anglais, maritime, lune de miel, etc.
Toujours dans la vieille ville, le **St.Francis
Inn** ( (904) 824-6068 APPEL GRATUIT (800) 824-
6062 FAX (904) 810-5525 SITE WEB www
.stfrancisinn.com, 279 St.-George Street, dispose de dix chambres hautes de plafond et
d'un joli patio agrémenté d'un petit bassin.

Le **Conch House Marina Resort** ( (904)
829-8646 APPEL GRATUIT (800) 940-6256
FAX (904) 829-5414 SITE WEB www
.oldcity.com/conchhouse, 57 Comares
Avenue, est un hotel qui dispose de son
propre ponton et d'une marina de plus de
100 places. Il offre aussi deux restaurants,
des bars sur la plage et une salle de réception
sur pilotis.

### Économiques

Les tableaux représentant des scènes de corridas peuvent vous faire hésiter, mais les chambres du **Monson Bayfront Inn** ( (904) 829-2277, 32 Avenida Menéndez, sont très confortables, et certaines disposent d'une cuisine. En revanche, rien ne vient troubler les sensibilités esthétiques à l'**Anastasia Inn** ( (904) 825-2879 FAX (904) 825-2724 E-MAIL astasiain@aol.com qui offre un peu plus que la vue sur le parking, mais cet hôtel offre également un très bon rapport qualité-prix.

### Prix modérés

Les amateurs de poisson se dirigeront vers le **Captain Jim's Conch Hut** ( (904) 829-8646, 57 Comares Avenue, au bord de l'océan, ou la soupe aux conques est la spécialité, et à des prix très raisonnables. Pour savourer une cuisine simple aux accents britanniques, rendez-vous au **Monk's Vineyard** ( (904) 824-5888 SITE WEB www.monksvineyard.com, 56 St. George Street. Le **Gypsy Cab Company** ( (904) 824-8244 SITE WEB www.gypsycab.com, 828 Anastasia Boulevard, sert une cuisine américaine typique et nourrissante.

### RESTAURANTS

### Prix élevés

Le **Columbia** ( (904) 824-3341, 98 St.-George Street, sert une délicieuse cuisine espagnole, notamment une succulente *paella valenciana*, accompagnée d'airs de guitare. La famille Sinatsch, d'origine germano-suisse, propose un menu très éclectique, mais délicieux au **Pavillon** ( (904) 824-6202, SITE WEB www .lepav.com, 45 San Marco Avenue. Le **Raintree** ( (904) 824-7211 SITE WEB www .raintreerestaurant.com, 102 San Marco Avenue, est renommé dans la région pour son choix considérable de bières et de vins ; il mérite également d'être cité pour sa cuisine simple, mais excellente.

### Économiques

Une variété de recettes venues tout droit des Caraïbbes vous attendent au **Cafe Latino** ( (904) 824-2187, Lighthouse Plaza, 900-J Anastasia Boulevard.

La cuisine saine, y compris les meilleurs jus de fruits vous attend au **Manatee Cafe** ( (904) 826-0210, 179-A San Marco Avenue, tandis que les amateurs de bons hamburgers, salades et autres fruits de mer iront tout droit au **World Famous Oasis** ( (904) 471-3424 SITE WEB www.worldfamousoasis.com, 4000 Route A1A et Ocean Trace Road. Vous y trouverez de la musique live ainsi que 24 variétés de bière pression, avec 18 télévisions qui pointent sur 5 satellites pour ne rater aucun match.

Coucher du soleil sur l'océan.

## COMMENT S'Y RENDRE

L'aéroport le plus proche est celui de Jacksonville. La Route 207 est la principale artère en provenance de l'ouest.

## JACKSONVILLE

Jacksonville couvre 2 177 km² de part et d'autre de l'embouchure de la rivière St.-Johns. C'est la plus vaste ville de l'État (et l'une des plus étendues des États-Unis). C'est aussi le grand centre financier de la Floride. Avec leurs 21 km de plages, Amelia Island et Fernandina Beach, à la sortie nord de Jacksonville, offrent un cadre paisible à l'écart du tumulte de la ville.

## HISTORIQUE

En 1564, une garnison française fut établie à Fort Caroline, près de l'embouchure de la St.-Johns ; elle tomba dès l'année suivante aux mains des Espagnols installés à St.-Augustine. Comme cette dernière, Jacksonville fut administrée par différentes puissances européennes au cours des deux cent cinquante années suivantes. En 1821, Andrew Jackson s'y installa en tant que premier gouverneur américain de Floride. Il donna son nom à ce port stratégique qui prit de l'importance au cours de la guerre de Sécession, et permit plus tard l'exportation des agrumes produits à l'intérieur des terres. Avec l'arrivée du Florida East Coast Railroad en 1883, la ville devint le principal centre industriel et maritime de l'État.

## INFORMATIONS PRATIQUES

La **chambre de commerce de Jacksonville** ( (904) 366-6600, se trouve au 3, Independent Drive, Jacksonville 32202. La **chambre de commerce d'Amelia Island-Fernandina Beach** ( (904) 261-3248, est installée au 102 Center Street, Fernandina Beach 32034.

Autres numéros de téléphone utiles (précédés de l'indicatif 904) :
**Aéroport international de Jacksonville**   741-4920
**Taxi Checker Cabs**   645-5466
**Gator Taxi**   355-8294

## QUE VOIR, QUE FAIRE

### Excursions

Jacksonville abrite certains des plus beaux musées d'art de Floride, parmi lesquels le **Jacksonville Art Museum** ( (904) 398-8336, 4160 Boulevard Center Drive, qui présente une collection exceptionnelle de porcelaines orientales et d'objets précolombiens. On peut admirer la plus importante collection mondiale de porcelaines de Meissen à la **Cummer Gallery of Art and Gardens** ( (904) 356-6857, 829 Riverside Avenue, qui abrite aussi de belles œuvres d'art européen et japonais ; en outre, son jardin à l'italienne est une véritable merveille. Le **Jacksonville Museum of Science and History** ( (904) 396-7062, 1025 Gulf Life Drive, vous fera remonter encore plus loin dans l'histoire.

On peut découvrir une réplique du fort établi par les Français en 1564 au **Fort Caroline National Memorial** ( (904) 641-7155, 12713 Fort Caroline Road, ouvert tous les jours de 9 h à 17 h. Pour compléter votre survol de l'histoire de cette région, allez visiter la **Kingsley Plantation** ( (904) 251-3537, sur Fort George Island, County Road 105 à l'écart de la Route A1A ; Zephaniah Kingsley y organisait la traite internationale des esclaves, et vécut ici avec son épouse, une princesse africaine. La plantation est ouverte tous les jours de 9 h à 17 h ; l'entrée est gratuite.

Les enfants apprécieront le **Jacksonville Zoo** ( (904) 757-4463, 8605 Zoo Road, à 800 m à l'est de Heckscher Drive ; il n'y a pratiquement pas de cages, et les visiteurs sont séparés des animaux par des fossés. On peut même faire des promenades à dos d'éléphant.

De retour à Jacksonville, vous pourrez vous détendre le long du **Riverwalk**, une promenade aménagée sur la rive sud du fleuve, puis franchir le pont de Main Street pour atteindre **Jacksonville Landing**, 2 Independent Drive, avec ses musiciens de rue, ses artistes ambulants, ses boutiques, ses bars et ses cafés.

### Sports

Les **golfeurs** pourront se mesurer au links du Golf Club of Jacksonville ( (904) 779-0800,

10440 Tournament Lane, ou du Jacksonville Beach Golf Club ( (904) 247-6184, 605 Penman Road, Jacksonville Beach. À Amelia Island, le **City of Fernandina Golf Course** ( (904) 261-7804 APPEL GRATUIT (800) 646-5997, 2800 Bill Melton Road, Fernandina Beach, ouvre ses portes aux joueurs en visite.

Le **service des loisirs de la ville** ( (904) 633-2540, vous renseignera à propos des différents courts de **tennis** municipaux de Jacksonville.

Vous pouvez suivre une visite guidée à **cheval** avec Sea Horse Stable ( (904) 261-4878, 7500 First Coast Highway, Amelia Island, and partir galopper sur les plages.

## Shopping

On dénombre plus d'une cinquantaine de boutiques, répondant à tous les goûts ou presque, dans le nouveau **Jacksonville Landing** ( (904) 353-1188, 2 Independent Drive, sur la rive nord de la St.-Johns. Ce marché de deux niveaux abrite un certain nombre de cafés et de restaurants où vous pourrez échapper à l'agitation ambiante. À Amelia Island, **Center Street** est la principale artère commerçante de Fernandina Beach.

## Vie nocturne

**Bukkets** ( (904) 246-7701, 222 Front Drive est un bar à huitre où les habitants de la région se retrouvent pour écouter de la musique ou des discussions animées. **Sterlings Cafe** ( (904) 387-0700, 3551 St. Johns Avenue, Avondale propose des soirées piano bar avec martinis, cognacs, café et desserts. **Lynch's Irish Pub** ( (904) 249-5181, 514 North First Street, Jacksonville Beach, propose 33 bières à la pression, des groupes live, et son happy hour du milieu de semaine dure de 11h00 du matin à 20 h 00.

## OÙ SE LOGER

### Luxe

Avec son service irréprochable et son décor somptueux, l'**Omni Hotel** ( (904) 355-6664 APPEL GRATUIT (800) 843-6664, 245 Water Street, est sans doute l'établissement le plus élégant de la ville.

À Amelia Island, le complexe résidentiel d'**Amelia Island Plantation** ( (904) 261-6161

APPEL GRATUIT (800) 342-6841 SITE WEB www.aipfl.com, Route A1A, offre à la fois des chambres d'hôtel et des villas (parfois dotées d'une piscine privée). Vous trouverez sur place des boutiques et des bars, ainsi que de nombreuses installations sportives : un parcours de golf, 20 courts de tennis, une plage, des lagunes propices à la pêche, des jacuzzis et un gymnase.

### Prix moyens

L'accueillant **Bailey House** ( (904) 261-5390 APPEL GRATUIT (800) 251-5390 SITE WEB www.bailey-house.com, 28 South Seventh Street à Fernandina Beach, est agrémenté de pignons victoriens, de porches et de tourelles. L'intérieur a conservé une agréable ambiance européenne, avec des chambres spacieuses ornées d'antiquités et de rideaux de dentelle.

Chaque chambre a une vue sur la mer au **Sea Turtle Inn** ( (904)249-7402 APPEL GRATUIT (800) 874-6000 SITE WEB www.seaturtle.com, 1 Ocean Boulevard, Jacksonville Beach. L'hotel offre des salles de jeu bien equipées et un excellent restaurant.

Pour une chambre avec une vision à 360°, optez pour **The Lighthouse** ( (904) 261-4148, 748 Route A1A, Fernandina Beach.

### Economiques

Le logement économique est relativement difficile à trouver dans cette région, mais il existe quelques chaines offrant un confort parfaitement acceptable : le **Comfort Inn Mayport** ( (904) 249-0313, 2401 Mayport Road, l'Atlantic Beach ; **Red Roof Inn Airport** ( (904) 741-4488, 14701 Airport Entrance Road ; ou l'**EconoLodge** ( (904) 737-1690, 5221 University Boulevard West.

## RESTAURANTS

### Prix élevés

**Giovanni's** ( (904) 249-7787, prépare une cuisine fine italienne depuis près de 30 ans au 1161 Beach Boulevard. Mais vous pouvez gouter au plats européens et américains à l'élégant et comfortable **Sterling's Cafe** ( (904) 387-0700, 3551 St. Johns Avenue, tandis que le **Wine Cellar** ( (904) 398-8989, 1314 Prudential Drive, Jacksonville, mérite une visite pour ses gibiers.

## Prix modérés

Si vous appréciez les gésiers de poulet frits avec poivrons et oignons sautés, le très américain **Homestead** ( (904) 249-5240, 1721 Beach Boulevard, Jacksonville Beach, vous comblera. Il propose également d'autres plats plus simples. Les amateurs de steaks essaieront le **1878 Steak House** ( (904) 261-4049, 12 North Second Street, Fernandina Beach. Au **Crawdaddy's** ( (904) 396-3546, 1643 Prudential Drive, Jacksonville, vous pourrez goûter l'alligator et la cuisine cajun traditionnelle.

## Économiques

Le **Chiang's Mongolian Bar-B-Q** ( (904) 241-3075, 1504 North Route A1A, Jacksonville Beach, sert de très généreuses portions de porc, de bœuf et de poulet à l'orientale.

### COMMENT S'Y RENDRE

L'aéroport international de Jacksonville est desservi par de nombreuses compagnies aériennes nationales et internationales. Les grandes routes nord-sud qui passent par Jacksonville sont l'Interstate 95 et les Routes 1 et A1A ; si vous venez de l'ouest, la principale autoroute est l'Interstate 10.

Le puissant Castillo de San Marcos ne fut jamais conquis.

# La Floride centrale

LA PREUVE QUE LA FLORIDE ÉTAIT AUTREFOIS RECOUVERTE PAR LA MER apparaît du nord d'Ocala jusqu'à Sebring, au nord de Sebring Lake, sous la forme d'une crête calcaire née d'un récif de corail préhistorique. Cette ligne de faîte forme l'épine dorsale de la péninsule de Floride ; elle culmine à une centaine de mètres d'altitude. Plusieurs des tertres adossés à cette crête sont plantés de vergers d'agrumes, tandis que les plaines situées de part et d'autre forment le jardin potager de l'État. Au nord, dans les collines d'Ocala, pâturages et corrals révèlent que l'on est au pays du cheval, tandis que dans le sud, aux alentours de la vieille ville de Kissimmee, digne d'un film western, s'étendent les terres broussailleuses et sablonneuses de la région du bétail.

Les plaines agricoles sont irriguées par les eaux limpides de milliers de sources, rivières et lacs. Les eaux de la rivière Ocklawaha, qui traverse la forêt nationale d'Ocala, et la série de lacs qu'elle a créés sont particulièrement clairs, et rendent la pêche et la navigation encore plus agréables. La forêt nationale d'Ocala est la plus grande pinède sablonneuse du monde. Elle est naturellement très fréquentée par les cavaliers, les campeurs et les chasseurs.

Et puis, n'oublions pas que cette région est aussi celle de Walt Disney World.

## HISTORIQUE

Les premiers colons, appelés «crackers» (nom dérivé des claquements, ou «crackings» des fouets utilisés pour guider le bétail) étaient rudes et industrieux. Ils travaillaient la terre et élevaient la race bovine introduite par les Espagnols dans la région au XVIe siècle. La culture des agrumes et l'élevage initiés par les «crackers» jetèrent les bases de l'économie de la région, et firent bientôt d'Orlando l'un des plus importants centres de commerce de l'État. Les fermiers et les propriétaires de ranchs de la région vivaient en contact avec les Indiens Séminoles, renommés pour leur caractère belliqueux. Le 28 décembre 1835, un groupe d'Indiens massacra 139 soldats américains, ce qui déclencha la deuxième guerre séminole, particulièrement sanglante. On pense que la ville d'Orlando doit

son nom à un certain Orlando Reeves, tué lors des guerres contre les Indiens.

L'arrivée du bateau à vapeur facilita le tourisme et favorisa la croissance de l'économie locale. Puis, l'arrivée du chemin de fer dans les années 1880 accéléra le développement de la Floride centrale, qui s'effectuait cependant à un rythme modéré. En 1971, un phénomène important se produisit. Le parc Walt Disney World ouvrit ses portes à Lake Buena Vista, à 32 km au sud d'Orlando, et la Floride centrale devint en un éclair la première destination de vacances au monde.

## WALT DISNEY WORLD

Les responsables de Disney choisirent la région d'Orlando pour construire leur parc à thème en raison de ses terrains plats aux prix raisonnables, de son réseau de transports très développé et du climat ensoleillé de la Floride. Au terme de multiples péripéties juridiques, les représentants de Disney acquirent 11 336 ha, soit 67 km² de terrain, l'équivalent de deux fois la superficie de Manhattan, car ils voulaient disposer d'un espace suffisant pour bâtir un complexe entièrement indépendant et autonome, sans risque d'être étouffé par de nombreuses constructions comme celles qui ont surgi autour de Disneyland en Californie. Walt Disney mourut en 1966, trois ans avant le début des travaux. Le premier visiteur franchit les portes du parc en 1971 ; en 1985, 250 millions de personnes l'avaient suivi, faisant de ce parc la plus grande attraction touristique au monde.

En 1982, un mois de célébrations salua l'inauguration d'EPCOT Center, une extension futuriste du parc. «EPCOT» signifie «Experimental Prototype Community Of Tomorrow» (Communauté prototype expérimentale de demain), une autre idée chère à Walt Disney : il envisageait de créer une communauté autonome qui se développerait parallèlement aux parcs à thème. Son vœu a été exaucé : le Walt Disney World Vacation Kingdom (Royaume des vacances de Walt Disney World) est connu dans les codes officiels de la Floride sous le nom de Reedy Creek Improvement District,

*Le Magic Kingdom, vision surréaliste à Disney World.*

l'organe régisseur de l'ensemble du complexe Disney, habilité à décider des normes de construction, de l'aménagement des terrains, des infrastructures routières, et à superviser l'élection des maires des deux villes du district, Bay Lake et Lake Buena Vista. En 1989, un troisième parc à thème ouvrit ses portes dans le cadre de Disney World : les Disney MGM Studios, où toutes les attractions ont pour thème le cinéma. Enfin, un quatrième parc est venu compléter cet ensemble en 1998 : Animal Kingdom (le Royaume des animaux) où les différents

**Information** ( (407) 824-4321 SITE WEB www.disneyworld.com, Box 10040, Lake Buena Vista 32830-0040.

Essayez d'arriver à Disney World avant 9 h, car les parcs se remplissent très rapidement. Vous pourrez vous garer dans les immenses parkings aménagés à l'entrée, et vous n'aurez plus ensuite qu'à suivre les panneaux menant au **Magic Kingdom**, à **Epcot Center**, aux **MGM Studios** ou à **Animal Kingdom**. N'oubliez pas le nom de votre parking et le numéro de votre rangée. Des tramways assurent la navette jusqu'au

films et attractions mettent l'accent sur la nécessité de protéger l'environnement et les espèces menacées d'extinction.

Les aménagements et les services de ce royaume utopique sont extrêmement modernes : le premier réseau téléphonique entièrement électronique du monde, des transports terrestres très rapides, menés par un monorail surélevé, silencieux et informatisé, et soutenu par une flotte de 400 navires, des bateaux à vapeur aux sous-marins, qui constituent la cinquième marine du monde.

**INFORMATIONS PRATIQUES**

Pour tout renseignement à propos de Disney World, contactez **Walt Disney World Guest**

**Ticket and Transportation Center** (TTC) où vous pourrez acheter vos billets pour les différents parcs.

### Prix des billets

Tous les billets et passeports sont en vente au Ticket and Transportation Center ; si vous séjournez dans un hôtel Disney, vous pourrez acheter vos billets sur place. Un kiosque Disney World assure également la vente des billets et des passeports à l'aéroport international d'Orlando. Vous pourrez aussi commander vos billets avant votre arrivée, en vous adressant au service des Admissions de Walt Disney World, à l'adresse indiquée ci-dessus. Les billets vous parviendront dans un délai cinq semaines environ. Tous les prix sont sujets à modification, mais vous pourrez en obtenir confirmation par **Walt Disney World Information** au ( (407) 934-7639. Les tickets peuvent aussi être achetés en ligne sur le SITE WEB www.disneyworld.com.

### Horaires d'ouverture

Disney World ouvre ses portes à 9 h toute l'année (mais on vous permettra souvent d'entrer plus tôt). Pour éviter la cohue, visitez le Magic Kingdom, les Studios MGM et Animal Kingdom dans l'après-midi – ou mieux encore, dans la soirée – et EPCOT dans la matinée, en commençant par les attractions les plus éloignées pour revenir vers les portes d'entrée.

Durant l'été, le Magic Kingdom ferme ses portes à minuit, tandis qu'EPCOT Center et les Studios MGM ferment à 23 h (plus tôt en hiver). Quant au parc Animal Kingdom, il ouvre généralement de 8 h à 19 h. Les visiteurs sont particulièrement nombreux durant les vacances de Noël, au Nouvel An et les jours fériés. La période la plus calme de l'été est la fin du mois d'août. Ces dernières années, les 2 premières semaines de février et les 2 premières semaines de décembre se sont avérées être les moments les plus calmes.

### Transports

Les moyens de transport sont à la fois variés et efficaces. Le monorail fonctionne tous les jours de 7 h 30 à 23 h au départ du Transportation and Ticket Center (TTC) d'où partent aussi tous les autres moyens de transport. Un code de couleurs indique la destination des différents bus. Si vous préférez vous déplacer sur l'eau, des ferries et des vedettes partent également du TTC.

### Conseils

Il est presque impossible de visiter deux parcs dans la même journée. Ils sont en effet très étendus et situés à plusieurs kilomètres les uns des autres. Pour tout voir sans précipitation, comptez deux jours par par cet une autre semaine pour les attractions plus éloignées. Procurez-vous un plan au Guest Relations du City Hall au Magic Kingdom, à l'Innovations East, àl' Epcot Center ; à Hollywood Boulevard dans MGM et

juste à gauche de l'entrée d'Animal Kingdom. Vous pouvez aussi télécharger les cartes à partir du site web. Mais au moment ou nous imprimons, le site ne propose pas les plans d'Animal Kingdom.

### QUE VOIR, QUE FAIRE

### Le Magic Kingdom

Un monorail ou un bateau vous conduira en quelques minutes du TTC à l'entrée du Royaume magique. Après avoir franchi les portes, vous vous trouverez sur **Town**

**Square**, une place bordée par le City Hall (hôtel de ville), le centre d'information, le bureau des objets trouvés, et une gare d'où un petit train vous permettra de découvrir en quinze minutes l'ensemble des attractions de ce parc. Town Square est une place animée bordée d'échoppes et animée par des orchestres de jazz dixieland, où vous serez accueilli par les personnages de Disney.

**Main Street**, USA, la rue principale du parc, part de Town Square. Elle est bordée de galeries marchandes, de cafés, de cinémas et de restaurants aux façades victoriennes. Tous les jours à 15 h, les personnages de Disney effectuent une parade dans la rue jusqu'à Town Square, et de 21 h à 23 h, on peut assister à la *IllumiNations Parade* avec ses chars géants.

À l'extrémité de Main Street, un pont franchit une douve pour atteindre le château de Cendrillon, d'une hauteur de 18 0étages. Le château se trouve au cœur du

Le monorail surélevé de Disney World passe devant la Space Mountain avant d'atteindre Epcot Center et son célèbre Spaceship Earth.

parc ; de là, vous pourrez vous rendre dans les différents *lands* (pays) qui composent le Royaume magique.

### Adventureland

Adventureland (le pays de l'Aventure) est particulièrement fréquenté. Ses principales attractions sont les *Pirates des Caraïbes*, où vous assisterez à une bataille navale et à diverses aventures à bord d'un bateau ; le *Swiss Family Robinson Treehouse*, un arbre géant à armature en béton qui offre des vues superbes sur le parc ; et la *Jungle Cruise*, une croisière qui vous fera remonter à la fois le Nil et l'Amazone en une dizaine de minutes.

**Frontierland** vous ramènera à l'époque du Far West et de la ruée vers l'or. Ses principales attractions sont le *Big Thunder Mountain Railroad*, une course terrifiante à bord d'un train fou à travers une mine, et le *Country Bear Jamboree*, un spectacle de chansons et de danses donné par des ours «animatroniques». Plus paisible, *Tom Sawyer Island* est une île agréable accessible en radeau.

Le quatrième des «pays» est **Liberty Square**, qui évoque l'histoire coloniale et l'épopée américaine. Les adultes et les adolescents apprécieront le *Hall of Presidents*, où les présidents des États-Unis sont représentés par des «animatroniques» d'un réalisme saisissant. Un film de quinze minutes y retrace l'histoire de la Constitution américaine. Le *Manoir Hanté* est également très populaire, tout comme le bateau à aubes qui passe le long des scènes évoquant le Far West.

**Fantasyland** est le «pays» le plus éloigné du monde réel, et de loin celui que préfèrent les enfants. Vous y découvrirez une réplique du sous-marin du Capitaine Nemo, le héros de *20 000 Lieues sous les mers*, et vous revi-

vrez les aventures de *Blanche-Neige et les Sept Nains* et de *Cendrillon*. Tous les personnages de Disney se promènent dans les rues de Fantasyland. Dans cette partie du parc, ne manquez pas *It's a Small World*, un voyage enchanteur à bord d'un petit bateau qui traverse un univers de rêve peuplé de poupées symbolisant tous les peuples du monde, et dont la chanson entraînante restera gravée dans votre mémoire.

Le dernier des «pays» est **Tomorrowland** (le pays du Futur), où la fameuse *Space Mountain* – un simulateur de vol spatial très impressionnant – est l'attraction la plus prisée. Les enfants de moins de 3 ans n'y sont pas admis, et ceux de moins de 7 ans doivent être accompagnés d'un adulte.

DE GAUCHE À DROITE : Les pavillons marocain, anglais, français et chinois d'Epcot Center.

## EPCOT Center

L'*Experimental Prototype Community of Tomorrow* (communauté prototype expérimentale de demain) est un parc éducatif, environ deux fois plus grand que le Magic Kingdom, et qui se divise en deux zones distinctes : *Future World* (le monde du Futur) et le *World Showcase* (la vitrine du monde) séparées par un lac. Pour éviter les longues attentes, il vaut mieux explorer le World Showcase dans la matinée et Future World dans l'après-midi. L'entrée d'EPCOT Center se trouve sous le *Spaceship Earth* (le vaisseau spatial Terre), une sphère de 55 m de haut. Vous pourrez vous procurer un guide de l'ensemble du parc à *Earth Station*. Future World commence par le Spaceship Earth, et on peut se rendre au World Showcase en empruntant le trottoir qui contourne le lac.

Le **World Showcase** est un ensemble de pavillons, qui reproduisent l'un des sites ou monuments particuliers de 11 pays alors

que Future World se concentre sur les découvertes et les avancées technologiques et scientifiques.

## Les Disney MGM Studios

Proche d'EPCOT, à l'écart de Buena Vista Drive, le troisième parc de Disney World,

inauguré en 1989, vous entraînera à la découverte du septième art, de ses légendes et de ses secrets.

Au cœur du parc, à l'intérieur d'une réplique du célèbre théâtre chinois Grauman's de Hollywood, **The Great Movie Ride** retrace en vingt minutes les grands moments de l'histoire du cinéma ; vous rencontrerez des légendes du grand écran, sous forme d'«animatroniques» d'un réalisme saisissant.

Le **Backstage Studio Tour** est une excursion en tramway de trente minutes qui vous fera découvrir les coulisses d'un studio de cinéma et de télévision, avec l'atelier des costumes, la salle des accessoires et les décors ; vous verrez également comment on simule des inondations, des tremblements de terre et des incendies gigantesques au cours de la traversée terrifiante de Catastrophe Canyon.

Dans le pavillon **Magic of Disney Animation**, vous pourrez voir les artistes de Disney au travail sur le prochain grand film de la compagnie, et vous aurez un aperçu des trucages employés dans certains films, comme *Chérie, j'ai rétréci les gosses*. Le **Jim Henson's Muppet Vision 3-D** est animé par les personnages du *Muppet Show*. Parmi les nouvelles attractions du parc, on peut

citer *The Hunchback of Notre Dame : A Musical Adventure*, inspiré du film *le Bossu de Notre-Dame*, et le spectacle *Fantasmic !*

Les enfants apprécient particulièrement le terrain de jeux inspiré du film *Chérie, j'ai rétréci les gosses*, où les brins d'herbe mesurent 9 m de haut et sont peuplés de fourmis géantes et de toiles d'araignée.

## Animal Kingdom

Le tout nouveau parc Disney, le Royaume des animaux, met l'accent sur la faune de notre planète et sur la nécessité de protéger l'environnement et les espèces menacées.

Il est dominé par l'imposant **Tree of Life** (Arbre de vie) un arbre gravé de l'image de 300 animaux. Celui-ci est entouré de bassins scintillants et de pelouses verdoyantes, où évoluent des oiseaux et des petits mammifères. Ne manquez pas la reconstitution d'un village colonial est africain, et le vieux train appelé le *Wildlife Express*. Un autre rendez-vous immanquable peut être le *Kilimanjoro Safari*, une promenda de 20 minutes dans des camions découverts pendant les quelles vous aurez de grandes chances de voir des éléphants, des girafes, des zèbres et peut-être même un lion. Pour mieux voir les animaux, essayez d'arriver tôt le matin où tard dans l'après-midi.

Un film en trois dimensions, *It's Tough to be a Bug*, présente le monde tel que le perçoit un insecte. Vous pourrez assister à deux autres spectacles : le **Festival of the Lion King**, qui évoque en chansons et en danses le thème du célèbre film *Le Roi Lion*.

Au **Countdown to Extinction**, vous admirerez les créatures qui arpentaient autrefois la terre : puis, une capsule vous propulsera à 65 millions d'années en arrière, et votre mission consistera à secourir le dernier dinosaure de la planète..

Le spectacle **Journey into Jungle Book** vous fera revivre en danses et en chansons les aventures de Mowgli, l'enfant abandonné dans la jungle et élevé par des loups.

## Autres attractions de Disney World

À **Blizzard Beach Water Park** ( (407) 824-4321, vous dévalerez une chute de 40 m sur les pentes du mont Gushmore pour plonger dans un lagon tropical. Ce parc se

trouve à proximité du nouvel hôtel Disney, le All-Star Resorts.

Très fréquenté durant l'été, **Water Country USA** ( (407) 824-432, est un parc aquatique avec toboggans, rapides écumants, et la plus grande piscine à vagues du monde.

## Sports

Le **Golf** est une activité sacrée à Disneyworld, avec 99 trous répartis sur 6 six parcours. Osprey Ridge et Eagle Pines sont des parcours très appréciés, crées par Tom Fazio et Pete Dye. Plus d'information au ( (407) 939-653, et si vous souhaitez passer des vacances centrées sur le golf, demandez le à votre agence de voyages ou appelez le ( (407) 934-7639. Les non golfers

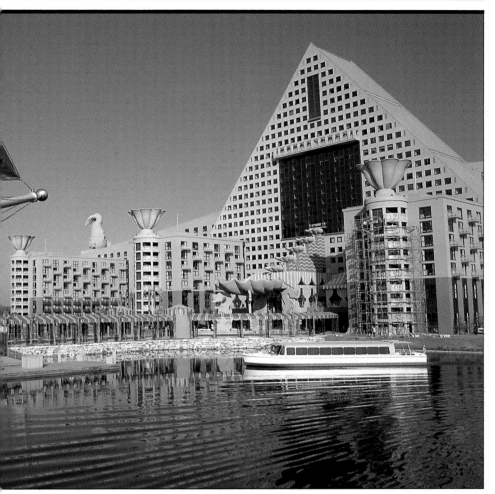

peuvent s'essayer au golf miniature à **Winter Summerland**.

**Disney's** *Wild World of Sport Complex* offre plus de 30 sports de l'aerobic à la lutte. Le centre est conçu pour satisfaire aux entrainements professionnels, aux competitions et tournois, mais aussi aux vacances sportives. Le complex est d'ailleurs devenu le lieu d'entrainement de printemps des Atlanta Braves (Baseball), celui du championnat masculin de tennis sur terre battue, ou encore la zone d'entrainement et de développement des Harlem Globetrotters (équipe de basketball). Vous y trouverez aussi la **NFL Experience**, un terrain de football américain interactif qui permts aux fans de tester leur vitesse, leurs passes et leurs coups de pieds.

Le **Richard Petty Driving Experience** permet aux visiteurs de s'installer dans d'authentiques voitures de stock car pour des courses au World Speedway.

Disney World propose par ailleurs des courts de tennis ; des parcours de jogging ; de l'équitation ; de la bicyclette ; des piscines et des lacs pour nager, naviguer, pratiquer le parchute ascentionnel ou le ski nautique et la pêche ; On y trouve même un pavillon du marriage, pour ceux qui veulent y faire le grand saut.

### Shopping

Les magasins semblent apparaître à chaque coin de rue dans les parcs à thème. S'il vous

Des ferries gratuits assurent la liaison entre l'hôtel Swan et Disney World.

reste un peu d'argent, allez visiter le Market-place, dans le centre, avec une trentaine de magazins récemment rénovés, dont celui de la plus vaste collection de personnages Disney au monde. Si vous résidez dans un hotel du parc, vos achats seront livrés gratuitement à votre chambre. Cependant, si vous souhaitez acheter au meilleur prix, mieux vaut réserver votre porte monnaie aux boutiques d'Orlando.

## Vie nocturne

Les activités nocturnes sont nombreuses à

Disney World : le nouveau Cirque du Soleil produit 72 artistes du monde entier, la House of Blues, dans le centre de Disney, côté ouest propose des concerts, un brunc gospel et de la cuisine du delta du Mississippi. Si vous ête d'humeur cinéma, rendez-vous à l'AMC 24 Theatres Complex qui offre le plus vaste choix de film à l'affiche.

**Pleasure Island** est un parc sur le thème des boîtes de nuit, près de Marketplace composé de 7 nightclubs dont le **BET Soundstage Club**, un club de 500 m$^2$ au bord de l'eau ou l'on entend aussi bien des groupes de jazz que du R&B, de la soul et du hip hop. Hamburgers, salades et pâtes trônent au menu du **Planet Hollywood**, qui compte tout de même 40 places. Informez-vous sur

les **West End Stage** de Pleasure Island's pour les concerts des grands noms de la musique.

**Disney's Boardwalk**, près d'Epcot, offres une grande variété d'activités nocturnes. **Atlantic Dance**, c'est le coin de la musique, de la danse et de la bonne ambiance avec du swing live et des leçons de danses sur la piste du dimanche au jeudi. Pour une soirée jeu vidéos et sportive, ne manquez pas l'**ESPN Club**. **Jellyrolls** est le théâtre de duels improvisés entre le public et deux joueurs de piano.

Enfin, les hotels du complexe Disney et des villes avoisinantes proposent leur propre sélection d'activités et de spectacles en soirée.

## OÙ SE LOGER

Walt Disney World et ses environs offrent un choix considérable d'hôtels. Demandez-vous d'abord si vous souhaitez séjourner à l'intérieur ou à l'extérieur de Disney World. En résidant sur place, vous serez naturellement à proximité de toutes les attractions, et vous bénéficierez des transports gratuits vers les différents parcs Disney. En outre, les clients des hôtels Disney reçoivent une carte d'identification qui leur permet de faire porter toutes leurs dépenses à Disney World (à l'exception du Magic Kingdom) sur leur note d'hôtel.

Demandez-vous ensuite si vous désirez loger dans l'un des hôtels appartenant à Disney World, dont la plupart dominent Bay Lake, tout près du Magic Kingdom, ou dans un hôtel indépendant du site, à Lake Buena Vista, au Walt Disney World Village. Ces établissements sont plus éloignés des grandes attractions, mais la plupart d'entre eux disposent de navettes desservant les parcs à thème. Certains hôtels du village proposent des chambres avec cuisine, et vous trouverez un supermarché dans le centre commercial voisin.

Pour réserver une chambre dans l'un des hôtels du parc, contactez le **Walt Disney Central Reservation Office (** (407) 934-7639 SITE WEB www.wdw.reservations .disney.go.com, Box 10100, Lake Buena Vista 32830, aussi tôt que possible. Vous pourrez obtenir des forfaits, comprenant les billets d'entrée, une voiture de location et une chambre d'hôtel à l'intérieur ou à l'extérieur de Disney World en vous adressant au ( (407) 939-7675 or SITE WEB www.wdw.reservations.disney.go.com.

Tous les hôtels du parc, qu'ils appartiennent ou non à la compagnie Disney, se situent dans la catégorie des prix élevés à très élevés.

### Hôtels du parc appartenant à Walt Disney World
Vous pourrez contacter tous les hôtels suivants en composant le numéro central des réservations indiqué ci-dessus.

forme avec sauna et d'un bar au 15ᵉ étage avec danse et animations tous les soirs. Beaucoup d'hôtels de Disney World s'inspirent de thèmes particuliers, comme la musique ou le sport.

Parmi les autres hôtels Disney proches d'EPCOT Center et des MGM Studios, on peut citer les somptueux **All-Star Sports Resort** et le **All-Star Music Resort**.

Vous pourrez aussi camper au **Fort Wilderness Campground Resort** ( (407) 939 2267 SITE WEB www.disneyworld.com, en bordure de Bay Lake, dans l'enceinte de

Le **Polynesian Village** dispose de 644 chambres et s'efforce de recréer l'ambiance d'une île du Pacifique Sud, avec une forêt tropicale miniature dans son hall, composée de palmiers et d'une multitude de plantes exotiques. La plupart des chambres, dispersées dans 11 bâtiments de trois étages, possèdent un balcon, et certaines donnent sur le Magic Kingdom. L'hôtel est doté d'une plage et d'une marina privées où l'on peut louer canots et bateaux pour se promener, pêcher et faire du ski nautique sur le lac. Le monorail traverse le hall du **Contemporary Hotel**, une tour de verre ultra-moderne de 15 étages et 1 053 chambres. Proche de Bay Lake, l'hôtel dispose de deux piscines, d'un centre de remise en

Disney World. Les caravanes à louer sur place peuvent accueillir de quatre à six personnes ; à moins que vous ne préfériez transporter la vôtre, ou simplement planter votre tente. Deux «comptoirs commerciaux» sont installés dans le terrain de camping ; sur place, vous pourrez pratiquer le canoë et l'équitation ou voir des films de Walt Disney.

### Hôtels indépendants à Walt Disney World Village
Le **Buena Vista Palace** ( (407) 827-2727 APPEL GRATUIT (800) 327-2990, 1900 FAX (407)

CI-CONTRE : Le Floridian Hotel à Disney World.
CI-DESSUS : Les joutes médiévales sont reconstituées au restaurant Medieval Times, à Kissimmee.

827-6034 SITE WEB www.bvp-resort.com Lake Buena Vista Drive, Lake Buena Vista, est un établissement de 27 étages et 841 chambres dont la construction coûta 93 millions de dollars. Bon nombre de ses chambres spacieuses et modernes donnent sur EPCOT Center. L'hôtel dispose de plusieurs piscines, de courts de tennis, d'une salle de jeux et de plusieurs bars et restaurants, parmi lesquels le Arthur's 27, aménagé au dernier étage qui offre des vues magnifiques sur Disney World. Le **Hilton Hotel** ( (407) 827-4000 APPEL GRATUIT (800) 782-4414 FAX (407) 827-6369 SITE WEB www.hilton.com, 1751 Hotel Plaza Boulevard, Lake Buena Vista, est équipé des dernières créations de l'électronique, notamment des lampes qui s'allument et s'éteignent automatiquement lorsqu'on entre ou sort de la pièce, et toutes sortes de gadgets régulant le chauffage, la climatisation et la télévision.

Au **Grosvenor Resort** ( (407) 828-4444 APPEL GRATUIT (800) 624-4109 FAX (407) 827-6369 SITE WEB www.grosvenorresort.com, 1850 Hotel Plaza Boulevard, Lake Buena Vista, toutes les chambres sont superbement décorées et équipées d'un magnétoscope (on peut louer des films à la réception). Cet établissement de style colonial est doté de deux piscines, de terrains de volley-ball et de basket-ball, et d'un espace de jeux pour enfants. Parmi les autres hôtels de luxe du village, on peut citer l'**Hotel Royal Plaza** ( (407) 828-2828 APPEL GRATUIT (800) 248-7890 FAX (407) 827-6338 SITE WEB www.royalplaza.com, 1905 Hotel Plaza Boulevard ; et le **Doubletree Guest Suites** ( (407) 934-1000 APPEL GRATUIT (800) 222-8733 FAX (407) 934-1015 SITE WEB www.doubletreehotels.com, 2305 Hotel Plaza Boulevard.

## Hôtels à l'extérieur de Disney World

Deux secteurs proches de Disney World offrent une multitude d'hôtels aux prix moyens et économiques : la zone de Maingate, à l'est de l'Interstate 4, tout près de l'entrée nord de Disney World, et le corridor de la Route 192, à l'est de Disney World en direction de Kissimmee. On peut notamment recommander les établissements suivants :

### PRIX ÉLEVÉS

Au **Hyatt Orlando** ( (407) 396-1234 APPEL GRATUIT (800) 223-1234, 6375 West Irlo Bronson Memorial Highway, vous profiterez d'un inattendu sens d'éloignement et de calme, bien que l'hotel soit situé en bordure de la Highway 192. Les 922 chambres sont réparties dans 4 bâtiments, chacun disposant de sa propre piscine. A 5 minutes de Disneyworld.

Le **Doubletree Orlando Resort and Conference Center** ( (407) 396-1400 APPEL GRATUIT (800) 239-6478, 3011 Maingate Lane, se trouve à 1 km du parc et dispose d'une piscine, de restaurants, d'une salle de gym, de machines à laver et de playstations dans les chambres.

### PRIX MOYENS

Dans le secteur de Maingate vous trouverez le **Days Inn Orlando Lakeside** ( (407) 351-1900 APPEL GRATUIT (800) 777-3297 FAX (407) 363-1749 SITE WEB www.thhotels.com, 7335 Sandlake Road, Orlando. On peut aussi citer les **Sheraton World** ( (407) 352-1100 APPEL GRATUIT (800) 325-3535 FAX (407) 352-3679, 6515 International Drive ; **Courtyard by Marriott Maingate** ( (407) 396-4000 APPEL GRATUIT (800) 568-3352, 7675 Irlo Bronson Memorial Highway ; et le the **Holiday Inn Nikki Bird Resort** ( (407) 396-7300 APPEL GRATUIT (800) 206-2747, 7300 Irlo Bronson Memorial Highway.

### ÉCONOMIQUES

Dans le secteur de Maingate : le **Knight's Inn Orlando Maingate West** ( (407) 396-4200 APPEL GRATUIT (800) 944-0062 FAX (407) 396-8838, 7475 West Irlo Bronson Highway ; le **Quality Inn Plaza** ( (407) 996-8585 APPEL GRATUIT (800) 999-8585, 9000 International Drive, Orlando ; le **Comfort Inn Maingate** ( (407) 396-7500 APPEL GRATUIT (800) 223-1628, 7571 West Irlo Bronson ; le **Days Inn Maingate West** ( (407) 396-1000 APPEL GRATUIT (800) 327-9173, 7980 West U.S. Highway 192 ; et le **Apollo Inn** ( (407) 846-0646 APPEL GRATUIT (800) 999-2765, 670 East Vine Street.

## RESTAURANTS

Chaque pavillon du World Showcase d'EPCOT Center abrite un restaurant qui

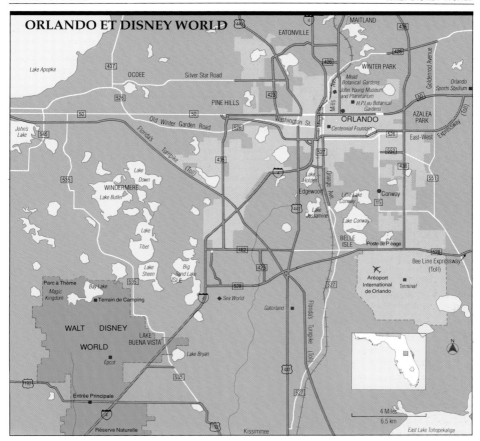

ORLANDO ET DISNEY WORLD

sert des spécialités du pays représenté. De nombreux restaurants proposent également des menus spéciaux pour enfants.

Au World Showcase, trois grands chefs français – Paul Bocuse, Roger Vergé et Gaston Lenôtre – se sont réunis pour créer le menu classique du restaurant **Les Chefs de France**, dans le pavillon français. Au très romantique **San Angel Inn**, dans le pavillon mexicain, on dîne à la lueur des chandelles et au son des guitares. En réalité, le menu est plus tex-mex que typiquement mexicain : ne manquez pas le homard de Baja aux poivrons et au vin blanc, ni le rouget aux oignons.

Dans le centre de Disney, vous trouverez Le **Planet Hollywood** ℂ (407) 827-7827, 1506 East Buena Vista Drive, qui appartient en partie à Arnold Schwarzenegger, Sylvester Stallone et d'autres stars, sert une cuisine convenable dans une ambiance animée.

## COMMENT S'Y RENDRE

Rien de plus facile. Beaucoup de compagnies aériennes internationales et plus de 30 compagnies américaines desservent l'aéroport international d'Orlando, parmi lesquelles **Delta**, APPEL GRATUIT (800) 221-1212, qui propose des forfaits pour Disney World.

Pour ceux qui disposent d'une voiture, l'Interstate 4 passe devant l'entrée de Disney World. Depuis le nord-ouest, vous arriverez par le Florida's Turnpike (une auto-route à péage) et vous rejoindrez l'Interstate 4 à la Junction 75.

Si vous venez de la côte Sud-Est, vous devriez également emprunter le Turnpike. L'Interstate 4 dessert Disney World depuis l'ouest et le nord-est (Tampa et Daytona). Si vous venez du sud, prenez la route 27 jusqu'à la Junction 54, où vous rejoindrez l'Interstate 4.

## LA RÉGION D'ORLANDO

Avec près de 1 million d'habitants, la région d'Orlando est l'une des métropoles américaines dont la croissance est la plus rapide. Le développement de la ville et sa transformation en grand centre du commerce et du tourisme sont naturellement dus en grande partie à la proximité de Disney World. La ville possède néanmoins un certain cachet et des attractions qui lui sont propres.

### HISTORIQUE

Les soldats américains furent les premiers habitants de la région ; en 1838, ils établirent Fort Gatlin, un avant-poste militaire destiné à tenir en échec les Séminoles. En 1875, les Indiens étaient soumis, et les colons s'installèrent en nombre croissant. La communauté qui s'agrandissait lentement autour du fort fut baptisée Orlando. L'économie de la ville reposait sur la production d'agrumes et le bétail, bien que l'hiver exceptionnellement froid de 1884-1885 ait anéanti une grande partie des plantations d'agrumes de la région. Les fermiers locaux, jamais à court de ressources, se tournèrent alors vers les céréales et les légumes.

Dans les années 1880, le chemin de fer atteignit la Floride centrale, amenant les touristes attirés par les eaux et les sources de la région. Orlando était un lieu de villégiature très apprécié de ces visiteurs, dont la clientèle renforça encore l'économie. À cette époque, Orlando ne disposait que de quelques hôtels, mais la ville s'est développée et a prospéré régulièrement ; elle compte aujourd'hui quelque 60 000 chambres d'hôtel.

### INFORMATIONS PRATIQUES

Le **Greater Orlando Tourist Information Center** ( (407) 425-0412, 8445 International Drive, Orlando 32819, vous fournira un exemplaire gratuit du guide *Discover Orlando*. Le **Orlando-Orange County Convention and Visitors Bureau** APPEL GRATUIT (800) 643-4492, est au 6700 Forum Drive, Suite 100, Orlando 32821.

Autres numéros de téléphone utiles (précédés de l'indicatif 407) :

**Aéroport international d'Orlando** 825-2001
**Taxis Town car** 251-5431
**TiffanyPhyscian Referrel**
(services médicaux) 648-5806
**Soins dentaires d'urgence** 894-9798

### QUE VOIR, QUE FAIRE

#### Excursions

Les habitants de la région ont surnommé «Tourist Trail» (piste des touristes) la Route 192 à l'ouest de Disney World. Cette artère est en effet bordée par de nombreuses attractions : **Old Town** ( (407) 396-1964, au 5770 West Route 192, Kissimmee, reconstitue une ville de l'Ouest ; on y trouve de nombreuses boutiques et restaurants à l'ancienne. Au **Jungleland Zoo** ( (407) 396-1012, 4580 West Route 192, Kissimmee, vous découvrirez plus d'une centaine d'espèces animales menacées. On peut admirer de nombreux alligators et assister à des combats opposant hommes et reptiles au parc **Gatorland**, sur South Orange Blossom Trail ( (407) 855-5496 APPEL GRATUIT (800) 393-5297 SITE WEB www.gatorland.com, à 14501 South Orange Blossom Trail.

**Splendid China** ( (407) 396-7111 APPEL GRATUIT (800) 244-6226 SITE WEB www.floridasplendidchina.com, la toute nouvelle attraction de la Route 192, à l'ouest de l'Interstate 4, présente plus de 60 répliques (grandeur réelle ou miniature) de célèbres sites culturels et historiques et de monuments de Chine. Le centre propose également des spectacles, des boutiques et des restaurants.

Plus au nord, avant d'atteindre le centre d'Orlando, d'autres attractions sont rassemblées le long d'International Drive. La plus célèbre est **Sea World** ( (407) 351-3600 SITE WEB www.seaworld.com, 7007 Sea World Drive, qui se considère comme le premier parc à thème marin du monde. Orques, dauphins et otaries y donnent des spectacles, et vous pourrez même faire une promenade inquiétante parmi les requins dans un tunnel en verre acrylique très épais (soyez rassuré). La plus récente attraction du parc s'intitule Wild Arctic : il s'agit d'une promenade fascinante parmi les animaux du Grand Nord sur une banquise reconstituée (en vraie glace). Le parc est ouvert tous les jours de 9 h à 19 h.

Parmi les autres attractions de ce secteur, on peut citer la **Mystery Fun House** ( (407) 351-3356, 5767 Major Boulevard, qui regorge d'effets spéciaux et de miroirs déformants, et dont le plancher est mobile ; **Wet' n' Wild** ( (407) 351-1800 APPEL GRATUIT (800) 992-9453 SITE WEB www.wetnwild.com, 6200 International Drive, un parc aquatique de 10 ha avec vagues artificielles et toboggans impressionnants.

Au cœur d'Orlando, vous découvrirez, entre autres attractions, le superbe **Lake Eola Park**, à l'écart d'Orange Avenue, qui conserve l'atmosphère sereine du vieil Orlando. Ne manquez pas la spectaculaire **Centennial Fountain** (fontaine du Centenaire) en particulier la nuit, lorsque l'eau et la lumière s'associent pour créer des effets éblouissants.

Au nord de la ville, l'**Orlando Science Center** ( (407) 514-2000 APPEL GRATUIT (888) 672-4386, 777 East Princeton Street, aborde l'enseignement des sciences d'une façon pratique : un ordinateur analyse vos risques de crise cardiaque, une autre machine convertit l'énergie corporelle en électricité, etc.

Le parc **Universal Studios Escape** ( (407) 363-8000 APPEL GRATUIT (888) 837-2273 SITE WEB www.universalstudios.com, 1000 Universal Studios Plaza (à l'écart de Kirkman Road) est le siège des plus importants studios de cinéma et de télévision en dehors de Hollywood. Il offre plus d'une quarantaine d'attractions sur le thème du cinéma, et permet de découvrir des spectacles et des décors réalistes où des scènes célèbres de l'histoire du grand écran sont reconstituées pour les visiteurs. Parmi ses attractions, on peut citer *Back to the Future* et *Terminator 2*, la première aventure mondiale de réalité virtuelle en trois dimensions. Avec *Twister*, vous pourrez ressentir la terreur que provoque l'arrivée d'une tornade. Le parc ouvre tous les jours de 9 h à 18 h ou 19 h.

À Orlando, on peut aussi échapper aux parcs à thème et à la foule, par exemple en embarquant dans l'un des **Scenic Boat Tours** ( (407) 644-4056, des bateaux de promenade qui partent du 312 East Morse Boulevard à Winter Park, au nord d'Orlando, pour des excursions de heure dans un décor charmant sur les canaux et les lacs

de la région. Vous pourrez aussi vous envoler avec les **Orange Blossom Balloons** ( (407) 239-7677 FAX (407) 239-7632 E-MAIL orangeblossomballoons@juno.com.

### Sports

Les passionnés pourront voir les **Orlando Magic** de la NBA (Basketball) à l'Orlando Arena ( (407) 896-2442 APPEL GRATUIT (800) 338-0005 SITE WEB, 1 Magic Place. Les **Orlando Solar Bears** ( (407) 872-7825 APPEL GRATUIT (800) 338-0005 SITE WEB www.solarbears.theihl.com, l'équipe profession-

nelle de hockey sur glace, jouent au même endroit.

Walt Disney World possède des parcours de **golf** de championnat, qui accueillent des tournois professionnels, comme le Cypress Creek Country Club ( (407) 351-3151, 5353 Vineyard Road, Orlando. **Advanced Tee Times USA** ( (904) 439-001 APPEL GRATUIT (800) 374 8633 SITE WEB www.teetimesusa.com, propose un service centralisé de réservation et des prix sur des packages de golf.

Les passionnés de **sports nautiques** pourront louer des canoës, des hydroglisseurs ou des hors-bord auprès de U-Drive

CI-DESSUS : Une orque surgit des eaux à Sea World, près d'Orlando. PAGES SUIVANTES : La beauté silencieuse du Lake Kissimmee State Park.

Airboat Rentals ( (407) 847-3672, 4266 West Vine Street, Kissimmee, ou prendre des cours de jet-ski, de parachute ascensionnel, de planche à voile ou de ski nautique sur l'un des lacs d'Orlando en contactant **Buena Vista Water Sports** ( (407)239-6939 SITE WEB www.bvwatersports.com, 13245 Lake Bryan Drive. **The Dive Station** ( (407)843-3483 APPEL GRATUIT (800)282-3328, 3465 Edgewater Drive, donne des cours de plongée sous marine, du débutant au cours avancé.

## Shopping

Une clientèle élégante flâne le long de **Park Avenue** ( (407) 644-8281 SITE WEB www .winterparkcc.org à Winter Park, au nord d'Orlando, une artère bordée de boutiques de mode et de magasins d'antiquités. Le **Florida Mall** ( (407) 851-6255 SITE WEB www.go2florida.com/sponsor/floridamall, 8001South Orange Blossom Trail, près d'International Drive, à Orlando, offre un choix considérable de produits dans plus de 160 boutiques et magasins.

## Vie nocturne

Le lieu le plus animé du centre d'Orlando est sans doute **Church Street Station** ( (407) 422-2434, 129 West Church Street, qui offre une grande variété de distractions, avec orchestres Dixieland, french cancan et café-concerts chez **Rosie O'Grady's**, orchestres country et western au **Cheyenne Saloon**, qui dispose d'un restaurant américain traditionnel.

Le complexe de Church Street Station abrite aussi l'une des discothèques les plus à la mode d'Orlando, le **Phileas Phogg's Balloon Works**, où vous pourrez danser jusqu'à 2 h du matin.

---

## OÙ SE LOGER

Les hôtels situés le long du corridor de la Route 192 et d'International Drive se trouvent à une demi-heure de voiture d'Orlando. Pour plus de précisions à propos de la liste très longue des hôtels de la ville, adressez-vous au Greater Orlando Tourist Information Center ou au Orlando/Orange County Convention and Visitors Bureau. Voici quelques hôtels que l'on peut recommander dans ce secteur :

### Luxe

Le **Park Plaza Hotel** ( (407) 647-1072 APPEL GRATUIT (800) 228-7220, se trouve au 307 Park Avenue, dans la banlieue huppée de Winter Park. Cet hôtel chaleureux, à l'ambiance authentique du Sud, dispose de 29 belles chambres dotées de balcons fleuris donnant sur l'élégante Park Avenue. Au **Colonial Plaza Inn** ( (407) 894-2741 FAX (407) 896-7913 SITE WEB www.harleyhotels.com, 2801 East Colonial Drive, Orlando, les quatre suites sont pourvues d'une petite piscine privée, mais tous les hôtes peuvent profiter du jacuzzi de l'hôtel.

### Prix moyens

Le sympathique **Langford Hotel** ( (407) 644-3400 APPEL GRATUIT (800) 203-2581 fax (407) 628-1952 SITE WEB www.langfordresort.com, 300 East New England Avenue à Winter Park, est un établissement familial qui présente l'un des meilleurs rapports qualité-prix de la ville, avec sa piscine, son jacuzzi et son sauna, sans oublier son excellent restaurant, l'Empire Room, animé par un orchestre.

Au centre-ville, le **Harley Hotel** ( (407) 841-3220 APPEL GRATUIT (800) 321-2323, 151 East Washington Street, bénéficie d'un bel emplacement, à proximité de Lake Eola Park. Le Harley possède une somptueuse piscine et un élégant restaurant offrant une vue superbe sur le parc.

### Économiques

Parmi les bons hôtels économiques d'Orlando, on peut citer l' **Apollo Inn** ( ((407) 846-0675 APPEL GRATUIT (800) 999-2765 E-MAIL APOLLOINN@TRAVELBASE.COM, 670 East Vine Street, Kissimmee, dont les chambres sont équipées de fours à micro ondes et de réfrigérateurs, et a aussi une piscine et un lavoir automatique ; le **Red Roof Inn** ( (407) 352-1507 APPEL GRATUIT (800) 843-7663 FAX (407) 352-5550 ; et le **Quality Inn Plaza** ( (407) 345-8585 APPEL GRATUIT (800) 999-8585, 900 International Drive.

L'**Orlando/Kissimmee Resort** ( (407) 396-8282, 4840 West Irlo Bronson Highway, Kissimmee, est membre des auberges de jeunesses internationales. Toutes les chambres ont l'air conditionné, une salle de bain, et un maximum de 6 lits. Des chambres privées sont aussi disponibles.

Pour ceux qui préfèrent dormir à la belle étoile, **Thousand Trails' Orlando Camping Preserve** ( APPEL GRATUIT (800) 723-1217 SITE WEB www.1000trails.com, 2112 US Highway 27 South à Clermont offre un camping sur un terrain boisé.

---

## RESTAURANTS

### Prix élevés
Pour déguster de succulents fruits de mer dans une ambiance très romantique, rendez-vous au **Park Plaza Gardens** ( (407) 645-2475 SITE WEB www.ParkplazaGardens.com, 319 Park Avenue South, Orlando. Dans un cadre absolument charmant, vous pourrez savourer du carrelet meunière ou des crevettes au curry. Très élégant également, le **Ran-Getsu** ( (407) 354-0044, 8400 International Drive, Orlando, est un restaurant japonais qui propose des innovations comme les rouleaux de Floride – riz, avocat, concombre et crabe – ainsi que des plats plus traditionnels. Le **Christini's** ( (407) 345-8770, à l'intersection de Sand Lake Road et de Dr. Phillips Boulevard au Marketplace Shopping Center, à Orlando, est un restaurant italien très prisé qui a inventé sa propre *zuppa di pesce alla Mediterrania* : homard, crevettes, palourdes et moules dans une sauce légère.

### Prix modérés
Pour savourer une cuisine française traditionnelle, choisissez le **Coq au Vin** ( (407) 851-6980, 4800 South Orange Avenue, Orlando, où Louis et Magdalena Perotte ont créé un excellent menu et une ambiance charmante.

**Larry's Cedar River Seafood & Oyster Bar** ( (407) 858-0525 SITE WEB www.cedarriver.com, 7101 South Orange Blossom Trail, propose des fruits de mers tout frais arrivés des docks. Dans un style du vieux sud **Lulu's Bait Shack** ( (407) 351-9595, 9101 International Drive, Suite 2220, sert de la cuisine Cajun avec beaucoup de bonne humeur.

### Économiques
**Pebbles Restaurant** ( (407) 827-1111, 12551 State Road 535, propose de la bonne cuisine à des pric raisonnables. **The Greek Place** ( (407) 352-6930, au Mercado Shopping Village, 8445 International Drive, Orlando, est un bon restaurant grec. Le **Friday's Front Row Sports Grill** ( (407) 363-1414, 8126 International Drive, est un restaurant branché sport avec beaucoup de télévisions et de jeux ; est établissement très populaire où l'on vient engloutir des croquettes de pomme de terre, des gaufres, des crêpes, des hot-dogs et des œufs sur le plat, le tout accompagné de bière.

## AUTRES ATTRACTIONS DE LA FLORIDE CENTRALE

### AU SUD D'ORLANDO

Prenez la Route 540 vers Winter Haven, pour vous rendre aux **Florida Cypress Gardens** ( (941) 324-2111 SITE WEB www.cypressgardens.com ; ce parc de 89 ha comprend des jardins superbes, un zoo et un petit train miniature. Vous pourrez également assister à une impressionnante démonstration de ski nautique et à des courses de hors-bord. Le parc est ouvert tous les jours de 9 h à 18 h.

Pour vous détendre dans un environnement un peu plus naturel, poursuivez vers le sud sur la Route 27 jusqu'aux **Bok Tower Gardens** ( (813) 676-1408 SITE WEB www.boktower.org, 1151 Tower Boulevard, juste avant la petite ville de Lake Wales. Une tour gothique de 61 m, agrémentée d'un carillon de 57 cloches, est entourée de 49 ha de jardins paisibles et de sentiers. Certains soirs d'été, on peut assister à des récitals de musique classique dans le jardin. Il est ouvert tous les jours de 8 h à 17 h.

Si vous préférez les ambiances plus sauvages, prenez la direction du lac Wales, vers l'est, jusqu'au **Lake Kissimmee State Park** ( (941) 696-1112, 14248 Camp Mack Road, Lake Wales, où vous pourrez pratiquer la pêche et la randonnée, mais aussi assister à des rodéos. Des emplacements de camping sont aménagés dans le parc.

Au sud d'Orlando, les organismes suivants vous renseigneront : La **chambre de commerce de Haines City** ( (941) 422-3751, P.O. Box 986, Haines City 33844, et la **chambre de commerce de Lake Wales Area** ( (941) 676-3445 FAX (941) 676-3446 E-MAIL lwacc@worldnet.att.net, 340 West Central Avenue, Lake Wales 33859.

## AU NORD D'ORLANDO

À environ 32 km au nord-est d'Orlando sur l'Interstate 4, dans la petite ville de Sanford vous pourrez embarquer sur des catamarans qui effectuent des croisières nocturnes, avec cocktails, dîner et danse : contactez **River Romance** ( (407) 321-5091 SITE WEB www.rivershipromance, 433 North Palmetto Avenue, Sanford.

Au nord de Sandford sur l'Interstate 4, au bord du lac Monroe, le **Central Florida Zoological Park** ( (407) 323-4450, abrite plus de 400 animaux exotiques et dispose d'aires de pique-nique dans les bois.

À 80 km au nord-ouest d'Orlando sur la Route 441, la petite ville d'**Ocala** est renommée pour son architecture victorienne, mais c'est surtout le plus grand centre de courses hippiques de Floride, qui rassemble certains des meilleurs pur-sang du pays. Plusieurs haras installés dans les collines environnantes ouvrent leurs portes aux visiteurs : c'est le cas de la **Bonnie Heath Farm** ( (352) 873-3030 FAX (352) 873-3479, 4450 Southwest College Road.

À Ocala, le **Appleton Museum of Art** ( (352) 236-7100 FAX (352) 236-7137, 4333 East Silver Springs Boulevard, abrite une collection intéressante et variée d'objets persans, orientaux, péruviens et mexicains.

À l'est d'Ocala, la **Ocala National Forest**, (voir À VOUS DE CHOISIR) est une forêt de plus de 120 000 ha, qui recèle des sources, des rivières et des lacs. Elle est traversée par une route panoramique, la Backwoods Trail. Dans le parc, vous pourrez pratiquer le canoë, la randonnée, la chasse, la pêche et le «tubing», la nouvelle passion des étudiants, qui consiste à descendre le courant sur une chambre à air. Vous obtiendrez des cartes de la forêt et des renseignements sur les terrains de camping, les aires de pique-nique, etc. auprès de l'USDA Forest Service ( (904) 625-2520, 227 North Bronough Street, Suite 4061, Tallahassee 32301.

C'est aussi dans cette forêt que l'on trouve la plus ancienne attraction de l'État, **Silver Springs** ( (352) 236-2121 APPEL GRATUIT (800) 234-7458 FAX (352) 236-1732, un parc de loisirs qui date de 1890. Ses puits artésiens creusés dans les couches calcaires sont les

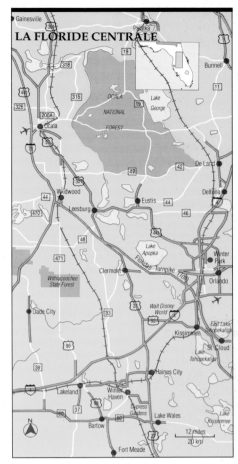

plus grands du monde. Leurs eaux merveilleusement limpides regorgent de poissons, que l'on peut admirer depuis des bateaux à fond de verre. Le parc est accessible par la Route 40 depuis la Interstate 75, à l'est d'Ocala. Il est ouvert tous les jours de 9 h à 17 h 30 (plus tard durant l'été).

Pour plus de renseignements, contactez la **chambre de commerce d'Ocala/Marion** ( (352) 629-8051 FAX (352) 629-7651, 110 East Silver Springs Boulevard, Ocala 34470.

Une conserverie de jus d'orange en Floride centrale.

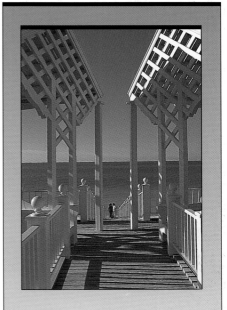

# Le Nord-Ouest

LES VISITEURS QUI ARRIVENT POUR LA PREMIÈRE FOIS DANS LE NORD-OUEST DE LA FLORIDE, surnommé *Panhandle* («queue de poêle») en raison de sa forme, sont immanquablement surpris par la diversité de ses curiosités. Outre l'élégante capitale de l'État, Tallahassee, et certaines petites villes qui semblent sorties *d'Autant en emporte le vent*, ils découvrent de riches stations balnéaires, comme Fort Walton et Destin, et de pittoresques villages de pêcheurs sur la côte marécageuse séparant les embouchures des fleuves Swannee et St.-Marks. À cela s'ajoutent les eaux cristallines des rivières qui traversent les forêts de pins et de chênes au sud-ouest de Tallahassee, et des kilomètres de plages désertes dont le sable blanc se marie aux eaux azur du golfe du Mexique, à l'ouest de Panama City. En plus de tous ces charmes fascinants, le Nord-Ouest offre un accueil aussi chaleureux que celui du reste de la Floride.

Après la guerre de Sécession, les côtes de la Floride furent transformées par les entreprises commerciales et par le tourisme, mais le Nord-Ouest est resté relativement intact, ce qui explique en partie que la région ait conservé son authenticité. Après la guerre civile, la seule activité commerciale importante de la région fut celle des ports qui prospérèrent grâce à l'expédition du bois et des produits forestiers vers les côtes Est et Ouest des États-Unis, en plein développement. Jusqu'au milieu du XXe siècle, le Nord-Ouest resta une région de métayers et de fermiers qui tiraient de maigres ressources de la terre. Comme nombre d'entre eux étaient venus de Georgie et d'Alabama, ils donnèrent au Nord-Ouest un caractère typique du Sud profond, que l'on ne trouve pas ailleurs en Floride.

Beaucoup de gens traversent le nord-ouest de l'État sans descendre de voiture, en route vers un climat plus chaud et des attractions plus réputées. Il est cependant intéressant de s'éloigner des grandes autoroutes et de prendre le temps d'explorer cette région charmante, trop souvent méconnue.

## TALLAHASSEE

Comme toute la région, Tallahassee présente un mélange intéressant : c'est la capitale de la Floride et le plus grand centre de commerce du Nord-Ouest ; elle abrite deux universités, Florida State et Florida A&M, et son quartier historique date du début du XIXe siècle.

## HISTORIQUE

Lorsque l'Espagne céda la Floride aux États-Unis en 1821, les deux villes les plus importantes de la région étaient Pensacola et St.-Augustine. En 1823, l'administration du territoire, reconnaissant le besoin de choisir une capitale, proposa de l'établir à mi-chemin entre ces deux villes. Un délégué partit alors de Pensacola, et un autre de St.-Augustine ; ils se rencontrèrent au pied des Appalaches et baptisèrent le site Tallahassee (un mot indien signifiant «vieille ville»).

Dès les années 1830, Tallahassee devint le centre de distribution du coton cultivé en Floride et dans tout le Sud ; son importance commerciale s'affirma lorsque la première ligne de chemin de fer de l'État relia la capitale à la côte, au niveau de St.-Marks. Pendant la guerre de Sécession, la ville prit farouchement le parti des Confédérés, et la défaite des Nordistes à Olustee fit de Tallahassee la seule capitale à l'est du Mississippi qui échappa à l'emprise des Yankees. Depuis lors, le centre de gravité de l'État se déplace progressivement vers Miami, mais Tallahassee demeure le siège du gouvernement de Floride.

## INFORMATIONS PRATIQUES

**Le Tallahassee Area Convention and Visitors Bureau** ( (850) 413-9200 APPEL GRATUIT (800) 628-2866 FAX (850) 487-4621 SITE WEB www.co.leon.fl.us/visitors/index.htm, se trouve au 200 West College Avenue, Suite 200, Tallahassee 32301.

Autres numéros de téléphone utiles (précédés de l'indicatif 904) :
**Aéroport Régional de Tallahassee** 891-7802
**Capital Medical Society** (services médicaux de la Capitale) 877-9018

## QUE VOIR, QUE FAIRE

### Excursions

Le très moderne **Florida Capitol** ( (850) 413-9200 et le **Old Capitol** ( (850) 487-1902 (ancien Capitole, qui date de 1845) se dressent côte

Entre palmier et drapeau : un golfeur aligne un putt.

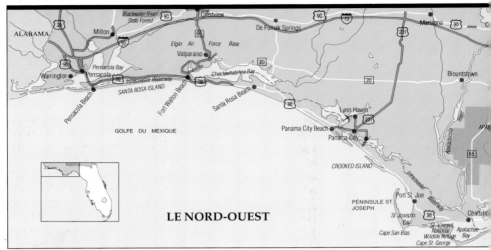

LE NORD-OUEST

à côte à l'intersection des rues Apalachee et South Monroe. On peut visiter le nouveau Capitole en semaine de 8 h à 16 h et le week-end de 9 h à 15 h ; son dôme offre une vue merveilleuse sur la ville. L'ancien Capitole abrite aujourd'hui des objets qui retracent l'histoire politique de la Floride. Il est ouvert tous les jours, la semaine de 9 h à 16 h 30, le samedi de 10 h à 16 h 30 et le dimanche de midi à16 h 30.

Le plus ancien édifice commercial de l'État est la **Union Bank Museum** ( (850) 487-3803, à l'intersection de South Carolina Street et d'Apalachee Parkway ; on peut y voir une exposition de monnaies anciennes de l'État. Pour admirer les demeures et les bâtiments construits avant la guerre de Sécession, allez flâner dans le quartier historique, le long des rues Park et Calhoun.

À quatre rues à l'ouest de l'Old Union Bank, le **Museum of Florida History** ( (850) 488-1484, dans le R.A. Gray building, 500 South Bronough Street, présente une collection d'objets historiques évoquant le passé de la Floride ; l'entrée est gratuite. Le **Tallahassee Museum of History and Natural Science** ( (850) 575-8684 SITE WEB www.tallahasseemuseum.org, 3945 Museum Drive, est un parc de 21 ha qui abrite une ferme des années 1880 avec démonstrations de forge, de tonte des moutons et de tissage. Il est ouvert de 9 h à 17 h du lundi au samedi, et de 12 h 30 à 17 h le dimanche.

Au nord de la ville, à l'écart de la Route 27 au 1313 Crowder Road, dans les **Lake**

**Jackson Mounds State Archaeological Site** ( (850) 922-6007, sur la route 27 au 3600 Indian Mounds Road (tumulus indiens du lac Jackson) des fouilles ont mis au jour les traces d'un site de cérémonies datant de 1100. Des aires de pique-nique et un sentier de randonnée ont été aménagés sur place ; le parc est ouvert tous les jours de 8 h au crépuscule.

Vous constaterez que la **forêt nationale d'Apalachicola** atteint la limite sud-ouest de la ville. Tallahassee est un bon point de départ pour explorer la forêt et profiter de ses incomparables aménagements pour la pêche, la randonnée, le canotage, la baignade et le pique-nique. Pour plus de renseignements, contactez le **Tallahassee Visitor's Bureau** ( (850) 413-9200 APPEL GRATUIT 8000 628-2866.

À 16 km au sud de Tallahassee, au **Wakulla Springs State Park** ( (850) 922-3633, 1 Springs Drive, à Wakulla Springs, à l'écart de la Route 267, vous pourrez flâner, nager dans des sources limpides et faire des promenades en bateau.

### Sports

Les amateurs de **golf** apprécieront le **Seminole Golf Course** ( (850) 644-2582, 2550 Pottsdamer Road, ainsi que les neuf trous du Jake **Gaither Community Center and Golf Course** ( (850) 891-3942, 801 Tanner Drive, sur Bragg Drive. Ce centre possède également des terrains de basket-ball et des courts de **tennis**.

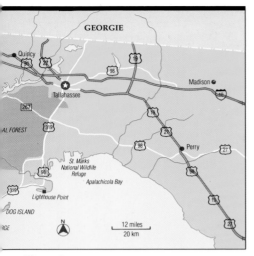

## Shopping

Au **Market Square** ☎ (850) 893-9633, 415 Timberlane Road, à l'intersection de Thomasville et de Timberlaine Road, des boutiques vendent des cadeaux et les produits de la région. Tandis que le **Tallahassee Mall** ☎ (850) 385-7145, 2415 North Monroe Street, accueille plus de 90 boutiques et 20 cinemas. Le **Cannery** ☎ (850) 539-3800, 115 East Eighth Avenue, Havana, est une usine de boite de conserve rénovée qui héberge aujourd'hui près de 150 antiquaires.

## Vie nocturne

**The Moon** ☎ (850) 878-6900, 1105 Lafayette Street, est une discothèque qui accueille régulièrement des orchestres. **Dave's CC Club** ☎ (850) 894-0181, Sam's Lane, sur Bradfordville Road, diffuse des morceaux de blues légendaires, pour accompagner sa cuisine Cajun.

## OÙ SE LOGER

### Luxe

Quel établissement sert gracieusement le petit déjeuner, avec le journal, dans des chambres avec lits à baldaquin et meubles anciens, dispose d'un service de limousines gratuit dans un rayon de 8 km, et offre également les appels téléphoniques locaux et des cocktails dans la soirée ? C'est celui où le gouverneur de Floride séjourne quand il est en ville : le **Governor's Inn** ☎ (850) 681-6855 APPEL GRATUIT (800) 342-7717, adjacent à l'ancien Capitole, au 209 South Adams Street. Le **Radisson Hotel** ☎ (850) 224-6000 APPEL GRATUIT (800) 333-3333, 415 North Monroe Street, est bien situé au centre-ville. Ses chambres charmantes sont en parfait accord avec son salon et son restaurant élégants.

### Prix moyens

Dans le centre, le **Doubletree Tallahassee** ☎ (850) 224-5000, 101 South Adams Street, dispose de 246 chambres attrayantes et spacieuses, et de 25 suites luxueuses.

Le **Quality Inn and Suites** ☎ (850) 877-4437 APPEL GRATUIT (800) 221-2222, 2020 Apalachee Parkway, à l'écart de la Route 27, pratique des prix raisonnables. Dans le salon aménagé en contrebas de son hall, vous dégusterez le petit déjeuner continental offert gracieusement. Toutes les chambres du **Clarion Capital Hotel** ☎ (850) 222-9555, 316 West Tennessee Street, ont une vue sur la campagne environnante.

### Économiques

Avec ses films gratuits dans les chambres et son terrain de jeux pour enfants, le **Days Inn South** ☎ (850) 877-6121 APPEL GRATUIT (800) 325-2525, 3100 Apalachee Parkway, à l'écart de la Route 27, présente un excellent rapport qualité-prix. Un certain nombre d'établissements agréables sont installés le long de North Monroe Street : au N° 2726, le **Howard Johnson Express Inn** ☎ (850) 386-5000 APPEL GRATUIT (800) 356-7432 ; N° 2735, le **Cabot Lodge North** ☎ (850) 386-8880 APPEL GRATUIT (800) 223-1964 ; et au N° 2681, le **Econo Lodge North** ☎ (850) 385-6155 APPEL GRATUIT (800) 424-4777.

Si vous préférez séjourner à l'écart de la ville, contactez le **Convention and Visitors Bureau** ☎ (904) 681-9200, 200 West College Avenue, Suite 210, Tallahassee 32301.

## RESTAURANTS

### Prix élevés

Au **Andrew's Second Act** ☎ (850) 222-3444, 2285 South Adams Street, ne manquez pas l'exceptionnel tournedos St.-Laurent – un filet nappé d'ail, d'échalotes et de beurre persillé, servi avec des asperges.

Le **Silver Slipper** ☎ (850) 386-9366, 531 Scotty' Lane, est très apprécié pour ses steaks, ses fruits de mer et ses spécialités grecques. Le magnifique 1920s **Sweet Magnolia Inn** ℂ (850) 925-7670, 803 Port Leon Drive, St. Marks, offre une délicieuse cuisine à "prix fixe", des repas en 7 plats.

### Prix modérés

**Movers and Shakers** ℂ (850) 222-9555, 316 West Tennessee Street dans le Clarion Capital Hotel, est un bistro sudiste qui prépare des plats originaux à base de poulet, bœuf, porc, agneau et de fruits de mer.

**Georgio's** ℂ (850) 893-4161, 3425 Thomasville Road, sert une succulente cuisine qui va des

fruits de mer à l'agneau dans un décor élégant. Si vous préférez la fondue, optez pour le **Melting Pot** ℂ (850) 386-7440, 2727 North Monroe Street, qui propose de délicieuses fondues au fromage, à la viande, aux fruits de mer ou au chocolat.

### Économiques

La cuisine maison et les sandwiches pimentés sont servis avec de la musique live au **Chef's Table** ℂ (850) 224-7441, R.A. Gray Building, 500 Bronough Street. De délicieux fruits de mer grillés, dorés et frits sont servis chez **Shell's** ℂ (850) 385-2774, 2136 North Monroe Street. Votre cuisine chinoise préférée se trouve à bon prix au **Golden Dragon** ℂ (850) 575-8868, 1964 West Tennessee Street ; tandis que le

**Sparta Club & Grill** ℂ (850) 224-9711, 220 South Monroe Street, prépare vos spécialités grecques favorites.

### COMMENT S'Y RENDRE

L'aéroport régional de Tallahassee est desservi par un certain nombre de compagnies américaines. Les Tallahassee Taxis et les Yellow Cabs sont présents à l'aéroport, où vous trouverez également les bureaux de toutes les grandes sociétés de location de voitures.

Pour vous rendre à Tallahassee par la route depuis l'est ou l'ouest, vous emprunterez l'Interstate 10. Les Routes 27 et 319 entrent dans la ville par le nord, et si vous arrivez du sud, vous prendrez la Route 319.

## PANAMA CITY

La ville s'étend sur la côte que l'on surnomme souvent par dérision la «Redneck Riviera» (Riviera des ploucs). C'est l'une des stations les plus fréquentées du Nord-Ouest, avec sa vie nocturne animée, son parc d'attractions avec centre commercial et manèges, dominant une magnifique plage de sable blanc, et ses excellentes installations de sports nautiques. On trouve des plages plus calmes (voire désertes) à l'est et à l'ouest de Panama City, et deux parcs d'État – St.-Andrews et Dead Lakes – tout près de la ville. En bref, Panama City possède de quoi séduire les visiteurs de tous âges, ce qui explique qu'elle soit très appréciée des familles.

## INFORMATIONS PRATIQUES

Le **Panama City Beach Convention and Visitors Bureau** ( (850) 233-5070 APPEL GRA-TUIT (800) 722-3224 FAX (850) 233-5072 E-MAIL pcb@interoz.com, au 12015 Front

### QUE VOIR, QUE FAIRE

### Excursions

Le **Miracle Strip Amusement Park** ( (850) 234-5810 appel gratuit (800) 538-7395, 12000 West Highway 98-A, Panama City Beach, est le plus grand parc d'attractions du front de mer. Vous y trouverez des galeries marchandes, des montagnes russes, des manèges et bien d'autres divertissements. Marsouins et otaries donnent des spectacles au **Gulf World** ( (850) 234-5271, 15421 West

Beach Road, P.O. Box 9473, Panama City Beach 32417-9473, vous fournira tous les renseignements nécessaires à propos de la région. Vous pouvez aussi vous connecter sur le SITE WEB www.panamacitybeachguide .com pour obtenir des renseignements sur les les hotels, restaurants et les zones de shopping.

Autres numéros de téléphone utiles (précédés de l'indicatif 850) :

**Bay Medical Center**
(cabinet médical)    769-1511
**Executive Beach Taxi**    233-8299
**Aéroport régional
de Tallahassee**    891-7802
**Aéroport régional de Panama
City-Bay County**    763-6751

Highway 98-A, Panama City Beach, ouvert de 9 h à 19 h tous les jours en été.

La ville abrite deux musées intéressants : le **Museum of Man and the Sea** ( (850) 235-4101, 17314 Hutchinson Road (musée de l'Homme et de la Mer) présente d'anciens équipements de plongée et des trésors récupérés sur les épaves de galions espagnols, et évoque les grands moments de l'exploration des océans ; le **Junior Museum of Bay County** ( (850) 769-6128, 1731 Jenkins Avenue, explique comment vivaient et travaillaient les Indiens et les premiers colons.

CI-CONTRE : Tallahassee, le Governor's Inn À GAUCHE, et le Capitole, À DROITE.
CI-DESSUS : Quelle que soit la pêche que vous préférez, vous pourrez la pratiquer en Floride.

La **St.-Andrews State Recreation Area** ( (850) 233-5140, 4415 Thomas Drive, au sud-ouest de la ville à l'extrémité de la Route 392, est composé de marécages, de pinèdes, de dunes et de plages, et offre des emplacements de camping. La **Dead Lakes State Recreation Area** ( (850) 639-2702, à environ 48 km à l'est de Panama City sur la Route 22, près du village de Wewahitchka, est sillonnée de superbes sentiers naturels et d'excellents sites de pêche.

Pour faire une excursion en bateau jusqu'à la superbe île de Shell Island, au large de Panama City, rendez-vous à la **Captain Anderson's Marina** ( (850) 234-3435, 5550 North Lagoon Drive, Panama City Beach, d'où les bateaux partent tous les jours à 9 h et 13 h.

Pour plus de suggestions sur les activités lors de votre visite à Panama City, appelez la **chambre de commerce** au ( (850) 234-3191.

## Sports

Les passionnés de **golf** iront se mesurer au **Signal Hill Golf Course** ( (850) 234-3218, 9615 Thomas Drive, Panama City Beach, ou au très beau **Hombre** ( (850) 234-3673, 120 Coyote Pass.

Les joueurs de golf et de **tennis** pourront aussi se rendre au **Holiday Golf and Tennis Club** ( (850) 234-1800, 100 Fairway Boulevard, Panama City Beach.

À Panama City Beach, on peut pratiquer toute une gamme de sports nautiques : **Bob Zales Charters** ( (850) 763-7249 FAX (850) 763-3558, offre des sorties de pêche sportive sur des yachts qui peuvent accueillir jusqu'à 25 personnes. **Captain Choice Charters** ( (850) 230-0004 ou (850) 814-0805, à 3927 Vega Street,

Vacances de printemps à Panama City.

propose des sorties plongées sous-marine, avec un choix de 85 sites différents, et vous emmènera aussi pêcher au harpon ou plonger en profondeur. Des sorties pêche peuvent aussi être organisées avec **Nick Nack** ( (850) 234-8246 ou **Treasure Island** ( (850) 230-9222, tous deux situés sur Thomas Drive derrière the Treasure Ship.

Les plongeurs expérimentés du **Panama City Dive Center** ( (850) 235-3390, at 4823 Thomas Drive, peuvent vous emmener plonger en eau douce dans les sources des environs. Panama City Water Sports vous emmènera plonger en apnée jour et nuit, nager avec les dauphins et découvrir le parachute ascentionnel.

### Shopping

Vous trouverez des maillots de bain et tout le matériel nécessaire pour la plage dans les magasins de la **Field's Plaza**, 12700 West Highway 98-A, Panama City Beach, ouvertes de 9 h à 21 h. La **Galleria**, 2303 Winona Drive, Panama City, abrite de nombreuses boutiques de cadeaux et de mode. Si vous souhaitez acheter des objets d'artisanat et des souvenirs locaux, rendez-vous au **Olde Towne Mini Mall**, 441 Grace Avenue, Panama City.

### Vie nocturne

Le **Spinnaker** ( (850) 234-7882, est niché dans les dunes au 8795 Thomas Drive, Panama City Beach ; la musique et la danse s'arrêtent à 4 h du matin, mais l'établissement ouvre dès 11 h pour vous laisser le temps de vous mettre dans l'ambiance.

Au départ du 5550 North Lagoon Drive, Panama City Beach, la croisière **Captain Anderson's Dinner Cruise** ( (850) 234-5940, associe le dîner, la musique et la danse.

Si vous aimez la musique country, rendez-vous au **Ocean Opry** ( (850) 234-5464, 8400 West Highway 98-A, un vaste établissement digne de Nashville.

### OÙ SE LOGER

### Luxe

Le **Edgewater Beach Resort** ( (904) 235-4977 APPEL GRATUIT (800) 874-8686, 11212 Fort Beach Road, Panama City Beach, est l'un des meilleurs hôtels du Nord-Ouest. Ses stu-

dios sont parfaitement équipés, avec lavabos en marbre et lave-linge, et donnent sur l'océan ou le superbe jardin. L'établissement dispose d'une piscine-lagon avec chutes d'eau et bar, de 9 courts de tennis, d'un clubhouse au bord de la plage, et d'un parcours de golf de 9 trous. Aussi luxueux que l'Edgewater, le **Marriott's Bay Point Resort** ( (904) 234-3307 APPEL GRATUIT (800) 874-7105, 4200 Marriott Drive, Panama City Beach, est une propriété de 400 ha qui abrite un hôtel de 200 chambres et des villas, ainsi que deux parcours de golf, plus d'une trentaine de lacs et d'étangs, une forêt, des restaurants et des boutiques. La vedette de l'établissement conduit les clients jusqu'aux plages de Shell Island, de l'autre côté de St.-Andrews Bay.

## Prix moyens

Le **Sugar Sands Hotel** APPEL GRATUIT (800) 367-9221, 20723 Front Beach Road, est merveilleusement situé sur la plage, et offre des chambres et suites confortables ; un barbecue est installé près de la piscine. Juste à côté, le **Dolphin Inn** 8500 234-1788 APPEL GRATUIT (800) 234-1788, 19935 Front Beach Road, lui aussi sur la plage, cible une clientèle familiale, propose des cuisines et une piscine.

## Économiques

Les établissements peu coûteux sont très nombreux à Panama City Beach ; on peut citer le **Bikini Beach Motel** ( (850) 234-3392, 11001 Front Beach Road ; le **Bright Star Motel** APPEL GRATUIT (800) 421-1295 E-MAIL brightstar@travelbase.com, 14705 Front Beach

Road ; et le **Sugar Beach Motel** ( (850) 234-2142 APPEL GRATUIT (800) 528-1273, E-MAIL sugar-beach@travelbase.com, 16819 Front Beach Road.

## RESTAURANTS

### Prix élevés

Avec son plafond aux poutres apparentes, ses murs de pierre et sa cheminée, le **Boar's Head** ( (850) 234-6628, 17290 Front Beach Road, Panama City Beach, est imprégné d'une ambiance anglaise authentique, rehaussée par ses côtes de bœuf au Yorkshire pudding. Son excellent menu comprend également de savoureux plats grecs.

La jolie petite ville de Seaside, paisiblement installée face au golfe.

## Prix modérés

Le **Harbour House** ( (850) 785-9053, 3001-A West 10th Street, Panama City, propose un déjeuner-buffet composé de salades, de viandes froides et de légumes qui connaît un grand succès, de même que les steaks grillés servis au dîner.

La cuisine européenne à tendance française figure au menu du **Greenhouse** ( (850) 784-9880, 443 Grace Avenue, Panama City.

## Économiques

Le décor et le menu du **Cajun Inn** ( (850) 233-0403, 617 Azalea Street, Panama City Beach, sont fortement influencés par la Louisiane. Ne manquez pas le Bayou Teche jambalaya, accompagné de pommes de terre cajun épicées. **Pickle Patch** ( (850) 235-2000, 5700 Thomas Drive, Panama City Beach, sert de fraîches omelettes, et des brochettes. Pour un sandwich rapide, essayez **Peddlers Alley** ( (305) 769-6080, 4601 West Highway 98.

### COMMENT S'Y RENDRE

Plusieurs compagnies aériennes nationales desservent l'aéroport régional Panama City-Bay County, en particulier ASA, Northwest et USAir. Si vous êtes en voiture, la Route 98 dessert la ville depuis l'est et l'ouest, et la Route 231 arrive du nord.

## PENSACOLA

La ville la plus occidentale de Floride compte plus de 250 000 habitants, principalement établis sur les collines qui s'élèvent au centre, près de la baie. Le quartier historique entoure le Seville Quarter ; c'est là que sont situés la plupart des musées, des restaurants et des maisons construites avant la guerre de Sécession.

### HISTORIQUE

Un explorateur espagnol, Tristan de Luna, fonda une colonie à Pensacola en 1559. Deux ans plus tard, des orages tropicaux particulièrement violents détruisirent la plus grande partie de sa flotte, et les colons durent abandonner la région. Les Espagnols ne revinrent à Pensacola que dans les années 1690, et établirent une garnison militaire sur la baie.

Ils coexistèrent paisiblement avec les Français – leurs principaux rivaux – mais durent abandonner Pensacola une nouvelle fois en 1821, repoussés par la puissance militaire américaine. La ville a gardé des liens avec l'armée et, en 1914, la base aérienne de Pensacola devint le premier centre d'entraînement aérien de la marine américaine.

### INFORMATIONS PRATIQUES

Le **Pensacola Area Chamber of Commerce Visitor Information Center** ( (850) 438-4081,

se trouve 117 West Garden Street, Pensacola 32593-0550. Le **Pensacola Convention and Visitor Center** ( (850) 434-1234 APPEL GRATUIT (800) 874-1234, est lui au 1401 East Gregory Street, Pensacola, Fl 32501.

Autres numéros de téléphone utiles (précédés de l'indicatif 850) :
**Aéroport régional de Pensacola** 435-1746
**Taxis Blue and White Cab** 438-1497

### QUE VOIR, QUE FAIRE

#### Excursions

Dans le quartier historique du centre-ville, autour de Seville Square, vous vous familiariserez avec le passé de la région – indien, européen et américain – au **Pensacola**

**Historical Museum** ( (904) 433-1559, aménagé dans l'église d'Old Christ Church, 405 South Adams Street ; et au **West Florida Museum of History** ( (904) 444-8905, 200 East Zaragoza Street. À l'intersection de Zaragoza Street et de Tarragona Street, le **Historic Pensacola Village** est un quartier d'anciennes maisons et de boutiques restaurées.

Le **Pensacola Zoo and Botanical Gardens** ( (850) 932-2229, à l'écart de la Route 98, à 16 km à l'est de Pensacola, au 5801 Gulf Breeze Parkway, Gulf Breeze, abrite plus de 700 animaux, parmi lesquels Colossus, qui,

avec ses 1 320 kg, serait le plus gros gorille en captivité au monde. Le zoo propose des promenades à dos d'éléphant et un mini-zoo où vos enfants pourront approcher les animaux. Durant l'été, le zoo est ouvert tous les jours de 9 h à 17 h et de 9 h à 16 h l'hivers.

Les passionnés d'aviation ne manqueront pas le **National Museum of Naval Aviation** ( (850) 453-2389 APPEL GRATUIT (800) 327-5002, qui présente plus de 50 appareils, parmi lesquels le NC-4 (le premier à avoir traversé l'Atlantique en 1919), des avions de chasse et le module de commande du Skylab. Prenez la Route 98 à l'ouest de la ville jusqu'à Navy Boulevard, et entrez dans la base aérienne. La célèbre équipe d'acrobates des Blue Angels se produit fréquemment ici.

Au sud-ouest de Pensacola, dans la **Big Lagoon State Recreation Area** ( (850) 492-1595, 12301 Gulf Beach Highway, vous pourrez vous baigner, faire des promenades en bateau, pêcher, camper et partir en randonnée. La **Gulf Island National Seashore** ( (850) 934-2600, se trouve au bord de l'eau, à l'écart de la Route 399 ; le fort espagnol **San Carlos de Barrancas** ( (850) 934-2604, ouvert au public, est également installé sur la côte. Au nord-est de Pensacola, le **Blackwater River State Park** ( (850) 623-2363, Route 1 à l'écart de la Route 90 à Holt, est idéal pour pratiquer le canoë.

### Sports

Vous pourrez jouer au **golf** au Club at Hidden Creek ( (850) 939-4604, 3070 PGA Boulevard, Navarre ; au Lost Key Golf Club ( (850) 492-1300, 625 Lost Key Drive, Perdido Key ; ou au Stonebrook Golf Club ( (850) 994-7171, 3200 Cobblestone Drive, Pace.

Vous trouverez des cours de tennis gratuits au Bayview Park, le parc de loisir dans la zone ombragée de East Hill.

Pour faire de la **plongée avec bouteilles** et **tuba** au large de Pensacola, adressez-vous

CI-CONTRE : Un balcon du quartier de Seville, à Pensacola. CI-DESSUS : Des automobiles de collection, À GAUCHE, pénètrent dans un vieux quartier de la ville. À DROITE : Bunkers et vues sur la mer sur un parcours de golf du Nord-Ouest. PAGES SUIVANTES : Pêche au bas dans la rivière Suwannee.

au **Scuba Shack** ( (850) 433-4319, 711 South Palafox Street et à l'Aqua Venture Charters ( (850) 934-8382, Perdido Key Oyster Bar and Marina.

## Shopping

À **Seville Square** et dans les rues voisines, de nombreuses boutiques vendent des objets d'artisanat et des œuvres d'art, des antiquités, des bijoux et des cadeaux. En ce qui concerne la mode, rendez-vous au **Harbourtown Shopping Village**, un centre commercial moderne situé au 913 Gulf Breeze Parkway, Gulf Breeze.

433-3336, 200 East Gregory Street, Pensacola. Les suites du dernier étage sont équipées d'un Jacuzzi et d'un bar, et les chambres des étages supérieurs offrent un superbe panorama sur la ville. Il règne une ambiance internationale au **New World Landing** ( (850) 432-4111 APPEL GRATUIT (800) 258-1103, 600 South Palafox Street, Pensacola, où les 16 chambres sont aménagées avec goût dans le style américain, français, espagnol ou anglais. Le restaurant de l'établissement propose également un excellent menu européen. À Pensacola Beach, le meilleur hôtel

## Vie nocturne

Des orchestres se produisent chaque soir au **Flounder's Ale House** ( (850) 932-2003, 800 Quietwater Beach, Pensacola. Parmi les bars animés de la ville, on peut citer le **Seville Inn** ( (904) 433-8331, 223 East Garden Street ; le **McQuire's Irish Pub** ( (850) 433-6789, 600 East Gregory Street, Pensacola, animé par des orchestres irlandais et qui sert une bonne cuisine pour accompagner sa bière.

## OÙ SE LOGER

### Luxe

Le hall de l'ancienne gare de Pensacola a été restauré et transformé pour devenir le hall d'entrée du **Pensacola Grand Hotel** ( (850)

est le **The Dunes** ( (850) 932-3536, 333 Fort Pickens Road, où les enfants séjournent gratuitement. La plupart des chambres donnent sur la mer, et l'établissement possède des piscines couvertes et en plein air.

### Prix moyens

Les chambres du **Residence Inn** ( (850) 479-1000 APPEL GRATUIT (800) 331-3131, 7230 Plantation Road, Pensacola, sont aménagées autour d'une cour centrale qui abrite des terrains de basketball et des courts de tennis, un jacuzzi et une piscine. Le petit déjeuner continental est offert, ainsi que des cocktails en fin de semaine. Si vous réservez à l'avance, le **Days Inn** ( (850) 438-4922 APPEL GRATUIT (800) 874-0710, enverra une voiture vous accueillir à l'aéroport. L'hôtel est proche du quartier historique du centre, au 710 North Palafox Street, Pensacola. Au **Sandpiper Inn** ( (850) 932-2516, 23 Via de Luna, Pensacola Beach, vous aurez le choix entre des bungalows et des chambres avec kitchenette au bord de l'océan.

## Économiques
Le **Motel 6** ( (850) 477-7522 APPEL GRATUIT (800) 466-8356, 5829 Pensacola Boulevard, Pensacola, dispose de 120 petites chambres confortables ; les prix sont aussi intéressants au **Days Inn North** ( (850) 476-7051 APPEL GRATUIT (800) 325-2525, 6911 Pensacola Boulevard. Le **Paradise Gulf Aire Motel** ( (850) 932-2319, 21 Via de Luna, Pensacola Beach, propose des chambres avec cuisine près de la plage.

## RESTAURANTS

### Prix élevés
Le meilleur restaurant français de la ville est le **Jamie's** ( (850) 434-2911, 424 East Zaragoza Street, Pensacola, installé dans une résidence douillette de style victorien. Dans l'élégant **Jubilee** ( (850) 934-3108, 400 Quietwater Beach Road, une grande verrière rehausse le décor, et le menu comprend de délicieux ris de veau et des blancs de poulet sautés aux langoustines. Le **Driftwood** ( (904) 433-4559, 27 West Garden Street, associe avec succès une ambiance américaine et une cuisine européenne.

### Prix modérés
Dans l'excellent **Angus Steak Ranch** ( (850) 432-0539, 1101 Scenic Highway, Pensacola, le chef Spero Athanasios ne se limite pas aux steaks ; goûtez sa fricassée de rouget aux huîtres et aux coquilles Saint-Jacques accompagnée d'une salade grecque.

On dit que **Keenan's Bar-B-Q Kabin** ( (850) 492-6848, 13818 Perdido Key Drive, fait le meilleur barbecue au Sud de Memphis. L'**Original Point Restaurant** ( (850) 492-3577, 14340 Innerarity Point Road, n'est peut être pas très chic, mais il sert de bons, fruits de mer frais du coin.

### Économiques
En 1948, Arkie Ma Hopkins ouvrit son restaurant, le **Hopkins' Boarding House** ( (850) 438-3979, et son fils Ed y sert toujours du poulet frit, du ragoût de bœuf et des pois chiches au 900 North Spring Street, Pensacola. On peut déguster des fruits de mer à un prix raisonnable au **Captain Joe Patti's** ( (850) 432-3315, 524 South B Street. Vous pourrez prendre un petit déjeuner ou un déjeuner savoureux au **Coffee Cup** ( (850) 432-7060, 520 East Cervantes.

## COMMENT S'Y RENDRE

L'aéroport régional de Pensacola est desservi par plusieurs compagnies américaines, et

vous trouverez à l'aéroport des taxis et des agences de location de voitures.

La principale voie est-ouest qui dessert Pensacola est l'Interstate 10. Depuis Panama City, prenez la Route 98 et, si vous venez du nord, empruntez la Route 29.

CI-CONTRE et CI-DESSUS : À Destin, la côte Nord-Ouest offre un camaïeu de bleus.

# La côte Ouest

LA CÔTE OUEST, QUI S'ÉTEND SUR PRÈS DE 320 KM, de Cedar Key au nord à Marco Island au sud, est ponctuée de bancs de sable et de nombreux lagons, criques, bayous et estuaires. En d'autres termes, des conditions propices à ce qui fut longtemps la première entreprise commerciale de cette région : la piraterie. Des pirates aux noms paraissant tout droit sortis des romans de R.L. Stevenson, Black Caesar, José Gaspar et d'autres, opérèrent le long de cette côte au XVIIIᵉ siècle, mettant à profit leur connaissance de ce littoral très découpé pour lancer leurs attaques et échapper à leurs poursuivants. Leurs activités incitèrent les Européens à rester à l'écart. D'autant que les Espagnols, les Français et les Anglais étaient plus occupés à consolider leurs positions sur la côte orientale de la Floride et à protéger leurs importantes routes maritimes.

Les pirates et les Indiens Timucuans, Calusas et Séminoles ne furent pratiquement pas dérangés jusqu'en 1824, date à laquelle des bases de l'armée américaine furent établies à Tampa et à Fort Myers, dans le but de soumettre les Séminoles. Ces installations attirèrent des colons civils ; des villes surgirent, et d'autres colonies apparurent le long de la côte, après que l'armée eut écrasé les Séminoles et gagné la maîtrise de toute la région. Plusieurs villages de pêcheurs se constituèrent ; certains subsistent aujourd'hui, entre Naples et Marco Island, où les habitants vivent encore presque comme leurs ancêtres.

À partir de 1880, l'histoire de la côte Ouest rejoint celle de la côte orientale. Les promoteurs comprirent soudainement que ce que Flagler faisait de Jacksonville à Miami – attirant les riches habitants du Nord en leur promettant des transports efficaces, des hôtels de luxe et du soleil toute l'année – pouvait certainement être reproduit de Tampa à Naples. Le soleil étant garanti, Henry Plant s'attaqua à deux autres paramètres ; il amena le chemin de fer jusqu'à Tampa en 1884 et édifia le Tampa Bay Hotel en 1891 et le Bellview Hotel à Clearwater à la fin du siècle. À Sarasota, plus au sud, John Ringling, fondateur des Ringling Brothers du cirque Barnum et Bailey, construisit également des hôtels et un musée d'art (mettant parfois des éléphants à contribution pour les plus gros travaux) et se fit ériger une résidence privée, inspirée du palais des Doges de Venise.

Les touristes mordirent à l'hameçon, et la côte Ouest prospère depuis cette époque, à tel point qu'entre Venice et Tampa, les banlieues s'étendent, s'entremêlent et finissent par constituer une vaste conurbation. Au sud, les plages de Charlotte Harbor, ainsi que le littoral et les îlots côtiers situés au large de Naples, sont des zones protégées ou des réserves naturelles. Dans ces régions, les lois régissant l'urbanisme sont très strictes, mais le développement du reste de la côte se poursuit : Fort Myers est d'ailleurs l'une des villes du pays dont la croissance est la plus rapide.

## TAMPA

Tampa est la troisième ville de Floride, avec 300 000 habitants, parmi lesquels les Latino-Américains d'Ybor City, un quartier de l'ouest de la ville, et un grand nombre de Grecs arrivés au début du siècle pour pêcher les éponges au large des côtes de Tarpon City, qui devint dans les années 1930 la capitale mondiale de l'éponge. Tampa est aussi le septième port du pays, et la ville commerciale et industrielle la plus importante de l'ouest de la Floride. Malheureusement, en raison des constantes allées et venues dans le port (les cargos transportent chaque année 51 millions de tonnes de marchandises) et des déchets industriels, la baie de Tampa est gravement polluée, et ses eaux sont impropres à la baignade. Au nord de la ville et autour de St. Petersburg, la mer est en revanche d'une pureté limpide.

### HISTORIQUE

Au début du XIXᵉ siècle, Tampa (un mot indien signifiant «bâtons de feu») était une petite communauté de pêcheurs et d'agriculteurs rassemblée autour de Fort Brooke. La croissance de la ville s'accéléra de façon spectaculaire en 1885, lorsque Vincente Martínez Ybor installa son usine de cigares à Tampa, après avoir été confronté à des problèmes de main-d'œuvre à Key West, et pour bénéficier d'un allégement fiscal. Cela attira une vague

Au cœur de Tampa, l'Orient rencontre l'Occident.

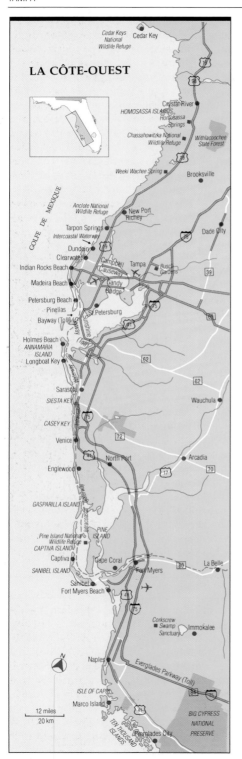

LA CÔTE-OUEST

de travailleurs immigrés qui s'installèrent dans le quartier aujourd'hui appelé Ybor City, où les clubs, les restaurants, les boutiques et la culture restent avant tout cubains et hispaniques.

En 1898, l'arrivée d'un homme et de son armée de 30 000 soldats donna une nouvelle impulsion à l'économie de la ville, et en fit l'une des agglomérations les plus importantes de Floride. Theodore Roosevelt installa son quartier général au Tampa Bay Hotel et son armée de «Rough Riders» s'y entraîna avant de s'embarquer pour Cuba et la guerre hispano-américaine. L'hôtel abrite aujourd'hui les bureaux administratifs de l'université de Tampa et un musée.

## INFORMATIONS PRATIQUES

**La Tampa/Hillsborough Convention and Visitors Association** ( (813) 223-1111 FAX (813) 229-6616 WEBSITE WWW.THCVA.COM, se trouve au 400 North Tampa Street, Suite 1010, Tampa 33602 ; et vouis pouvez contacter la **Greater Tampa chamber of commerce** ( (813) 228-7777, à P.O. Box 420, Tampa 33601-0420.

Deux journaux, le *Tampa Tribune* et le *Tampa Times*, ainsi que le magazine *Tampa Bay*, donnent de nombreux renseignements sur les attractions locales et les manifestations à venir.

Autres numéros de téléphone utiles (précédés de l'indicatif 813) :
**Aéroport international de Tampa** 870-8700
**Taxis Yellow Cabs**    253-0121
**Urgences médicales**    253-4040

## QUE VOIR, QUE FAIRE

### Excursions
Le parc de **Busch Gardens** ( (813) 987-5082 APPEL GRATUIT (800) 423-8368 SITE WEB www.buschgardens.com, 3000 Busch Boulevard, abrite plus de 3 000 animaux, oiseaux et reptiles principalement originaires d'Afrique. C'est l'un des zoos les plus cotés du monde, et l'attraction touristique la plus populaire de l'État après Disney World. Différents secteurs sont conçus autour d'un thème particulier. Ainsi, dans la *Serengeti Plain*, zèbres, girafes, rhinocéros, lions et guépards, entre autres animaux des

prairies, déambulent librement, et on peut les observer depuis un monorail. L'*African Queen* offre une croisière dans la jungle, qui permet de découvrir une faune et une flore très variées dans l'eau et sur les berges de la rivière ; quant à l'*Eagle Canyon*, c'est une imposante construction qui vous donnera l'occasion exceptionnelle d'observer des aigles chauves et de superbes aigles dorés. Dans la *Myombe Reserve*, vous rencontrerez des gorilles. À cela s'ajoute un parc d'attractions qui comprend certaines des montagnes russes les plus impressionnantes au monde, des échoppes, des boutiques et des restaurants. Le parc est ouvert tous les jours de 9 h 30 à 18 h.

Près de Busch Gardens, au 4545 Bougainvillea Avenue, **Adventure Island** ( (813) 987-5000 APPEL GRATUIT (800) 423-8368 SITE WEB www.adventureisland.com, est un parc à thème aquatique pour toute la famille. Vous y trouverez des bassins à vagues, des plages, des toboggans, des courses en chambre à air, des piscines, des échoppes et des boutiques. En haute saison, du 26 mai au 19 août, le parc est ouvert tous les jours de 9 h à 20 h.

La ville compte deux collections intéressantes ; l'une, d'art contemporain américain, l'autre, d'antiquités romaine, grecque et égyptienne, toutes deux sont rassemblées au **Tampa Museum of Art** ( (813) 274-8130, 600 North Ashley Drive. Des objets retraçant l'histoire de la ville et décrivant sa culture sont exposés au **Henry Plant Museum** ( (813) 254-1891 SITE WEB www.plantmuseum.com, dans l'ancien Tampa Bay Hotel, au 401 West Kennedy Boulevard.

Pour prendre une grande bouffée d'air frais en admirant Davis Island, dans la baie de Tampa, allez flâner le long du plus grand trottoir du monde (10,5 km) qui borde Bayshore Boulevard.

Au cœur d'Ybor City, le vieux quartier cubain et hispanique de Tampa, **Ybor Square** se trouve à l'intersection d'Eighth Avenue et de 13th Street. Outre les boutiques d'artisanat et de mode, on y trouve de très bons restaurants.

Chez **Tampa Rico Cigars** ( (813) 248-0218 sur la place, au 1901 North 13th Street, pourrez assister à la fabrication des cigares roulés à la main, de 10 h à 16 h 30 avant de les goûter. Le **Ybor City State Museum**, 1818 East Ninth Avenue, explique les origines de ce quartier et son évolution au fil des années ; le musée abrite aussi un office du tourisme, le **Ybor City Visitors Center** ( (813) 248-3712.

Les plus belles plages de la région de Tampa sont celles de **Clearwater Beach**, une île située à 24 km à l'ouest de Clearwater, de l'autre côté du Memorial Causeway ; **Dunedin Beach**, au nord de Clearwater, près du charmant village néo-écossais de Dunedin (où l'on peut prendre un ferry pour les

superbes îles de Caladesi ou Honeymoon) ; et les **Sand Key Beaches**, au sud de Clearwater, et au large de Gulf Boulevard.

### Sports

Les passionnés de **base-ball** seront ravis d'apprendre que les New York Yankees tiennent leurs entraînement de printemps au Legends Field ( (813) 879-2244, 1 Steinbrenner Drive.

Vous pouvez aussi suivre le **football américain (NFL)** d'août à janvier au Raymond James Stadium ( (813) 879-2827 SITE WEB www.nfl.

L'équipe des Tampa Bay Lightning NHL joue ses matches à domicile au **Ice**

Des bateaux en cale sèche à Dunedin.

Palace ( (813) 2290-2658 SITE WEB www
.tampabaylightning.com, durant la saison de
**hockey sur glace d'octobre à avril.**

Deux parcours de **golf** municipaux proposent notamment des leçons pour pratiquer et un salon-snack bar pour se détendre :
le **Rocky Point** ( (813) 673-4316, at 4151 Dana
Shores Road ; et le **Rogers Park** ( (813) 673-
4396, 7910 North 30th Street. Plusieurs clubs
privés de la ville accueillent également les
visiteurs. Tampa possède de nombreux
courts de **tennis**, notamment les 8 courts du
**Sandy Freeman Tennis Center** ( 813) 259-
1664, sur Davis Islands, au sud du centre
de Tampa, et des bonnes instalations au **City
of Tampa Courts** ( (813) 870-2383, 15 Columbia Drive. Pour plus de précisions à propos
des parcours de golf et des courts de tennis, contactez le service des loisirs de la ville
( (813) 274-8615.

## Shopping

Vous trouverez en ville plusieurs grands centres
commerciaux, mais les plus belles boutiques
et quatre grands magasins sont rassemblés
au **Citrus Park Towne Center** ( (813) 926-4644
SITE WEB www.citrusparktowncenter.com à l'intersection de Gunn Highway et de la voie
express Veteran. **Old Hyde Park Village** ( (813)
251-3500, accueille 65 boutiques, restaurants
et cafés dans une atmosphère de petit village
au croisement de West Swann et de South
Dakota. Vous trouverez des souvenirs cubains
authentiques dans les commerces d'**Ybor
Square**, à l'intersection d'Eighth Avenue et
de 13th Street.

## Vie nocturne

**Ybor** est l'endroit où il faut être dans Tampa, le soir. Les vendredi et samedi, la 7$^{eme}$
rue est fermée au trafic de sorte que les fêtes et l'ambiance gagne la rue, en provenance
de la myriade de restaurants et de boîtes
dans le quartier. Il faut aller à l'**Amphitheater** ( (813) 248-2331, 1609 East 7th Street,
dont la piste de danse tourne au milieu
d'un show laser branché et au **Green Igua-
na** ( (813) 248-9555 SITE WEB www
.greeniguana.net, 1708 East Seventh Avenue,
qui produit des groupes et offre un choix

La voile d'un véliplanchiste rappelle la forme
géométrique du pont Sunshine Skyway, qui
enjambe la baie de Tampa.

d'amuse-gueules, de hamburgers et de sand-wiches. Pour une ambiance plus irlandai-se, dirigez vous vers le **The Irish Pub** ( (813) 248-2099, 1721 East Seventh Street ; tandis que l'**Atomic Age Cafe** ( (813) 247-6547, 1518 East Seventh Avenue, diffuse de la musique experimentale et des spectacles. **Fat Tuesday** ( (813) 248-9755, 1722 East Seventh Avenue, sert 17 variétés de daiquiris et ac-cueille des groupes le week-end. Pour un ambiance plus sophistiquée, dirigez vous vers **Bernini** ( (813) 248-0099, 1702 East Seventh Avenue, où cigares et Martini sont

à l'honneur et s'il vous en faut encore, al-lez vous poser au petit **Zion** ( (813) 248-3834, 1802 East Seventh Avenue, un bar original avec une variété de personnages aux plati-nes. Vous pourrez également écouter du jazz, du reggae, du blues et de la musique new-wave au **Skipper's Smokehouse** ( (813) 971-0666, 910 Skipper Road.

## OÙ SE LOGER

### Luxe

Très luxueux, au bord de la baie, le **Wyndham Harbour Island Hotel** ( (813) 229-5000 AP-PEL GRATUIT (800) 996-3426, 725 South Harbour Island Boulevard, est décoré et meublé avec goût, son personnel aimable et attentionné.

À 24 km au nord de Tampa, à l'écart de la Route 54 (sortie 58) au 100 Saddlebrook Way, Wesley Chapel, le **Saddlebrook Resort** ( (813) 973-1111 APPEL GRATUIT (800) 729-8383 SITE WEB www.saddlebrookresort.com, a reçu de nom-breuses récompenses, et figure régulièrement parmi les 50 meilleurs hôtels du monde. Parmi ses multiples installations sportives nichées dans un cadre boisé, vous découvrirez un parcours de golf dessiné par Arnold Palmer, 17 courts de tennis et une piscine olympique.

Très moderne, au centre-ville, le **Hyatt Regency** ( (813) 225-1234 APPEL GRATUIT (800) 233-1234 SITE WEB www./hyatt.com, Two Tampa City Center, propose des sui-tes avec jacuzzi et kitchenette ; le petit déjeuner continental est servi gratuitement dans l'élégant Regency Club.

Le **Radisson Hotel Tampa at Sabal Park** ( (813) 623-6363 APPEL GRATUIT (800) 333-3333 SITE WEB www.radisson.com, 10221 Princess Palm Avenue, est l'un des rares hôtels de Tampa qui dispose d'une plage privée, sur laquelle donnent les balcons de la plupart des chambres.

### Prix moyens

Le **Holiday Inn Busch Gardens** ( (813) 971-4710 FAX (813) 977-0155, 2701 East Fowler Avenue, est particulièrement apprécié des familles, avec sa piscine, son sauna, son club de remise en forme, son réseau télévisé in-terne proposant des films et sa navette gratuite pour Busch Gardens.

Vous pourrez aussi prendre une navette gratuite pour les centres commerciaux et les parcours de golf de la région depuis le **Days Inn** ( (813) 281-0000 APPEL GRATUIT (800) 237-2555, 7627 Courtney Campbell Causeway, sur Rocky Point Island, qui dispose de courts de tennis et d'une piscine, sans oublier un salon qui se transforme en discothèque dans la soirée. Au cœur de la ville, sur les quais, le **Holiday Inn Ashley Plaza Hotel** ( (813) 223-1351 APPEL GRATUIT (800) 513-8940, at 111 West Fortune Street, offre des chambres modernes et attrayantes à des prix très rai-sonnables, compte tenu de l'excellente situation de l'hôtel.

### Économiques

On trouve des installations correctes au **Tahitian Inn** ( (813) 877-6721, 601 South

Dale Mabry Highway. Tout près de l'aéroprt, le **Home Gate Studios and Suites** ( (813) 637-8990 APPEL GRATUIT (888) 456-4283, 1805 North Westshore Boulevard, qui à une piscine, une centre de gym, un lavoir et des chambres avec kitchenettes.

## RESTAURANTS

### Prix élevés
Le **Bern's Steak House** ( (813) 251-2421, 1208 South Howard Avenue, propose 38 morceaux de bœuf différents, et près de

et raviolis au fromage, choisissez le **Jasmine Thai** ( (813) 968-1501, tout proche, au 13248 North Dale Mabry Highway. Le plus hispanisants des restaurants d'Ybor City reste le **Columbia** ( (813) 248-4961, at 2117 East Seventh Avenue, qui affiche au menu des plats traditionnels espagnols, come la paella, des soupes aux haricots, le tout servi dans un décors romantique et au son de la serenade chantée par des troubadours espagnols. Ne vous inquiétez pas pour y trouver une table, le restaurant peut servir 1660 couverts dans 11 salles différentes.

7 000 vins. Le **Donatello** ( (813) 875-6660 APPEL GRATUIT (888) 801-3463, at 232 North Dale Mabry Highway, est considéré comme l'un des meilleurs restaurants italiens dans l'ouest de la Floride. Boca signifie bouche en espagnol, et le **Boca** restaurant ( (813) 241-2622, 1930 North Seventh Avenue, Ybor, clame que la vôtre sourira au goûter de leur cuisine.

### Prix modérés
Le **Café Pepe** ( (813) 253-6501, est un restaurant hispano-cubain très fréquenté situé au 2006 West Kennedy Boulevard. Il sert une cuisine épicée dans une ambiance cosmopolite. Si vous souhaitez déguster une cuisine thaï tout aussi raffinée, avec curry de crabe

### Économiques
Pour savourer de délicieux *capelli di l'Angelo* – saumon fumé et caviar, mélangés à des épinards et des pâtes dans une sauce à la vodka et à la crème – dans une ambiance gaie et bohème et à des prix incroyables destinés aux étudiants, essayez le **Bella's Italian Cafe** ( (813) 254-3355, 1413 South Howard Avenue. Les restaurants cubains bon marché sont nombreux à Ybor City. J'apprécie particulièrement **La Tropicana** ( (813) 247-4040 au 1822 East Seventh Avenue et la **Don Quijote Cafeteria** ( (813) 248-3080 au 1901 de la 13eme rue.

CI-CONTRE : Une jeune habitante de Tarpon Springs profite du soleil. CI-DESSUS : De hauts mâts et des gratte-ciel se dressent vers le ciel nocturne dans la baie de Tampa.

## COMMENT S'Y RENDRE

L'aéroport international de Tampa est desservi par de nombreuses compagnies aériennes américaines et étrangères, et toutes les grandes agences de location de voitures sont présentes à l'aéroport.

Si vous arrivez du nord-ouest en voiture, vous emprunterez la Route 19. Depuis le nordest ou le sud, choisissez l'Interstate 75 ; si vous venez de l'est, prenez l'Interstate 4 (depuis Orlando) ou la Route 60 (depuis Lake Wales).

## ST. PETERSBURG

Pendant des années, St. Petersburg garda l'image d'une petite ville assoupie où les retraités affluaient après que l'association des médecins américains eut déclaré l'environnement de la région et l'air marin bénéfiques pour la santé. Depuis quelques années, St. Petersburg Beach et d'autres plages au nord ont été aménagées et donnent désormais à cette côte une image plus jeune et plus dynamique. Les touristes sont maintenant attirés par les merveilleuses plages et les eaux limpides de la côte du Soleil, entre St. Petersburg et Clearwater. Le centre-ville, en pleine expansion, est agrémenté de quelques parcs et jardins charmants.

## INFORMATIONS PRATIQUES

La **St. Petersburg Area chamber of commerce** ( (727) 821-4715, se trouve au 100 Second Avenue North, Suite 150 et la **City of Gulport chamber of commerce** peut être jointe au ( (727) 327-2062. Le **Pier Visitor Information Center** ( (727) 821-6164, se trouve au 800 Second Avenue Northeast et le **Suncoast Welcome Center** ( (727) 573-1449 est au 2001 Ulmerton Road. Pour tout renseignement à propos des plages et des stations balnéaires au nord de St. Petersburg, contactez le **Pinellas County Information** ( (727) 464-4861.

## QUE VOIR, QUE FAIRE

### Excursions

La renaissance culturelle de la ville se déroule sur le front de mer cosmopolite, où le **Salvador Dali Museum** ( (727) 823-3767 APPEL GRATUIT (8000 422-3254 SITE WEB WWW .daliweb.com, 1000 Third Street South, présente la plus importante collection au monde d'œuvres du maître surréaliste espagnol, avec des huiles, des aquarelles, des dessins et des esquisses. Le musée est ouvert de 10 h à 17 h du mardi au samedi, de midi à 17 h le dimanche. On peut admirer de nombreuses toiles des impressionnistes français au **Museum of Fine Arts** ( (727) 896-2667 SITE WEB www.fine-arts.org, 225 Beach Drive, ainsi que des œuvres d'art oriental et américain et des expositions de photographies. Les horaires d'ouverture sont les mêmes que ceux du musée Dali et l'entrée est gratuite.

Particulièrement insolite, **The Pier** (la jetée) ( (727) 821-6164 SITE WEB www .stpete-pier.com, est dominée par une structure pyramidale inversée de cinq étages. Au sommet, un observatoire offre des vues somptueuses de la baie dans laquelle la jetée s'avance depuis le 800 Second Avenue. Les **Sunken Gardens** ( (727) 896-3187, 1825 Fourth Street North, figurent parmi les plus beaux jardins de la côte Ouest. Dans cette jungle tropicale bien aménagée, on découvre plus de 50 000 variétés de plantes, de fleurs et d'arbres, ainsi qu'une volière d'oiseaux exotiques. Situés au centre-ville, les jardins sont ouverts tous les jours de 9 h à 17 h 30.

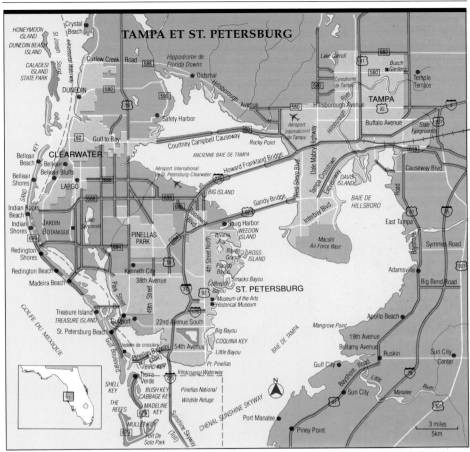

Le **Fort DeSoto Park**, dans 34th Street sur Mullet Key, se trouve à l'embouchure de la baie. On peut visiter ce fort, construit durant la guerre hispano-américaine, ou simplement se détendre sur les plages de l'île. Au nord de Mullet Key, sur la Route 679, vous pourrez rejoindre Gulf Boulevard et St. Petersburg Beach. Gulf Boulevard se poursuit vers le nord le long d'un archipel qui comprend Madeira Beach, Indian Rocks Beach, Belleair Beach, et Clearwater Beach ; l'ensemble, avec St. Petersburg Beach, constitue la Suncoast (la côte du Soleil).

## Sports

On dénombre 31 parcours de **golf** dans la région de St. Petersburg (Pinellas County) parmi lesquels Tides Golf Club ℂ (727) 393-8483 ou (727) 392-5345, 11832 66th Avenue North, dominant la superbe baie de Boca Ciega à Seminole, ce parcours est l'un des préférés des joueurs locaux tout comme des visiteurs depuis 1973. Le **Tarpon Springs Golf Club** ℂ (727) 934-5191, 1310 Pinellas Avenue South ; et le **Pasadena Golf Club** ℂ (727) 381-7922, 6100 Gulfport Boulevard, St. Petersburg, sont deux des 15 parcours publics de la ville. **Advanced Tee Time Reservations** ℂ APPEL GRATUIT (800) 374-8633 vous organisera un parcours où vous le souhaitez et quand vous le souhaitez.

Voiliers, **bateaux à moteur et jet skis** peuvent être loués à l'heures, la demi heure ou à la journée chez **Tierra Verde Boat Rentals** ℂ ((727) 867-0077, 100 Pinellas Bayway, Tierra Verde. Les parachutes ascentionels et autres équipements du nautisme sont chez **Captain Mike's** ℂ ((727) 360-1998 APPEL GRATUIT (800) 330-1053, 4900 Gulf Boulevard, St. Petersburg Beach.

Le climat agréable de St. Petersburg permet de pratiquer le golf toute l'année.

## Shopping

**The Pier** (voir QUE VOIR, QUE FAIRE, ci-dessus) 800 Second Avenue, abrite des magasins de luxe et des boutiques de cadeaux coûteux. À Madeira Beach, 12925 East Gulf Boulevard, le **Hubbard's Marina Boardwalk Shops** ( (727) 398-6577, au Johns Pass Boardwalk. Plus loin au nord, on peut acheter des produits grecs dans le vieux village de pêcheurs de Tarpon Springs et des tartans écossais à Dunedin.

## Vie nocturne

La plupart des animations sont concentrées www.tradewindsresort.com, 5500 Gulf Boulevard, où les hôtes sont acheminés jusqu'à leur chambre en gondole ou en barque sur un réseau interne de canaux. Les installations de loisirs sont exceptionnelles, avec un centre de sports nautiques sur la plage privée, où vous pourrez pratiquer la planche à voile, le jet-ski, le pédalo et le parachute ascensionnel. On trouve des aménagements similaires au **Don CeSar Beach Resort and Spa** ( (727) 360-1881 APPEL GRATUIT (800) 282-1116 FAX (727) 367-6952 SITE WEB www.doncesar.com, 3400 Gulf Boulevard,

dans les îles, en particulier **The Beach Place** ( (727) 596-5633, 2405 Gulf Boulevard, Indian Rocks Beach, et **Cadillac Jack's** ( (727) 360-2099, 145 107th Avenue, Treasure Island.

Pour rire, on peut également recommander le **Coconuts Comedy Club** ( (727) 797-5653 ou (727) 515-8059, au Cinema Cafe, 24095 U.S. Highway 19 North, Clearwater.

---

## OÙ SE LOGER

### Luxe

Plusieurs hôtels de luxe sont installés à St. Petersburg Beach, notamment l'exotique **Tradewinds** ( (727) 562-1212 APPEL GRATUIT (888) 266-1233 FAX (727) 562-1222 SITE WEB un édifice rose de style méditerranéen qui abrite le fameux restaurant King Charles, et qui a longtemps été fréquenté par les célébrités comme Scott Fitzgerald.

### Prix moyens

À St. Petersburg, le **Orleans Bishop Bed and Breakfast** ( (727) 894-4312 APPEL GRATUIT (800) 676-4848 FAX (727) 822-1499 E-MAIL orleansbb@aol.com est un établissement calme et confortable au 256 First Street North. Vous pourrez vous détendre dans les fauteuils de rotin disposés sur sa véranda, et toutes les chambres sont décorées avec goût. Le **Bayboro House** (/FAX (727) 823-4955, 1719 Beach Drive Southeast, est installé dans l'un des édifices les plus anciens de la ville. Le porche est encadré de coquilles de conques, et l'intérieur est meublé de tables de marbre et d'horloges anciennes.

Les 43 chambres et appartements du **Long Key Beach Resort** ( (727) 360-1748 APPEL GRATUIT (888)566-4539 FAX (727) 367-9026, 3828 Gulf Boulevard, donnent sur la mer ; quant au **Dolphin Beach Resort** ( (727) 360-7011 APPEL GRATUIT (800) 237-8916 FAX (727) 367-5909 SITE WEB WWW .dolphinbeach.com, il offre 174 chambres confortables, et sa propre plage de sable blanc au 4900 Gulf Boulevard.

3400 Gulf Boulevard à St. Petersburg Beach, sert une délicieuse cuisine européenne que l'on déguste en admirant le golfe du Mexique à travers les baies vitrées. On peut également recommander le **Peter's Place** ( (727) 822-8436, 208 Beach Drive Northeast, St. Petersburg, qui propose un succulent couscous marocain et un filet de bœuf farci aux crevettes à l'ail et au beurre. Le Veal Kentucky (veau) à la sauce bourbon du restaurant **Palm Court** ( (727) 360-0061, à l'hôtel Tradewinds, 5500 Gulf Boulevard, St. Petersburg Beach, est encore

### Économiques

Dans la catégorie bon marché à St. Petersburg, on peut citer le **Grant Motel and Apartments** ( (727) 576-1369, 9046 Fourth Street North ; ou le **Beach Park Motel** ( (727) 898-6325 APPEL GRATUIT (800) 657-7687, 300 Northeast Beach Drive. A Clearwater Beach, essayez le sympathique **Ivy League Motel** ( (727) 446-3477, 600 Bayway Boulevard, tout de blanc et jaune, directement sur la baie, qui sort du lot par sa qualité.

### RESTAURANTS

### Prix élevés

Le **King Charles** ( (727) 360-1881, au cinquième étage du Don CeSar Beach Resort,

plus imaginatif. Si vous avez envie de fruits de mer grillés, optez pour le **Girard's** ( (727) 576-7076, à quelques kilomètres au nord, au 3580 Ulmerton Road, Clearwater.

### Prix modérés

Les amateurs de poisson se dirigeront vers le **Ted Peters** ( (727) 381-7931, 1350 Pasadena Avenue South, St. Petersburg, où le mulet et le maquereau sont fumés au bois de chêne. Estimez vous heureux si vous parvenez à réserver au **Six Tables** ( (727) 786-8821,

Le Don CeSar Beach Resort, CI-CONTRE, à St. Petersburg, et le Belleview Biltmore Hotel, CI-DESSUS, à Clearwater, sont deux exemples éblouissants des luxueux hôtels qui bordent la côte Ouest.

1153 Main Street, Dunedin. Le restaurant ne compte que 6 tables de deux personnes et sert un repas en six plats à prix forfaitaire, tous les soirs. La vraie cuisine grecque se déguste au **Mykonos** ℓ (727) 934-4306 sur le Sponge Docks, 628 Dodecanese Boulevard, Tarpon Springs.

### Économiques

On trouve à St. Petersburg de nombreux restaurants bon marché. Citons notamment le **Sunset Grill** ℓ (727) 823-2382, 2996 Ninth Street North, qui sert des hamburgers maison et des milkshakes onctueux. Musique Live les week-ends. Vous pouvez aussi tenter Hilda La Tropicana ℓ (727) 898-9902, 320 First Avenue North, qui sert d'énormes portions de spécialités cubaines. Le **Tamarind Tree Cafe** ℓ (727) 898-2115, 537 Central avenue, offre une savoureuse cuisine végétarienne avec par exemple du chili, des lasagnes et des macaroni au fromage. À North Redington Beach, le **Sweet Sage Cafe** ℓ (727) 391-0453, 16725 Gulf Beach Boulevard est une gallerie d'art avec un bistrot : à la carte, cafés en tous genres, soupes, salades et des desserts décadents.

### COMMENT S'Y RENDRE

L'aéroport international de St. Petersburg-Clearwater, situé à 16 km au sud-est de Clearwater, est desservi par un certain nombre de compagnies américaines et étrangères. Vous préférerez sans doute atterrir à l'aéroport international de Tampa, plus important.

En voiture, vous emprunterez les mêmes routes que pour vous rendre à Tampa. Si vous venez du sud, vous pourrez quitter l'Interstate 75 au nord d'Ellenton et prendre le Sunshine Skyway qui enjambe l'embouchure de la baie de Tampa pour atteindre St. Petersburg.

### SARASOTA

Surnommée la «capitale culturelle» de la Floride, Sarasota propose des spectacles de théâtre, de musique classique, d'opéra, et un certain nombre de galeries d'art très cotées. Au fil des années, de nombreux artistes, musiciens et écrivains se sont installés à Sarasota, attirés par la réputation de mécène de cette ville. C'est donc le lieu idéal si vous êtes en quête de culture pour accompagner le sable, le soleil et la mer.

### HISTORIQUE

Sarasota ne commença à se faire remarquer qu'en 1927, lorsque John Ringling, célèbre pour son cirque, établit dans la ville sa résidence d'hiver, où il abritait sa famille – et son cirque. Collectionneur d'art passionné, particulièrement intéressé par la Renaissance italienne et les œuvres baroques, il construisit un musée pour présenter ses acquisitions. Il finança également d'importants travaux d'amélioration de sa ville adoptive, construisant hôtels et ponts pour relier les îles, et subventionnant tous les arts. Les théâtres et galeries qui prolifèrent aujourd'hui à Sarasota témoignent du mécénat enthousiaste de Ringling.

### INFORMATIONS PRATIQUES

Le **Sarasota Convention and Visitors Center** ℓ (941) 957-1877, se trouve au 655 North Tamiami Trail, Sarasota 34236. La **chambre de commerce de Sarasota** ℓ (941) 955-2508, est au 1551 Second Street, Sarasota 33577.

Autres numéros de téléphone utiles : L'**Aéroport domestique de Sarasota-Bradenton** ℓ (941) 355-5200 ; **Airport Taxi** ℓ (941) 365-1360 ; **Taxis Yellow Cabs** ℓ (941) 955-3341 ; **Cabinet médical du comté de Sarasota** (le Jo Mills Reis Urgent Care Center) ℓ (941) 917-7777.

### QUE VOIR, QUE FAIRE

#### Excursions

À 5 km au nord de la ville, au 5401 Bayshore Road, à l'écart de la Route 41, la **propriété Ringling**, aujourd'hui ouverte au public, couvre 27 hectares.

Vous pourrez visiter la demeure de 32 pièces – qui est inspirée du palais des Doges de Venise, et dont la construction

La jetée de Naples se détache sur le coucher de soleil couleur cuivre. La ville de Naples, sur la côte Sud-Ouest, possède 66 km de plages.

coûta 1,5 million de dollars, somme consi-dérable à l'époque. Ringling y séjournait durant l'hiver, et l'avait baptisée **Ca'd'Zan** (un mot de patois vénitien signifiant «mai-son de saint Jean»).

Dans cette même propriété, le **Ringling Museum of Art** ( (941) 359-5700, abrite l'une des plus belles collections du pays en matière d'art de la Renaissance italienne et d'œuvres baroques, ainsi qu'une série de peintures et de cartons de tapisserie de Ru-bens d'une valeur inestimable, et des œuvres de Rembrandt et du Greco.

Road, qui présente des animaux de la jun-gle et des spectacles quotidiens donnés par des oiseaux et des reptiles.

Au **Mote Marine Science Center** ( (941) 388-4441 SITE WEB www.mote.org, 1600 City Island Park, les baigneurs apprendront en frissonnant que 27 espèces de requins peu-plent les eaux du golfe du Mexique. L'aquarium du centre contient des spéci-mens tels que «Nibbles», le requin nourrice, et présente la faune marine de la région. Si vous préférez les voitures classiques aux re-quins féroces, rendez-vous au **Bellm's Cars**

Près du musée d'art se dresse l'**Asolo Theater** ( (941) 355-8000, de style rococo, que Ringling fit livrer en pièces détachées d'un château italien d'Asolo jusqu'à sa pro-priété, où il le fit rassembler. On peut aussi admirer de multiples souvenirs de la grande époque du cirque dans les **Circus Galleries**. La propriété Ringling est ouverte de 10 h à 17 h 30.

Vous découvrirez des plantes rares et superbes, ainsi qu'une magnifique collec-tion d'orchidées, au très beau **Mary Selby Botanical Gardens** ( (941) 366-5730, 811 South Palm Avenue à l'écart de la Route 41. On peut aussi flâner parmi 6 ha de flore tropicale au **Sarasota Jungle Gardens** ( (941) 355-5305, 3701 Bayshore

**and Music of Yesterday** ( (941) 355-6228, 5500 North Tamiami Trail, pour admirer une collection de 200 superbes voitures ancien-nes, ainsi que de vieilles bicyclettes et d'anciens orgues de barbarie et juke-box.

La plage de **South Lido**, à la pointe sud de Lido Key, s'étend sur 40 ha et possède de nombreux aménagements de loisirs ; celle de **Siesta Beach**, sur Siesta Key, offre 16 ha de sable et d'excellentes installations de sport.

Deux attractions beaucoup plus bucoliques s'étendent à proximité de Sarasota : la **Oscar Sherer Recreation Area**, à environ 16 km au sud de la ville sur la Route 41, dispose d'em-placements de camping, de sentiers naturels et de sites de pêche ; dans le **Myakka River State Park** ( (941) 361-6511 SITE WEB www

.dep.state.fl.us/parks, à 24 km à l'est, au 13207 Route 72, vous pourrez faire des promenades en hydroglisseur dans une réserve naturelle de 11 600 ha, ou louer des canoës et séjourner dans des cabanes en rondins.

### Sports

Les passionnés de **base-ball** ne manqueront pas d'assister aux entraînements de printemps des Cincinnati Reds, au **Ed Smith Stadium** ( (941) 955-6501, à l'intersection de la 12$^{ème}$ rue et de Tuttle Avenue, Sarasota.

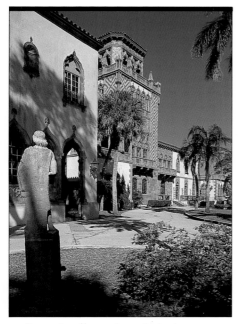

Sarasota offre un bon choix de parcours de **golf**, avec le **Sarasota Golf Club** ( (941) 371-2431, 7280 Leeswynn Drive, à l'écart de la Route 301, et le **Bobby Jones Golf Club** ( (941) 955-8097, 1000 Circus Boulevard.

Pour pratiquer les **sports nautiques**, rendez-vous au **Don and Mike's Boat and Ski Rental** ( (941) 966-4000, à Casey Key Marina. Vous pourrez louer des planches de surf, des skis nautiques, des jet-skis, des petits bateaux, et prendre des leçons de planche à voile et de ski nautique. Les passionnés de voile se rendront à la **O'Leary's Sarasota Sailing School** ( (941) 953-7505, 5 Bayfront Drive, Bayfront Park, près du restaurant Marina Jack's, à l'écart de la Route 41 sur les quais, pour louer des voiliers et prendre des cours.

### Shopping

Le **St. Armand's Circle** est l'un des centres commerciaux les plus célèbres – et les plus chics – de la côte Ouest. Il abrite une centaine de boutiques, qui proposent des cadeaux coûteux et des vêtements de grandes marques. Pour vous y rendre, prenez la Route 41 vers le sud jusqu'à la Route 789, tournez à droite et franchissez le Ringling Causeway. Le choix est tout aussi considérable, et les prix nettement plus abordables, au **Sarasota Square Mall**, 8201 South Tamiami Trail, ou au **Siesta Village**, 5000 Ocean Boulevard à Siesta Key.

### Vie nocturne

Le **Asolo Theatre Company** ( (941) 351-8000, 5555 North Tamiami Trail, dans la propriété Ringling au 5401 Bayshore Road, est une troupe professionnelle qui interprète un répertoire varié de novembre à mai, au at the Harold E. and Esther M. Mertz Theatre. Une petite compagnie professionnelle propose des drames contemporains, des comédies et des pièces musicales au **Florida Studio Theater** ( (941) 366-9796, 1241 North Palm Avenue ; enfin, les **Players of Sarasota** ( (941) 365-2494, interprètent des comédies, des pièces à suspense et des comédies musicales dans un théâtre communautaire à l'intersection de la Route 41 et de Ninth Street.

Le **Florida West Coast Symphony** ( (941) 953-4252, Beatrice Friedman Symphony Center, 709 North Tamiami Trail, se produit au cours de concerts, de la symphonie à la musique de chambre de septembte à juin, et on peut écouter des artistes de renommée mondiale, soutenus par de jeunes chanteurs de la région, au **Sarasota Opera** ( (941) 953-7030 FAX (941) 954-1362, un charmant théâtre à l'ancienne situé à l'angle des rues First et Pineapple.

### OÙ SE LOGER

### Luxe

Le **Hyatt Sarasota** ( (941) 953-1234 APPEL GRATUIT (800) 228-9000 FAX (941) 952-1987 SITE WEB www.hyatt.com, se trouve

CI-CONTRE : Les pélicans attendent le retour des bateaux de pêche à Cedar Key, sur la côte Ouest. CI-DESSUS : L'extérieur de la résidence d'hiver de John Ringling, Ca'd'Zan, à Sarasota.

au centre-ville, près d'une marina, au 1000 Boulevard of the Arts. Son restaurant, le Peppercorn's, est très réputé, et l'hôtel dispose d'un sauna, d'un club de remise en forme, et met des voiliers à la disposition de ses clients.

Les 232 villas et appartements du **Colony Beach and Tennis Resort** ( (941) 383-6464 APPEL GRATUIT (800) 282-1138 FAX (941) 383-7549, sur Longboat Key, au nord de Sarasota, sont disséminés dans un superbe jardin au bord de l'océan. Il propose des studios modernes et parfaitement équipés, et ses installations sportives tout comme sa plage sont d'une qualité irréprochable.

### Prix moyens

Au 6660 Tamiami Trail, le moderne et très confortable **Days Inn Sarasota** ( (941) 4993-4558, n'est qu'à 1,5 km de la plage. Face à l'océan au 459 Beach Road, sur Siesta Key, le **Crescent House** ( (941) 346-0857 SITE WEB www.cresenthouse.com, est un petit hôtel confortable, où le service est attentionné. Le petit déjeuner continental est gracieusement offert chaque matin.

### Économiques

Avec sa piscine et ses chambres spacieuses, le **Tides Inn** ( (941) 924-7541, 1800 Stickney Point Road, rappelle la Floride d'autrefois et présente un excellent rapport qualité-prix. Plusieurs hôtels bon marché s'alignent le long de North Tamiami Trail ; on peut citer le **Sarasota Motor Inn** ( (941) 355-7747, au n° 7251 ; et le **Quayside Inn** ( (941) 366-0414 FAX (941) 954-3379, au n° 270.

### RESTAURANTS

### Prix élevés

On déguste des fruits de mer frais accompagnés de salades croquantes au **Marina Jack's** ( (941) 365-4232, Two Marina Plaza, qui offre une vue superbe sur la baie de Sarasota depuis le centre-ville. Le *Marina Jack II* est un bateau à aubes qui part de la Marina Plaza pour des déjeuners et des dîners croisières. La cuisine du charmant **Osteria** ( (941) 388-3671, 29 1/2 North Boulevard of Presidents, est typique du nord de l'Italie, avec des spécialités comme

le veau au prosciutto. Le **Café L'Europe** ( (941) 388-4415, 431 Harding Circle sur Lido Key, est l'un des meilleurs restaurants européens de la région. Goûtez ses mignonnettes au poivre et son rouget belle meunière. Si vous préférez la cuisine américaine consistante, optez pour le **Michael's on East** ( (941) 366-0007 SITE WEB www.bestfood.com, 1212 East Avenue, Sarasota, où les desserts sont extraordinaires.

### Prix modérés

Le **Bistro at Island's End** ( (941) 779-2444, 204 Pine Avenue sert des plats inspirés pour un prix étonnamment bas. Pour déguster une cuisine américaine authentique, rendez-vous au **Poki Joe's Greatest Hits** ( (941) 922-5915, 6614 Superior Avenue, où la tourte aux épinards et la soupe aux saucisses connaissent un grand succès.

### Économiques

Tous les plats qui figurent au menu du **Der Dutchman** ( (941) 955-8007 SITE WEB www.derdutchmanfl.com, 3713 Bahia Vista, un établissement simple de style café, sont faits maison.

Comme son nom l'indique, le **Walt's Fish and Chips Restaurant** ( (941) 921-4605, 4144 South Tamiami Trail, est spécialisé dans le poisson et les huîtres. Pour dévorer des hot-dogs et des côtelettes au barbecue entourées d'une montagne de frites, rendez-vous à Siesta Key, au **Old Salty Dog Pub** ( (941) 349-0158, 5023 Ocean Boulevard.

### COMMENT S'Y RENDRE

L'aéroport de Sarasota-Bradenton est desservi par la plupart des grandes compagnies américaines ; quoi qu'il en soit, les aéroports de Tampa et St. Petersburg, plus importants, sont également à proximité.

L'Interstate 75 est la principale autoroute nord-sud de la région (plus pittoresque, la Route 41 vient également du sud). Les Routes 64 et 70 desservent Sarasota depuis l'est.

## LA CÔTE SUD-OUEST

La côte Sud-Ouest, surnommée Shell Coast (côte des Coquillages), s'étend de Captiva

Island, près de Fort Myers, jusqu'aux Ten Thousand Islands (Dix Mille Îles), non loin d'Everglades City, au sud. Fort Myers est un important centre de commerce et l'une des villes américaines dont la croissance est la plus rapide, tandis que la communauté balnéaire de Fort Myers Beach se trouve sur l'île d'Estero. Également dotées d'aménagements de luxe, les îles de Captiva et de Sanibel possèdent certaines des plus belles «plages à coquillages» du monde.

Plus au sud, la ville de Naples compte 66 km de plages et certaines des plus belles boutiques de la côte Ouest. Vous atteindrez ensuite Marco Island, avec ses immeubles résidentiels modernes en bord de mer et ses villages de pêcheurs soigneusement préservés, comme Goodland. À la pointe sud cette partie de la côte, les Ten Thousand Islands restent très sauvages et abritent une faune extrêmement variée.

*La côte Ouest*

## Informations pratiques

Pour vous renseigner à propos des sites touristiques, la **chambre de commerce** de Fort Myers ( (941) 332-3624 FAX (941) 332-7276 SITE WEB www.fortmyers.org, est installée au 2310 Edwards Street, P.O. Box 9289, Fort Myers 33902 ; la chambre de commerce de Fort Myers Beach ( (941) 454-7500 FAX (941) 454-7910 SITE WEB www.coconet.com/fmbeach, est au 17200 San Carlos Boulevard, à Fort Myers Beach 33931. La chambre de commerce de Sanibel-Captiva ( (941) 472-1080 FAX (941) 472-1070, est installée au 1159 Causeway Road, Sanibel 33957 ; et le Lee Island Coast Convention and Visitors Bureau ( (941) 338-3500 APPEL GRATUIT (800) 237-6444 FAX (941) 334-1106

Le Ringling Museum of Art abrite l'une des plus belles collections d'art de la Renaissance italienne et d'œuvres baroques aux États-Unis.

SITE WEB www.LeeIslandCoast.com, est au 2180 West First Street, Suite 100, ft. Myers, FL33901. La **chambre de commerce de Naples** ( (941) 262-6376 FAX (941) 262-8374, se trouve au 3620 Tamiami Trail North, Naples 33940. Le **Chamber Visitor Center** ( (941) 262-6141 FAX (941) 435-9910 SITE WEB www.naples-on-line.com, est au 895 Fifth Avenue South, Naples et **Visit Naples Inc** ( (941) 403-0600 FAX (941) visitnaples.com SITE WEB www.visitnaples.com, est situé au 1400 Gulfshore Boulevard North, Suite 218, Naples, Fl 34102.

Road 80, à 16 km à l'est de Fort Myers. Il est ouvert pour les ventes et les dégustations.

À Sanibel Island, ne manquez pas le **J.N. «Ding» Darling National Wildlife Refuge** ( (941) 472-1100, une réserve naturelle où s'ébattent quelque 300 variétés d'oiseaux et 50 espèces de reptiles. Vous pourrez vous promener sur ses sentiers ou louer un canoë au centre d'accueil, 1 Wildlife Drive.

À la pointe sud de l'île, le phare historique de Sanibel domine la plage de **Lighthouse Beach**, très appréciée pour la baignade, le bronzage et la chasse aux coquillages.

## QUE VOIR, QUE FAIRE

### Excursions

Thomas Edison passait l'hiver à Fort Myers, et on peut aujourd'hui visiter la **Edison and Ford Winter Estates** ( (941) 334-3614 SITE WEB www.edison-ford-estate.com, 2350 McGregor Boulevard. Un musée présente quelques-unes des 1 096 ( !) inventions brevetées par Edison, et la propriété de 5,5 ha abrite un superbe jardin botanique qui était entretenu par le grand homme lui-même. La maison et le jardin sont ouverts tous les jours.

Le vignoble **Eden Vineyards** ( (941) 728-9463, le plus méridional des États-Unis continentaux, se trouve tout près de la State

On trouve les plus beaux coquillages de Sanibel Island sur **Bowman's Beach**, au nord, plus tranquille que les plages du sud de l'île.

Les principales attractions de la région de Naples sont le **Corkscrew Swamp Sanctuary** ( (941) 348-9151, sur Sanctuary Road, à l'écart de la Route 41 au nord de Naples, où l'on découvre certains des plus vieux cyprès d'Amérique, ainsi que des oiseaux rares.

La **chambre de commerce** ( (941) 394-7549, 1102 North Collier Boulevard, Marco Island, vous donnera des renseignements sur Marco Island et la région des Ten Thousand Islands. Si vous souhaitez les découvrir, un bateau part de la station des gardes de la Gulf Coast à Everglades City.

Pour plus de renseignements, contactez le **Everglades National Park Boat Tours** ( (800) 445-7724, à Everglades City.

### Sports
Les parcours de **golf** sont nombreux le long de la côte Sud-Ouest.

On peut citer le **Bay Beach Golf Club** ( (941) 463-2064, 7401 Estero Boulevard, Fort Myers Beach ; le **Beachview Golf Club** ( (941) 472-2626, 110 Parkview Drive South,

( (941) 992-4050 FAX (941) 992-9023 SITE WEB www.all-florida.com/swestero.htm, 20991 South Tamiami Trail, Estero.

### Shopping
Les plus belles boutiques et magasins de luxe de Fort Myers sont rassemblées au **Royal Palm Square Shopping Center**, 1400 Colonial Boulevard.

À Sanibel Island, **Periwinkle Way** est bordée de boutiques de cadeaux, et offre un bon choix de magasins de sport et de maillots de bain.

Sanibel Island, et le **Boyne South Golf Club** ( (941) 732-0034, au 18100 Royal Tree Parkway, Naples.

Il existe littéralement des centaines d'endroits dans cette région où vous pourrez louer un **canoë**, **kayak**, **un voilier**, **jet-ski**, ou **bateau à moteur**. Les quelques uns cités ici proposent le plus vaste choix de services. **Adventures in Paradise** ( (941) 472-8443 FAX (941) 472-3922 SITE WEB www.portsanibelmarina.com, 14341 Port Comfort Road, Fort Myers ; **Captiva Kayak & Wildlife Adventures** ( (941) 395-2925 FAX (941) 472-5837, 15041 Captiva Drive, Captiva ; **Tarpon Bay Recreation Inc** ( (941) 472-8900 FAX (941) 395-2772, 900 Tarpon Bay Road, Sanibel ; Estero River Outfitters

Les commerces les plus élégants de la région se trouvent cependant à Naples, dans le **Old Marine Market Place**, 1200 Fifth Avenue South.

### Vie nocturne
La région de Fort Myers est la plus animée de cette côte. À Fort Myers même, le **Broadway Palm Dinner Theatre** ( (941) 278-4422 APPEL GRATUIT (800) 475-7256, 1380 Colonial Boulevard, sert un très bon buffet suivi d'un spectable de Broadway de très bonne qualité. Appelez l'**Alliance**

CI-CONTRE : Des bateaux de pêche au repos à Tarpon Springs. CI-DESSUS : Hommes et pélicans partagent une soirée de pêche tranquille sur une jetée de Sarasota.

of the Arts ℂ (941) 939-2787, pour connaître le programme de leur théâtre de 500
places ou de leur amphithéâtre extérieur.
Il sont situés au 10091 McGregor Boulevard à Fort Myers. De même, appelez le
**Old Schoolhouse Theatre** ℂ (941) 472-6862
pour savoir ce qui se passe dans cette ancienne école convertie en theatre/cabaret.
Le théâtre est au 1905 Periwindle Way,
Sanibel. Très près, la **Pirate Playhouse**
ℂ (941) 472-0006, 2200 Periwinkle Way, offre une variété de spectacles musicaux et
dramatiques.

de l'île. La navette en bateau jusqu'à l'île
peut être organisée au travers du **Recep-
tion center** au ℂ (941) 283-1061. À Naples,
vous pourrez choisir le superbe **Ritz-Carlton** ℂ (941) 598-3300 FAX (941) 598-6691
SITE WEB www.ritzcarlton.com, 280 Vanderbilt Beach Road.

### Prix moyens

Le confortable **Fountain Motel** ℂ (941) 481-
0429, 14621 McGregor Boulevard, Fort
Myers, loue des chambres et des appartements ; l'**Outrigger Beach Resort** ℂ (941)

### OÙ SE LOGER

### Luxe

À Fort Myers, le **Sanibel Harbor Resort
and Spa** ℂ (941) 466-4000 APPEL GRATUIT
(800) 767-7777 FAX (941) 466-6050 SITE WEB
www.sanibel-resort.com, 17260 Harbour
Point Drive, offre de luxueuses chambres
et de spacieux appartements donnant sur
l'environnement intact des îles Sanibel et
Captiva. Le **Collier Inn** ℂ (941) 283-4443, est
un inn de grande qualité sur Useppa Island
dans l'ancienne demeure du magnat de la
publicité, le Barron Collier. L'inn offre 3 suites luxueuses et 4 chambres somptueuses,
toutes meublées des meubles anciens les
plus rafinés avec des thèmes liés à l'histoire

463-6577, 6200 Estero Boulevard, se trouve
sur le front de mer de Fort Myers Beach.
**La Playa Beach/Racquet Inn** ℂ (941) 597-
3123 APPEL GRATUIT (800) 237-6883 FAX (941)
597-6278, près de Vanderbilt Beach au
9891 Gulf Shore Drive, Naples, est particulièrement conseillé aux familles.

### Économiques

Les établissements peu coûteux sont assez
rares dans cette région, mais parmi ceux
qui présentent un bon rapport qualité-prix,
on peut citer le **Ta Ki Ki Motel** ℂ (941) 334-
2135, 2631 First Street, Fort Myers ; le
**Dolphin Inn** ℂ (941) 463-6049 FAX (941)
463-2148 E-MAIL dolphin@olsusa.com,
6555 Estero Boulevard, Fort Myers Beach

et le **Flamingo Apartment Motel** ( (941) 261-7017 FAX (941) 261-7769383 Sixth Avenue South, Naples-on-the-Gulf.

## RESTAURANTS

### Prix élevés

On déguste de succulents fruits de mer au **Snug Harbor Restaurant and Lounge** ( (941) 463-8077, 645 San Carlos Boulevard, Fort Myers Beach.

**Morgan's Forest** ( (941) 472-4100, 1231 Middle Gulf Drive, Sanibel Island, est

### Économiques

À Fort Myers, vous pourrez prendre un déjeuner savoureux au **Woody's Bar-B-Q** ( (941) 997-1424, 6701 North Tamiami Trail, est simple, sympathique et excellent. À Fort Myers Beach, le **Pete's Time Out** ( (941) 463-5900, 1005 Estero Boulevard a une bonne soupe maison, ainsi que des salades et des sandwiches, tandis que **Dusseldorf's on the Beach** ( (941) 463-5251, Seafarers Village Mall, 1113 Estero Boulevard, a un menu «qui a été testé par des milliers de buveurs de bière du monde entier».

une véritable reproduction de la forêt tropicale sud américaine sur Sanibel Island qui à déjà remporté de nombreux prix et recompenses.

Le **Grill Room** ( (941) 598-3300 du Ritz-Carlton Hotel, 280 Vanderbilt Beach Road sert une superbe cuisine traditionnelle européenne.

### Prix modérés

Au **Prawnbroker** ( (941) 489-2226, 13451-16 McGregor Boulevard, Fort Myers, les fruits de mer sont impeccablement préparés et présentés.. Si vous souhaitez savourer une bonne cuisine familiale à Fort Myers, choisissez le **Riverwalk Fish and Ale House** ( (941) 263-2734, 1200 Fifth Avenue South.

## COMMENT S'Y RENDRE

L'aéroport régional de Southwest Florida, à 16 km au sud-est de Fort Myers, est desservi par de nombreuses compagnies nationales, et toutes les grandes agences de location de voitures sont présentes à l'aéroport.

Les principales routes nord-sud qui desservent la région sont l'Interstate 75 et la Route 41. La Route 17 atteint la côte Sud-Ouest depuis le nord-est, et l'Everglades Parkway («Alligator Alley») est la route principale qui arrive à Naples depuis l'est. La Route 80 dessert Fort Myers par l'est.

CI-CONTRE et CI-DESSUS : Deux manières d'accéder au golfe du Mexique.

# Les Everglades

## PARC NATIONAL DES EVERGLADES

Lorsqu'on évoque les Everglades, la plupart des gens imaginent un marais pullulant d'alligators. En réalité, cette région ressemble davantage à un vaste champ de blé du Midwest : une étendue d'herbe, interrompue par des bosquets de feuillus et de cyprès qui, à la fin de l'hiver et avant les pluies de printemps, paraissent totalement desséchés. Quand les pluies finissent par arriver et que le niveau des eaux s'élève, cette plaine

herbeuse se transforme en un «fleuve» de plus de 100 km de large, profond d'une quinzaine de centimètres, qui s'écoule lentement jusqu'à la côte Ouest et la baie de Floride. Ce fleuve présente un dénivelé de quatre mètres sur ses 160 km de longueur, ce qui donne une idée du relief désespérant des Everglades.

Le nom indien de cette région est *Pa-hay-okee*, qui signifie «eaux herbeuses». L'un des premiers géomètres qui y effectua des relevés la baptisa «River Glades» (sommières fluviales) mais les cartes ultérieures transformèrent «River» en «Ever», et ce nouveau nom s'imposa. Les sources de ces Everglades se situent

CI-DESSUS : Un pélican songeur dans les Everglades. CI-CONTRE : Les alligators pullulent dans les marais de Floride.

au niveau des rivières de la vallée de Kissimmee, au centre de la Floride, qui se jettent dans l'immense lac Okeechobee. Ce dernier alimente à son tour les eaux herbeuses. Au cours de son trajet vers le sud, le fleuve baigne une région au climat tantôt tempéré, tantôt subtropical, ce qui explique en partie la grande diversité de sa flore et de sa faune, avec des animaux comme le lamantin et la panthère de Floride, la moitié des 650 espèces d'oiseaux qui habitent l'Amérique du Nord, et 45 variétés de plantes uniques au monde.

Les Everglades irriguent également les exploitations agricoles installées à l'est, autour de la ville de Homestead et de Florida City, et alimentent en eau les millions d'habitants de la côte Sud-Est de la Floride. Les opérations de drainage nécessaires pour parvenir à ce résultat ont perturbé l'équilibre écologique des Everglades : le niveau d'eau baisse constamment depuis plusieurs années, à mesure qu'augmente la demande des populations des villes côtières aux piscines assoiffées.

Le parc national des Everglades couvre plus de 500 000 ha de terres et de côtes protégées qui s'étendent d'Everglades City au nord-ouest jusqu'à la côte, près de Key Largo au sud-est. Il est surveillé de près par les gardes du parc et jalousement entretenu par les écologistes.

### HISTORIQUE

Les Indiens Calusas, Tequestas et Mayaimis vécurent à Pa-hay-okee pendant deux mille ans avant l'arrivée des colons blancs dans la seconde moitié du XIXᵉ siècle. Ces derniers réquisitionnèrent le marais pour le cultiver. En 1909, on acheva la construction d'un canal reliant le lac Okeechobee à Miami, et de nombreux canaux d'irrigation et des digues furent mis en place à travers les plaines, entravant les fluctuations naturelles du niveau de l'eau. Au cours des années 1920, plusieurs ouragans gonflèrent les eaux du lac Okeechobee, provoquant des inondations qui entraînèrent la mort de 2 000 personnes. Par la suite, l'armée américaine érigea la digue Hoover autour du lac et construisit 2 254 km de canaux et de levées supplémentaires pour réguler et canaliser les eaux du lac et des Everglades.

Tout cela bouleversa complètement l'écosystème, qui exigeait que les marais soient «secs» durant l'hiver et traversés par la rivière en été. À plusieurs reprises, une mauvaise gestion de l'eau provoqua une inversion complète de ce cycle, avec des résultats dévastateurs sur la flore et la faune : depuis 1930, les Everglades ont perdu environ 90 % de leurs oiseaux des marais et échassiers, et sans d'énormes efforts de protection, les alligators eux-mêmes auraient disparu.

En 1947, une écologiste nommée Marjorie Stoneman Douglas publia un ouvrage inti-

tulé *The Everglades : River of Grass*, (*Les Everglades : un fleuve d'herbe*) qui commence par ces mots : «Les Everglades sont uniques au monde.» Elle mettait ainsi les hommes en garde contre le risque d'anéantissement de ce fragile écosystème si des mesures n'étaient pas prises rapidement. Cet ouvrage obtint un certain succès et, la même année, le président Truman créa le parc national des Everglades. En 1989, 42 800 ha de la Shark River Slough, d'une grande importance écologique, furent intégrés au parc. Un projet d'assainissement des eaux est très avancé, et l'armée a été appelée pour réparer les dégâts occasionnés par ses travaux.

D'autre part, et c'est peut-être le plus important, les responsables politiques ont compris que la protection des Everglades était électoralement rentable. Finalement, les «eaux herbeuses» parviendront peut-être à survivre.

## INFORMATIONS PRATIQUES

L'organisme fédéral responsable du site est le **National Park Service** ( (305) 242-7700

SITE WEB www.nps.gov/ever, dont vous trouverez les locaux situés dans le parc au 40001 State Road 9336, Homestead.

Une autre source d'information pour préparer un voyage aux Everglades peut-être le **Tropical Everglades Visitor Association** ( (305) 245-9180 FAX (305) 247-4335 APPEL GRATUIT (800) 388-9669 SITE WEB www.tropicalevergaldes.com, 160 U.S. Highway 1, Florida City.

Pour toute information concernant l'hébergement dans les villes voisines du parc, contactez la **chambre de commerce de Greater Homestead-Florida** City ( (305) 247-2332 au 540 North Homestead Boulevard, Homestead 33030, la **Chambre de Commerce de la région des Everglades** ( (941) 695-3941, 32016 East Tamiami Trail, Everglades City ou le **Marco Island and Everglades Convention and Visitors Bureau** ( (800) 788-MARCO, 1102 North Collier Boulevard, Marco Island.

En cas d'**urgence médicale dans le parc** appelez le ( (305) 242-7272.

En dehors du par et dans les environs de Florida City, vous pouvez appeler le **Physicians Office of Florida City** ( (305) 245-0110, 646 W. Palm Drive, Florida City.

L'hiver, ou saison sèche, est la période la plus propice à une visite des Everglades, pour deux raisons : c'est l'époque de la plus forte concentration d'oiseaux et il y a beaucoup moins de moustiques et autres insectes affamés, qui peuvent se montrer très désagréables en d'autres saisons. (L'été, munissez-vous d'une bonne quantité de lotion antimoustiques.) Quelle que soit la saison, méfiez-vous des plantes vénéneuses et des serpents venimeux (en particulier les serpents corail, les vipères d'eau, les crotales et les massassaugas) décrits en détail dans les guides illustrés. Si vous ne sortez pas des sentiers officiels et respectez toutes les indications, vous pourrez vous promener sans inquiétude.

Si vous décidez de partir seul en excursion, n'oubliez pas d'indiquer l'itinéraire prévu au poste de gardes forestiers le plus proche. Le parc est très vaste, et les points de référence sont limités ; il arrive que des explorateurs en herbe trop présomptueux disparaissent dans les Everglades sans laisser de traces. N'oubliez pas que vous n'êtes pas dans un parc à thème ou un zoo, mais dans l'une des plus vastes régions sauvages du monde.

Enfin, *évitez* (c'est déjà arrivé) d'approcher ou de toucher un alligator, même s'il semble très somnolent. Ces animaux sont capables de réactions d'une vivacité extrême qui pourraient bien constituer votre dernière surprise si vous les approchez de trop près.

## QUE VOIR, QUE FAIRE

Trois entrées principales donnent accès au parc : à Shark Valley au nord-est, à l'écart de la Route 41 ; à Everglades City au nord-ouest, sur la Route 29, à l'écart de la Route 41 ; et au sud-ouest d'Homestead, au centre d'accueil principal, sur la Route 9336 : cette dernière est la plus pratique si vous ne pouvez passer qu'une journée dans le parc. Le centre d'accueil propose un petit film consacré à la faune et à l'écologie des Everglades, et des guides et des cartes gratuits indiquent les attractions et les sentiers du parc. Des naturalistes dirigent des randonnées ou des excursions en canoë, mais vous pourrez aussi partir par vos propres moyens en empruntant une route de 61 km, l'Ingraham Highway, qui traverse des plaines d'herbes, des bosquets de feuillus et de cyprès, et des mangroves jusqu'au village de pêcheurs de Flamingo, à 56 km au sud-ouest.

De part et d'autre de la route, des pistes et des sentiers en bois mènent parfois à des «hammocks» (des buttes et des éminences boisées dans les marais). Le premier virage sur la gauche vous conduira au centre d'accueil de Royal Palm, qui présente des diaporamas et où les gardes forestiers vous indiqueront les différents sentiers débouchant du centre. Les pistes Anhinga et Gumbo Limbo sont des promenades en planches particulièrement appréciées, d'où l'on peut observer alligators, aigrettes, hérons, ratons laveurs, opossums et lézards. Il y a bien d'autres bifurcations avant Flamingo ; les cartes et guides officiels vous les signaleront et vous indiqueront les curiosités à ne pas manquer.

En arrivant à Flamingo, rendez-vous au centre d'accueil pour vous renseigner à propos des chemins, des circuits en bateau, des aires de pique-nique, des terrains de camping et des attractions particulières à cette région. Dans le village, vous trouverez un restaurant, un magasin, un motel et une marina, ainsi qu'une plate-forme d'observation avec télescopes permettant de découvrir les îles, la faune et la flore du large.

Le Tamiami Trail (Route 41) relie Miami à Everglades City sur la côte Ouest. C'est un excellent itinéraire pour découvrir les attractions du nord du parc. À 40 km à l'ouest de Miami, cette route atteint le **Miccosukee Indian Village** ( (305) 223-8380 ou 223-8388, FAX (305) 223-1011, où 500 Indiens Miccosukees vivent et travaillent. Vous pourrez observer les artisans et acheter leurs créations, mais aussi assister à des combats entre

hommes et alligators, vous promener sur des planches ou embarquer dans un hydroglisseur pour découvrir le décor sauvage de la région. Le village est ouvert tous les jours de 9 h à 17 h. À 1,5 km à l'ouest, on parvient à l'entrée de **Shark Valley** ( (305) 221-8455, qui donne accès au parc. Un tramway effectue un circuit de 24 km dans les Everglades. Il fait une halte devant une tour d'observation qui offre une vue panoramique sur la campagne environnante et ses habitants, notamment des alligators, des loutres, des ibis et des milans. Il vaut mieux réserver pour la période de décembre à mars.

CI-CONTRE : Un balbuzard monte la garde depuis son perchoir. CI-DESSUS : Un pilote de bateau dans le parc national des Everglades.

À Everglades City, vous pourrez effectuer une excursion en bateau de 19 km dans la région des Ten Thousand Islands. Les bateaux d'**Everglades National Park Boat Tours** ( (941) 695-2591 APPEL GRATUIT (800) 445-7724, partent d'un embarcadère situé à environ 1,5 km au sud du poste de gardes de la Gulf Coast sur la Route 29, à l'écart de la Route 41. Si vous vous trouvez à Chokoloskee Bay au coucher du soleil, vous admirerez jusqu'à 20 000 oiseaux qui regagnent leur nid sur le continent. Pour plus de renseignements sur la région, contactez le centre d'accueil du parc

national des Everglades ( (813) 695-3311, sur la Route 29 au sud d'Everglades City.

Plus au sud le long de la côte, le *Bald Eagle* part de l'embarcadère de Flamingo Marina ( (941) 695-3101 APPEL GRATUIT (800) 600-3813 FAX (813) 695-3921, pour excursion d'une heure et demie dans la baie de Florida, qui permet d'admirer de près la faune fascinante des îles. Au même numéro de téléphone, renseignez-vous sur la croisière de deux heures qui part également de la marina de Flamingo, et explore les estuaires tropicaux et la mangrove côtière. Vous pourrez observer des lamantins, des dauphins, des requins et une multitude d'oiseaux, parmi lesquels l'aigle chauve. En hiver, il est fortement conseillé de réserver pour toutes les excursions en bateau.

Il existe aussi une route aquatique intérieure, le **Wilderness Waterway**, qui relie Flamingo à Everglades City ; le parcours est indiqué par des panneaux placés tout le long de ses 159 km. Vous pourrez obtenir plus de renseignements auprès du centre d'accueil du village. À la marina de Flamingo, on peut louer des hors-bord et parcourir cet itinéraire en six heures environ.

**Coopertown Airboat Ride** ( (305) 226-6048, 22700 Southwest Eighth Street, près de Krome Avenue, à l'ouest de Miami, propose des excursions de trente minutes vers les bosquets de feuillus et les repaires d'alligators.

**Sports**

Vous pourrez louer un **canoë** et partir en excursion guidée en vous adressant à **N.A.C.T. Everglades Canoe/Kayak Outpost** ( (941) 695-4666 FAX (941) 695-4155, 107 Camellia Street, Everglades City.

Il existe six circuits dans la région de Flamingo, dont l'un sillonne la partie sud du Wilderness Waterway. On peut louer des canoës, des yoles et des péniches à la marina de Flamingo.

Pour ceux qui veulent pêcher, contactez le **Back Country Sports Fishing** ( (305) 248-9470, 28230 Southwest 136th Place, Homestead. Pour partir pêcher en bateau, essayez le **Captain Adam Redford Inc.** ( (305) 255-7618 FAX (305) 254-3012, 8701 Southwest 148th Street, Flamingo dans Everglades National Park.

Les golfers peuvent s'essayer sur deux parcours ouverts au public : **Redland Golf and Country Club** ( (305) 247-8503, 24451 S.W. 177 Avenue, Homestead et **Keys Gate Golf & Tennis Club** ( (800) KEYS-GATE, 888 Kingman Rd Homestead, un 18 trous, par 71.

**Shopping**

La boutique de la marina de Flamingo propose les habituels cadeaux et souvenirs, des guides des Everglades, quelques objets d'artisanat local, des pellicules, de la lotion solaire, et l'indispensable lotion antimoustiques.

Homestead est la seule ville proche des Everglades qui possède un grand choix de commerces. Quoi qu'il en soit, on ne va pas dans les Everglades pour faire du shopping.

## OÙ SE LOGER

Si vous préférez séjourner dans l'agglomération de Miami, sachez qu'il vous faudra franchir des encombrements considérables pour parvenir à une entrée du parc. En outre, Homestead dispose de plusieurs hôtels confortables aux prix modérés, parmi lesquels le **Holiday Inn** ℂ/FAX (305) 247-7020, 990 North Homestead Boulevard, qui offre 139 chambres et une piscine ; et le **Greenstone Motel** ℂ (305) 247-8334.

Les **terrains de camping** des Everglades sont rudimentaires (autrement dit, sans électricité). Vous devrez apporter vos provisions et votre eau (n'oubliez pas la lotion antimoustiques). Attention : les gardes du parc sont très sévères avec les campeurs qui laissent des détritus. Pour tout renseignement sur les terrains et les permis nécessaires, adressez-vous aux postes de gardes forestiers de Flamingo et d'Everglades City, ou à l'un des centres d'accueil situés aux entrées du parc et dans les terrains de camping.

À Everglades City, vous trouverez des chambres décorées avec goût et des villas de deux pièces au **Captain's Table Lodge and Villas** ℂ (941) 695-4211 APPEL GRATUIT (800) 741-6430, FAX (941) 695-2633, 102 Broadway Street. Le plus célèbre hôtel des Everglades est sans doute le **Flamingo Lodge Marina and Outdoor Resort** ℂ (941) 695-3101 APPEL GRATUIT (800) 600-3813 FAX (941) 695-3921 SITE WEB www.amfac.com, à Flamingo, doté de 103 chambres et 24 bungalows avec kitchenette. Le personnel est très sympathique, les chambres donnent sur la baie de Florida et l'établissement dispose d'une marina. Il vaut mieux réserver pour l'hiver. Comme le Captain's Table, le Flamingo Lodge applique des prix modérés.

## RESTAURANTS

C'est sur la Tamiami Trail (Route 41) entre Miami et Shark Valley et la région située entre Homestead et Florida City, que l'on trouve les meilleurs restaurants de la région des Everglades.

Le **Miccosukee Restaurant** ℂ (305) 223-8388, proche de l'entrée de Shark Valley sur la Route 41, est un bon restaurant qui sert des délicieux spécialités indiennes. Le menu comprend de délicieux pain au potiron, des tacos indiens, du poisson-chat pané et des cuisses de grenouilles, à des prix très raisonnables.

CI-CONTRE : Les visiteurs s'intéressent à la faune locale. CI-DESSUS : Un escadron de becs-en-ciseaux.

LES EVERGLADES ET LES KEYS

À Everglades City, le **Rod and Gun Club** ( (941) 695-2101, 200 Riverside Drive, sert de délicieux steaks, des volailles et des fruits de mer sur le porche, d'où vous pourrez observer les bateaux qui passent. Au premier étage du centre d'accueil de Flamingo, le **Flamingo Restaurant** ( (941) 695-3101, offre des vues merveilleuses sur la baie de Florida, et un menu éclectique comprenant de la longe de porc rôtie à l'ail et au citron vert, du poulet teriyaki et du marlin frit.

## COMMENT S'Y RENDRE

La plupart des visiteurs des Everglades arrivent à l'aéroport international de Miami. La **navette Airporter** ( (305) 876-7077, dessert régulièrement Homestead ; vous pourrez aussi louer une voiture à l'aéroport.

Une autre solution consiste à atterrir à l'aéroport municipal de Naples, au nord d'Everglades City.

Si vous arrivez du nord en voiture le long de la côte Est, vous emprunterez la Route 1 ou la Route 997 (Krome Avenue) jusqu'à la région de Homestead-Florida City. Lorsque vous atteindrez la Route 9336, tournez à droite : vous parviendrez ainsi au centre d'accueil principal, puis à Flamingo. La Route 41 – également appelée Tamiami Trail – relie Miami à l'entrée de Shark Valley, puis à Everglades City. Cette route est également la voie principale qui longe la côte Ouest jusqu'aux Everglades.

Un nid d'anhingas dans les Everglades.

# Les Keys

L'ARCHIPEL D'ÎLES DE CORAIL et de calcaire appelées Keys s'étire en courbe sur 200 km vers le sud-ouest à partir de la baie de Biscayne et jusqu'à Key West. Sur les cartes, il apparaît comme une longue digue, battue et percée, mais qui continue à empêcher les eaux de l'Atlantique de s'abattre sur les marais du sud de la Floride.

En réalité, les Keys possèdent leur propre mur de défense immergé, un récif corallien vivant (le seul des États-Unis) qui s'étend au large de la côte Est des Keys. Ce récif protecteur atténue la puissance des vagues et explique le nombre étonnamment réduit de plages que l'on trouve sur les côtes orientales des Keys.

Le nom de «Key» est dérivé de l'espagnol *cayo*, qui signifie «petite île». Ces îles portent le nom de Keys depuis le début du XIXe siècle. Au XVIe siècle, l'explorateur Ponce de León les avait baptisées *Los Martires* et, au cours des XVIIe et XVIIIe siècles, les anses et les criques des Martires constituaient des repaires idéaux pour les célèbres pirates comme Barbe Noire et Lafitte, qui attaquaient régulièrement des navires espagnols chargés de trésors en provenance d'Amérique du Sud.

Au début du XIXe siècle, la piraterie avait disparu, et les îles furent rebaptisées Florida Keys. La première communauté américaine qui s'implanta sur ces îles choisit Key West, qui devint un important centre du sauvetage en mer, doté d'un port en eau profonde ; elle continua à prospérer durant tout le XIXe siècle, tandis que d'autres Keys restaient pratiquement vierges et inhabitées – à l'exception de quelques tribus indiennes et d'une poignée de petits villages de sauveteurs dans les Keys moyennes et supérieures.

C'est en 1905 que les Keys attirèrent l'attention de Henry Flagler, qui décida de prolonger son chemin de fer jusqu'à Key West. Il prévoyait que ses trains transporteraient de riches vacanciers vers de luxueuses stations balnéaires, et achemineraient des marchandises vers Key West. La ligne, achevée en 1916, comprenait un pont de plus de 11 km de long. En 1935, une grande partie de la voie ferrée fut détruite par un terrible cyclone. Quelques années plus tard, une route suivit littéralement les traces de la voie ferrée, et l'Ocean Highway – ou Route 1 – reste à ce jour la plus longue

route au monde sur l'océan. Elle est bordée de bornes indicatrices de miles (MM) et, dans la mesure où c'est la seule route qui dessert les Keys, la plupart des hôtels, des restaurants et des commerces ont pour adresse le numéro de la borne la plus proche (par exemple, le Caribbean Club, Route 1, MM 104). La première borne, portant le numéro MM 126, se trouve à 1,6 km au sud de Florida City, et la dernière, le MM 0, est installée à Key West. Si une adresse se situe entre deux bornes, le numéro est suivi de «,5».

Les Keys sont aujourd'hui des destinations très fréquentées, qui offrent de multiples installations pour la pêche, la plongée et les sports nautiques. C'est le seul endroit où l'on peut assister au lever du soleil sur l'Atlantique, puis, après avoir flâné vers l'autre côté de l'île, admirer le coucher du soleil sur le golfe du Mexique. Au bout de l'Ocean Highway, la ville la plus méridionale des États-Unis évoque des noms prestigieux : c'est en effet à Key West que vécurent Ernest Hemingway, Tennessee Williams, Wallace Stevens, et bien d'autres grands écrivains américains.

## DE KEY LARGO À LONG KEY

Les îles qui s'étendent de Key Largo à Long Key sont appelées Upper Keys (Keys supérieures). Situées à quelques heures de route de Miami et de Palm Beach, ce sont les plus touristiques de l'archipel. Key Largo est le point de départ des 182 km de l'Ocean Highway qui mène à Key West. Cette île est peut-être plus connue en tant que décor du film homonyme, interprété par Humphrey Bogart et Lauren Bacall. Dans la mesure où elle est la plus proche du John Pennekamp Coral Reef State Park, le premier parc sous-marin du monde, c'est aussi le site de plongée le plus fréquenté de la région.

Plus au sud, on atteint Upper et Lower Matecumbe Keys, dont le nom vient de l'espagnol *matar* («tuer») et *hombre* («homme»), une référence qui se passe de commentaires quant à l'accueil que réservaient autrefois les Indiens aux marins naufragés. Ces îles sont particulièrement réputées pour la

Une croisière dans les Keys : l'un des loisirs les plus appréciés en Floride.

pêche. Islamorada est surnommée l'«île pourpre» en raison de la couleur des escargots qui proliféraient jadis sur ses côtes ; Indian Key abrite une végétation tropicale luxuriante ; Long Key est renommée pour la qualité de ses plages et de ses installations de camping.

## INFORMATIONS PRATIQUES

La **chambre de commerce de Key Largo** ( (305) 451-1414 APPEL GRATUIT (800) 822-1088, se situe au MM106 bayside, Key Largo. La

40 variétés de coraux et 650 espèces de poissons. Des séances de plongée avec tuba ou bouteilles, ainsi que des promenades en bateau à fond de verre, permettent d'observer coraux, poissons et épaves. Sur la côte, vous trouverez aussi des plages et des sentiers naturels. Le parc dispose en outre d'un aquarium, d'une boutique de cadeaux et d'un centre d'accueil. Il est ouvert tous les jours, de 8 h au coucher du soleil. L'entrée est payante, de même que les excursions en bateau et les séances de plongée, pour lesquelles vous devrez réserver.

**chambre de commerce de Islamorada** ( (305) 664-4503 APPEL GRATUIT (800) 322-5397, est elle au MM 82,5 bayside, Islamorada. Le **Florida Keys and Key West Visitors Bureau** ( (305) 296-1552 APPEL GRATUIT (800) 352-5397 SITE WEB www .fla-keys.com, peut être joint à l'adresse P.O. Box 1147, Key West 33041.

## QUE VOIR, QUE FAIRE

### Excursions

La principale attraction de la région de Key Largo est le **John Pennekamp Coral Reef State Park** ( (305) 451-1202 ou (305) 451-1621, Route 1, MM 102,5. Il s'étend sur 34 km de long et 13 km de large, soit plus de 800 ha de terres et 287 km² d'océan, et abrite

Les admirateurs de Bogart seront intéressés d'apprendre que le bateau utilisé pour le tournage du film *African Queen* est exposé devant le Holiday Inn Dock, sur la Route 1, au MM 100.

À Islamorada, les bateaux à fond de verre de **Key Largo Glass Bottom Boat** ( (305) 451-4655, partent vers les récifs coralliens de John Pennekamp Coral Reef State Park et vous permettront de découvrir le **Theater of the Sea** ( (305) 664-2431, Route 1, MM 84,5, l'un des plus beaux parcs maritimes du pays ; vous assisterez à des spectacles de dauphins et d'otaries, et admirerez des requins et des raies. Le parc est ouvert tous les jours de 9 h 30 à 16 h. Réservez à l'avance pour vous baigner parmi les dauphins.

Le **Indian Key State Historic Site** ( (305) 664-9814 SITE WEB www.dep.state.fl.us /parks, est accessible en bateau depuis le MM 77,5, Indian Key Fill, entre Upper et Lower Matecumbe Keys. Depuis l'île d'**Indian Key** ( (305)664-9814, qui couvre 4 ha, des guides vous conduiront vers un village de naufragés reconstitué, entouré d'une végétation luxuriante. D'autres bateaux partent du MM 77,5 pour **Lignumvitae Key** ( (305) 664-4815, un îlot vierge et inhabité, où la flore tropicale est identique à celle qui couvrait autrefois la plupart des Keys. À Long Key, le **Long Key**

**State Park** ( (305) 451-1621, Route 1, MM 102,5, dispose d'un centre de sports nautiques qui propose des séances de **plongée avec tuba** trois fois par jour, des sorties de **plongée avec bouteilles**, deux fois par jour, et une sortie d'une journée associant **voile** et **plongée avec tuba**. La boutique de plongée du centre loue toutes sortes d'équipements, des voiliers, des canoës et des **planches à voile**.

Tout le long de la Route 1, dans le secteur de Key Largo, des boutiques accueillent les pêcheurs et les amateurs de sports nautiques.

**State Park** ( (305) 664-4815, Route 1, MM 67,5, est apprécié pour ses plages et ses installations de camping.

## Sports

Les **sports nautiques** sont naturellement les plus pratiqués dans les Keys. On peut organiser des **expéditions de pêche** à Islamorada, auprès de **Sailors Choice Holiday Isle Resort Marina** ( (305) 664-2321 APPEL GRATUIT (800) 327-7070 SITE WEB www.theisle.com, Route 1, MM 84,5 ; sur ce même port de plaisance, vous pourrez aussi prendre des **cours de plongée**, partir en expédition sur les épaves, louer du matériel ainsi que des bateaux et des yachts. Le **John Pennekamp Coral Reef**

## Shopping

Dans les Upper Keys, c'est Key Largo qui rassemble le plus grand nombre de commerces : épiceries, quincailleries, boutiques de cadeaux, de pêche et magasins proposant tout le nécessaire pour la plage. À Islamorada les Bimini Town Shops installés près du Holiday Isle Resort, Route 1, MM 84, proposent des maillots de bain et des vêtements de plage.

## Vie nocturne

Au **Caribbean Club** ( (305) 451-9970, Route 1, MM 104, vous pourrez vous installer sur la véranda pour siroter un cocktail en

CI-CONTRE : Grappe de flotteurs. CI-DESSUS : Des bateaux de pêche au gros ancrés à Key West.

admirant le coucher du soleil sur le golfe du Mexique. C'est d'ailleurs ici que fut tournée une partie du film *Key Largo*. Bogart aimerait cet endroit tel qu'il est aujourd'hui, ouvert 24 heures sur 24. La boîte de nuit la plus animée de Key Largo est le **Coconuts** ( (305) 451-4107, MM 100 à Marina del Mar, qui propose de la musique disco et accueille des orchestres de reggae. La vie nocturne d'Islamorada tourne autour du **Holiday Isle Resort** ( (305) 664-2321, Route 1, MM 84, où vous trouverez le **Tiki Bar**, le **Bilge Bar**, le **Kokomo Beach Bar**, et le **Horizon**

**Restaurant** au dernier étage de l'hôtel, animé par des orchestres de danse qui jouent de la musique douce.

## OÙ SE LOGER

### Luxe

Doté de certaines des meilleures installations de Key Largo, le **Marina del Mar** ( (305) 451-4107 APPEL GRATUIT (800) 451-3483 FAX (305) 451-1891 SITE WEB www.marinadelmar.com, Route 1, MM 100, 527 Caribbean Drive, possède une marina où l'on peut louer des équipements de sports nautiques, plusieurs courts de tennis, un centre de remise en forme, une piscine, un night-club, et des chambres spacieuses et bien aménagées, dont

certaines sont équipées d'une petite cuisine. L'hôtel est idéalement situé, à proximité des sites de plongée. L'autre grand hôtel de Key Largo est le **Westin Key Largo** ( (305) 852-5553 APPEL GRATUIT (800) 539-5274 SITE WEB www.1800keylargo.com, Route 1, MM 97, 97000 South Overseas Highway, face au golfe du Mexique.

Un hôtel d'Islamorada dispose de la plupart des aménagements dont on peut rêver : sept salons-bars, cinq restaurants, des boutiques en bord de plage, deux piscines, un célèbre parc maritime tout proche, et des chambres de luxe ainsi que des suites et des appartements entièrement équipés. Il s'agit du **Holiday Isle Resort** ( (305) 664-2321 APPEL GRATUIT (800) 327-7070, à l'écart de la Route 1 au MM 84. Un peu plus loin, au MM 82 à Islamorada, le **Cheeca Lodge** ( (305) 664-4651 APPEL GRATUIT (800) 327-2888 FAX (305) 664-2893, est un ancien pavillon de pêche récemment rénové. Son parc de 10 ha abrite un centre thermal, des courts de tennis et un parcours de golf de neuf trous. On peut pêcher et faire de la plongée depuis la jetée qui s'avance dans l'Atlantique.

### Prix moyens

Sept charmants bungalows de deux ou trois chambres sont nichés dans un jardin tropical en bord de plage au **Largo Lodge** ( (305) 451-0424 APPEL GRATUIT (800) 468-4378, Route 1, MM 101,5 ; quant au **Stone Ledge Lodge** ( (305) 852-8114, Route 1, MM 95,3, 95320 Overseas Highway, il propose des chambres simples et des studios dominant une petite plage.

### Économiques

Les hôtels peu coûteux sont rares dans les Keys, surtout à proximité de Key West, mais à Key Largo, le charmant **Ed & Ellen's** ( (305) 451-4712 APPEL GRATUIT (8000 889-5905, ROUTE 1, MM 103,4, dispose de 6 chambres ; le **Sea Trail Motel** ( (305) 852-8001, Route 1, MM 98,5 en offre huit et le Tropic Vista Motel ( (305) 852-8799 APPEL GRATUIT (800) 537-3253, Route 1, MM 90,5 en a 24. Le camping est une alternative bon marché répandue dans la région. **Key Largo Campground** ( (305) 451-1431 APPEL GRATUIT (800) 526-7688, Route 1, MM 101,5 est à 10 minutes de l'océan tandis que **America**

**Outdoors** ( (305) 852-8054, Route 1, MM 97,5 offre 154 places et une plage de sable.

## RESTAURANTS

### Prix élevés

Une ambiance très simple règne au **The Quay** ( (305) 451-0943 APPEL GRATUIT (800) 927-7126 SITE WEB www.quayrest.com, Route 1, MM 102, Key Largo, qui domine le golfe du Mexique et propose de la viande d'alligator sautée au beurre, à l'ail et au citron. La renommée du **Marker 88** ( (305)

852-9315 est telle qu'il faut réserver longtemps à l'avance pour espérer obtenir une table. Cette réputation est justifiée, et l'adresse est facile à deviner : MM 88, Route 1, Plantation Key. Au dernier étage du Holiday Isle Resort à Islamorada, au MM 84, le **Horizon Restaurant** ( (305) 664-2321, offre des vues merveilleuses sur l'océan ; le président George Bush dîna un soir à l'**Atlantic Edge** ( (305) 664-4651, dans le Cheeca Lodge Hotel, au MM 82, qu'il qualifia de vraiment formidable.

### Prix modérés

Le très populaire **Ziggy's Conch Restaurant** ( (305) 664-3391, Route 1, MM 33, Islamorada, offre certains des meilleurs fruits de mer

des Keys, tout comme le **Italian Fisherman** ( (305) 451-4471, Route 1, MM 104, Key Largo : ne manquez pas les *linguini mareciaro*, un mélange de palourdes, de coquilles Saint-Jacques et de crevettes servies dans une sauce au beurre et à l'ail, accompagnées de linguini. On déguste non seulement des fruits de mer, mais aussi des steaks et d'excellentes côtes de bœuf au **Green Turtle Inn Restaurant** ( (305) 664-9031, Route 1, MM 81,5, Islamorada. Le **Coral Grill** ( (305) 664-4803, Route 1, MM 83,5, Islamorada, dispose d'un buffet gastronomique au premier étage et d'un bar avec salades, soupes et fruits de mer au rez-de-chaussée.

### Économiques

À Islamorada, deux établissements se distinguent : le **Lor-e-lei on the Gulf** ( (305) 664-4656, au MM 82, qui surplombe un petit port et propose de l'agneau et des côtes de bœuf ; et le **Papa Joe's** ( (305) 664-8109, au MM 79,7, où les fruits de mer sont préparés à l'italienne.

## COMMENT S'Y RENDRE

Certaines compagnies américaines proposent des vols réguliers entre Miami et l'aéroport régional de Marathon, situé à environ 32 km au sud-ouest de Long Key. La plupart des visiteurs arrivent cependant de Miami par la Route 1.

## DE GRASSY KEY À STOCK ISLAND

Les îles situées entre Grassy Key et Stock Island constituent l'archipel des Middle and Lower Keys (Keys moyennes et inférieures). Key West est considérée comme distincte des autres îles. La population est essentiellement concentrée à Marathon, dans les Middle Keys, et à Big Pine dans les Lower Keys. Marathon, sur Vaca Key, est une station balnéaire et un important centre de pêche ; c'est aussi le point de départ du Seven mile Bridge, le pont le plus long du pays (11 km) qui rejoint Sunshine Key, l'île voisine de Bahia Honda Key. Bahia Honda possède certaines des plus belles plages entre Key Largo et Key West.

CI-CONTRE : La maison la plus méridionale des États-Unis. CI-DESSUS : Une ancienne demeure typique de Key West.

La végétation est plus luxuriante dans les Lower Keys, en raison du climat légèrement plus chaud et plus tropical, mais les activités sont les mêmes que partout ailleurs dans l'archipel : sports nautiques, pêche, farniente, baignades. À Big Pine Key et dans les îles voisines, on aperçoit parfois le merveilleux et minuscule daim des Keys, en voie de disparition, dont la présence est fréquemment signalée par des panneaux. Au-delà de Big Pine Key, la route enjambe plusieurs îles vierges, bordées d'immenses plages. Les motels, les hôtels balnéaires et les restaurants se font plus nombreux à mesure que l'on approche de Key West.

## INFORMATIONS PRATIQUES

**La chambre de commerce de Greater Marathon** ( (305) 743-5417 APPEL GRATUIT (800) 842-9580, se trouve au Route 1, MM 53,5 bayside, Marathon 33043, et la **chambre de commerce des Lower Keys** ( (305) 872-2411 APPEL GRATUIT (800) 872-3722, est installée à Big Pine MM 31 oceanside.

## QUE VOIR, QUE FAIRE

### Excursions

Grassy Key abrite le **Dolphin Research Center** ( (305) 289-1121, Route 1, MM 59, qui – c'est sérieux – réhabilite les dauphins de spectacle souffrant de stress dû au surmenage, à la tension et aux bassins trop exigus. Vous pourrez vous baigner parmi ces créatures douces et patientes. Dans la petite ville de Marathon, le **Crane Point Hammock** ( (305) 743-9100, Route 1, au MM 50, est une importante réserve naturelle de 25 ha, couverte de plantes et d'arbres exotiques, de mangroves et de feuillus. On y trouve aussi des sites archéologiques et des maisons rénovées construites en conques.

Le **Seven mile Bridge**, qui relie Vaca Key à Sunshine Key, est une véritable merveille, tout comme l'immensité de l'océan qui s'étend de part et d'autre.

À Bahia Honda Key, le **Bahia Honda State Park** ( (305) 872-3210, MM 37, offre des plages de sable blanc, des plantes et des oiseaux tropicaux, un sentier naturel, des aires de pique-nique et une marina. Big Pine Key – une île couverte de pins et de cactées – est aussi le domaine du **National Key Deer Refuge** (refuge du daim des Keys). En 1954,

il ne restait qu'une cinquantaine de daims, mais des efforts de protection et une gestion attentive du parc leur ont permis de se multiplier. Ils sont aujourd'hui presque 300, en dépit des touristes bien intentionnés qui les nourrissent souvent de gâteries toxiques. (Si vous voyez un daim, ne lui donnez rien à manger : il risquerait d'en mourir, et vous vous exposeriez à une forte amende.)

### Sports

Pour faire des **sorties de pêche** à Marathon, contactez **Marathon Lady** ( (305) 743-5580,

Route 1 MM 53 à Vaca Cut Bridge, et Starlight ( (305) 743-8436, lui aussi sur la Route 1, MM 53. Si vous souhaitez faire des **sorties de plongée**, prendre des leçons ou louer du matériel, adressez-vous à **Paradise Diver** ( (305) 872-1114 APPEL GRATUIT (800) 852-0348 SITE WEB www.diveguideint.com/P0865.htm à MM 39, et à Sunshine Key Resort ; **Innerspace** (305) 872-2319 APPEL GRATUIT (800) 538-2896 E-MAIL swansea@aol.com, Route 1, MM 29,5 Big Pine Key.

Vous pourrez louer des bateaux à **Rick's Watercraft Rental** ( (305) 743-2450, Banana Bay Resort, Route 1, MM 49,5 et chez **Wet Willy's Watersports** ( (305) 743-9822, sur la plage du Buccaneer Resort, Route 1, MM 48,5. **Key Colony Beach** ( (305) 289-1533, à Marathon, dispose d'un parcours de **golf** et de courts de **tennis** accessibles au public.

## Shopping
Les seuls commerces des Middle et Lower Keys se trouvent à Marathon, qui rassemble plusieurs centres commerciaux, et un choix de boutiques proposant des cadeaux, des vêtements de sport et des maillots de bain.

## Vie nocturne
Des groupes de rock se produisent au **Looe Key Reef Resort** ( (305) 872-2215, MM 27,5,

teau. L'établissement dispose également d'un parcours de golf et de courts de tennis.

À Key Colony Beach, au 351 Ocean Drive East, l'**Ocean Beach Club** ( (305) 289-0525, dispose d'une plage privée, d'une piscine et de studios. Particulièrement agréable dans les Lower Keys, le **Little Palm Island** ( (305) 872-2524 FAX (305) 872-4843 SITE WEB www.noblehousehotel.com, MM 28,5, Little Torch Key, offre 28 bungalows à une chambre dans un superbe jardin et toute une gamme de sports nautiques. Seuls les enfants de plus de 16 ans sont admis dans l'hôtel.

Ramrod Key. Au **No Name Pub** ( (305) 872-9115, Big Pine Key, à l'extrémité nord de Watson Boulevard, vous pourrez jouer aux fléchettes ou au billard, écouter des orchestres, déguster une cuisine de pub copieuse et choisir plus de 70 bières.

## OÙ SE LOGER

### Luxe
Installé dans une île privée de 24 ha, le **Hawk's Cay Resort** ( (305) 743-7000, MM 61, Marathon, est niché dans un cadre tropical astucieusement rappelé par l'ameublement des chambres et des suites. L'hôtel possède un lagon privé sur l'Atlantique : sur sa plage, vous pourrez nager, faire de la planche à voile ou du ba-

### Prix moyens
Au **Buccaneer** ( (305) 743-9071 FAX (305) 743-5470 SITE WEB www.floridakey.com, MM 48,5, Marathon, vous trouverez des chambres, des bungalows et de petites villas – sans oublier la marina qui dispose de planches à voiles de bateaux à moteur de yachts et de charter.

À Marathon, le **Conch Key Cottages** ( (305) 289-1377, à l'écart de la Route 1, MM 62,5, occupe une île privée superbe, accessible par un pont. Ses jolis petits bungalows en bois sont parfaitement équipés et installés à proximité d'une petite plage privée.

EN FACE : Une moyen de transport à Key West.
CI-DESSUS : Un autre — le Conch Tour Train.

### Économiques

Le **Valhalla Beach Motel** ( (305) 289-0616, au bord de l'océan à Marathon, MM 56,5, dispose de 12 chambres, dont certaines sont équipées d'une cuisine. Au MM 50, 243 61st Street gulfside, le **Tropical Cottages** ( (305) 743-6048, offre 10 maisonnettes avec cuisine.

### RESTAURANTS

### Prix élevés

Dominant une marina, le **Kelsey's** ( (305) 743-9018, au Faro Blanco Resort au MM 48,5,

### Économiques

Le très intime **Grassy Key Dairy Bar** ( (305) 743-3816, MM 58,5, propose un menu différent chaque soir – italien, mexicain, etc. Les fruits de mer et les salades du **Shuckers Raw Bar & Grill** ( (305) 743-8686, 1415 15th Street, Marathon, connaissent un grand succès.

## KEY WEST

Key West, la ville la plus méridionale des États-Unis, abrite une population permanente de 24 000 personnes dans une île

sert de succulents fruits de mer. Un bateau vous transportera du MM 28,5 à Little Torch Key jusqu'au restaurant de **Little Palm Island** ( (305) 872-2524, où vous dégusterez de merveilleux fruits de mer et des cocktails délicieux sur la plage.

### Prix modérés

Le **Chef's** ( (305) 743-2250, au Sombrero Resort, 19 Sombrero Boulevard, Marathon, propose de la bonne cuisine à des pric raisonnables. Le restaurant est sans prétention et excellent. Au **Monteís Restaurant and Fish Market** ( (305) 745-3731, MM 25, Summerland Key, un restaurant familial spécialisé dans les fruits de mer, vous dégusterez de délicieuses soupes et fritures de conques.

subtropicale de 6,5 km de long et 3,2 km de large. Les habitants viennent de tous les milieux : des militaires en retraite et leur familles ; une communauté noire dont les ancêtres étaient originaires des Antilles ; des écrivains ; des artistes ; des Cubains en exil ; et les Conchs (prononcer «konks»), les descendants des premiers colons de l'île. Seuls les vrais Conchs sont autorisés à porter ce nom, bien que l'on puisse devenir «Conch d'eau douce» honoraire après sept ans de résidence.

Les Conchs d'origine arrivèrent des Bahamas à la fin du XVIIIᵉ siècle. L'île rejoignit le futur État de Floride en 1822, lorsque l'un des colons, John Simonton, l'acheta dans un bar cubain moyennant 2 000 $.

À la même époque, un commodore de la marine américaine, David Porter, débarrassa les Keys de tous leurs pirates, ce qui permit aux colons de créer leur propre forme de piraterie, reposant sur le pillage des épaves, qu'ils naufrageaient délibérément. Cette activité se révéla si rentable qu'en 1830, les Conchs de Key West pouvaient se vanter de bénéficier du revenu par personne le plus élevé du pays.

En 1850, la communauté conch (600 personnes) gagnait un million de dollars par an grâce au pillage. Peu après, l'île accueillit

### INFORMATIONS PRATIQUES

Pour plus de renseignements, contactez la **chambre de commerce de Greater Key West** ℂ (305) 294-2587 APPEL GRATUIT (800) 527-8539, se trouve au 402 Wall Street, Key West 33040.

Un office de tourisme consacré à l'ensemble des Keys, le **Florida Keys Visitors Bureau**, APPEL GRATUIT ℂ (800) FLA-KEYS SITE WEB www.fla-keys.com, est au 416 Fleming Street, Key West 33040.

une usine de cigares implantée par des immigrants cubains, puis une des plus importants des bases navales américaines de l'époque. En 1880, Key West avec ses 10 000 habitants était la plus grande ville de Floride.

Quelque temps plus tard, l'usine de cigares alla s'installer à Tampa, puis la grande dépression frappa, de sorte qu'en 1934, presque 80 % des habitants de Key West étaient au chômage. Une aide économique de l'État finit par aider la ville à sortir un peu de ses difficultés, et lui permit de survivre à l'ouragan qui détruisit la voie ferrée de Flagler.

Enfin, lorsque l'Ocean Highway atteignit les Keys, les touristes affluèrent.

### QUE VOIR, QUE FAIRE

**Excursions**

Pour découvrir Key West, empruntez le **Conch Tour Train** ℂ (305) 294-5161 ; des arrêts sont aménagés à Mallory Square, Roosevelt Avenue, Duval et Angela Streets. Le train circule tous les jours, à intervalles réguliers, de 9 h à 16 h. Il traverse la vieille ville, construite autour de **Duval Street**, avec ses édifices espagnols, ses constructions typiques du Sud, et ses anciens bâtiments en conques (parmi lesquels la plus ancienne maison de la ville) ; on trouve également

EN FACE : Un dîner au coucher du soleil. CI-DESSUS : Un mémorial en l'honneur des Cubains qui ont fui la Révolution de 1959.

dans ce quartier plusieurs bars très anciens, parmi lesquels le **Sloppy Joe's** ( (305) 294-5717, 201 Duval Street, où Hemingway allait boire et, parfois, écrire.

C'est dans **Hemingway's House** ( (305) 294-1135, au 907 Whitehead Street, que le grand écrivain vécut et travailla dans les années 1930. Il y écrivit notamment *Les Neiges du Kilimandjaro* et *En avoir ou pas*. Dans le bureau, vous découvrirez certains objets personnels de Hemingway. La maison est ouverte tous les jours de 9 h à 17 h. La maison de **Tennessee Williams** n'est pas

dollars actuels). Les lingots d'or et d'argent, les pièces, les diamants et les pierres précieuses qui composaient la cargaison de ce navire sont exposés dans le musée, 200 Greene Street. Il est ouvert du lundi au samedi de 9 h 30 à 17 h.

Au **Wrecker's Museum** ( (305) 294-9502, 322 Duval Street (musée des Naufrageurs) vous vous familiariserez avec la plus ancienne activité de la ville. On admire des maquettes de bateaux et divers objets maritimes au **Key West Lighthouse Museum** ( (305) 294-0012, 938 Whitehead Street, qui

ouverte au public, mais on peut observer sa façade, au 1431 Duncan Street. Autre célèbre habitant de Key West, le peintre et naturaliste James Audubon peignit les oiseaux de la région, et réalisa des gravures et des estampes ; bon nombre de ses œuvres sont exposées dans la **Audubon House** ( (305) 294-2116, 205 Whitehead Street. La demeure est ouverte tous les jours de 9 h 30 à 17 h.

La plus grande exposition au monde de trésors récupérés sur des épaves est rassemblée au **Mel Fisher Museum** ( (305) 294-2633 (baptisé en l'honneur de celui qui découvrit l'épave de l'*Atocha*, un galion espagnol du XVIIe siècle qui transportait un trésor d'une valeur de 400 millions de

présente aussi d'étonnants engins militaires, comme un sous-marin japonais à deux places capturé à Pearl Harbor. La vue depuis le sommet du phare justifie à elle seule le prix d'entrée. Le musée est ouvert de 9 h 30 à 17 h.

Si vous vous intéressez à l'histoire militaire, rendez-vous au **Fort Zachary Taylor State Historic Site** ( (305) 292-6713, à l'extrémité ouest de Southard Street. Le musée présente de nombreuses armes historiques, notamment une importante collection de canons de la guerre de Sécession. Vous découvrirez également l'histoire du fort, qui fut occupé par les Nordistes pendant la guerre de Sécession, et réarmé en 1898 avant la guerre hispano-américaine. Le parc qui

entoure le fort est doté d'aires de pique-nique et il est bordé par l'une des plus belles plages de l'île.

Si vous êtes d'humeur aventureuse, contactez **Seaplanes of Key West** ( (305) 294-0709 APPEL GRATUIT (800) 950-2359 SITE WEB www.conch.net/-seaplane, Key West Airport, et réservez votre place à bord d'un hydravion qui parcourt 109 km vers l'ouest jusqu'au **Fort Jefferson National Monument**, dans les Dry Tortugas, un archipel de petites îles coralliennes. Vous survolerez l'atoll des Marquesas Keys et un certain nombre de récifs de corail, de barres de sable et d'épaves, avant d'atterrir dans les Dry Tortugas, où vous pourrez explorer le fort et l'île.

### Sports

Pour faire des **parties de pêche** au large de Key West, dans les eaux du golfe du Mexique ou de l'Atlantique, ou dans les Dry Tortugas, rendez-vous à **Linda D** ( (305) 296-9798 APPEL GRATUIT (800) 299-9798, Dock 19 & 20, Amberjack Pier, City Marina ; ou chez **Yankee Cruise and Fishing** ( APPEL GRATUIT (800) 634-0939, Lands End Marina au pied de Margaret Street. Vous pourrez réserver des sorties de **plongée avec tuba** ou **bouteilles**, prendre des leçons et louer du matériel auprès du **Captain's Corner Diver Center** ( (305) 296-7701, Zero Duval Street à Ocean Key House Suite Resort and Marina ; et au **Subtropic Dive Center** ( (305) 296-9914 APPEL GRATUIT (888) 471-3483 SITE WEB www.subtropic.com, 1605 North Roosevelt Boulevard.

Vous trouverez un parcours de **golf** sur Stock Island, au Key West Resort ( (305) 294-5232, et des courts de **tennis** publics au **Island City Tennis** ( (305) 294-1346, sur Truman Avenue.

### Shopping

Une multitude de boutiques de souvenirs et de cadeaux, ainsi que des magasins de mode et d'artisanat, sont rassemblés dans la vieille ville, autour de Duval Street. Plusieurs galeries d'art de la vieille ville proposent des œuvres intéressantes d'artistes résidents ou en visite.

### Vie nocturne

Key West possède la vie nocturne la plus pittoresque et la plus variée des Keys. Ne manquez pas le **Sloppy Joe's** ( (305) 294-5717, 201 Duval Street, l'établissement favori d'Hemingway. Le mur est orné d'un espadon que le grand écrivain aurait pêché. Boissons fortes et longues histoires sont de rigueur, au son des orchestres de rhythm and blues. Autre haut lieu de Key West, le **Captain Tony's Saloon** ( (305) 294-1838, 428 Greene Street, attire une clientèle bohème.

Pour dancer, passez au **Channel Zero** ( (305) 294-4060, 218 Duval Street, où des DJ's mixent la musique des années 70, 80 et 90. **Rumrunner Key** ( (305) 293-1999, 210 William Street, est un bateau qui accueille 171 passagers pour une fête avec bar, jacuzzi, et reggae live au coucher du soleil.

Pour vivre l'une des expériences les plus romantiques de votre vie, rendez-vous à Mallory Square, à l'extrémité nord de Duval Street, et fondez-vous dans la foule qui admire le coucher du soleil sur le golfe du Mexique, tandis que des musiciens locaux interprètent de douces mélodies folkloriques.

Un bar de bord de mer où ne manque que les flibustiers.

### Luxe

Les voyageurs qui empruntaient la voie ferrée de Flagler appréciaient particulièrement
le **Wyndham Casa Marina Resort** ℂ (305)
296-3535 APPEL GRATUIT (800) 626-0777,
1500 Reynolds Street, l'un des établissements
les plus chics de la ville. Il dispose d'une plage
privée où vous pourrez pratiquer de nombreux sports nautiques, de courts de tennis,
d'une piscine et d'une jetée pour la pêche.

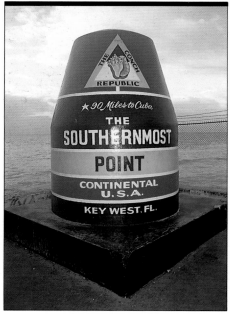

On trouve à Key West plusieurs anciennes pensions victoriennes, parmi lesquelles
le **Eaton Lodge** ℂ (305) 294-3800 FAX (305) 294-
4018 SITE WEB www.eatonlodge.com, 511 Eaton
Street, où chaque chambre est dotée d'un
balcon surplombant un jardin tropical. Très
agréable également, le **La Mer Hotel** ℂ (305)
296-6577 APPEL GRATUIT (8000 354-4455
SITE WEB www.oldtownresorts.com,
506 South Street, propose des chambres
donnant sur l'océan. En bordure de la ville,
au 901 Front Street, le **Hyatt Key West**
ℂ (305) 296-9900 APPEL GRATUIT (800) 554-9288
FAX (305) 292-1038 SITE WEB www.hyatt.com,
possède une plage, une marina, une piscine,
des jacuzzis et une salle de gymnastique ;
ses chambres spacieuses offrent en plus

des vues magnifiques des célèbres couchers
de soleil de Key West.

### Prix moyens

Le **South Beach Motel** ℂ (305) 296-5611
APPEL GRATUIT (800) 354-4455 FAX (305) 294-
8272 SITE WEB www.oldtownresorts.com,
doté d'une petite jetée propice à la baignade
et à la pêche, dispose de chambres claires
et agréables au 500 South Street.

Les 22 chambres pourvues de meubles
anciens de la **Duval House Historic Inn**
ℂ (305) 294-1666 FAX (305) 292-1701 SITE WEB
www.kwflorida.com/duvalhse.html, une
auberge âgée de 130 ans, entourent un jardin et une piscine au cœur de la vieille ville,
au 815 Duval Street. Autre petite pension
sympathique, l'**Eden House** ℂ (305) 296-6868
APPEL GRATUIT (800) 533-5397 FAX (305) 294-
1221 SITE WEB www.edenhouse.com,
1015 Fleming Street, possède un décor et
un mobilier des années 1920, des chambres
avec cuisine, et une piscine.

### Économiques

Sur Simonton Street, le **Santa Maria** ℂ (305)
296-5678 APPEL GRATUIT (800) 821-5397
FAX (305) 294-0010, au N° 1401, est très confortables. Offrant également un bon rapport
qualité-prix, avec sa jetée et sa piscine, est
l'**Atlantic Shores** ℂ APPEL GRATUIT (800) 778-7711
SITE WEB www.atlanticshoresresort.com,
510 South Street.

La chambre de commerce de Key West
ℂ APPEL GRATUIT (800) 732-2006, 628 Fleming
Street, Key West 33040, vous fournira un
guide des hôtels et des pensions.

## RESTAURANTS

### Prix élevés

Le **Louie's Backyard** ℂ (305) 294-1061,
700 Wadell Street, est aménagé dans une
maison en conques classée monument historique. Le fascinant menu du chef Norman
Van Aken comprend du canard au barbecue
accompagné de nouilles orientales et de sauce
sichuanaise et un carré d'agneau en croûte à
la moutarde de Dijon, au romarin et à l'ail.
C'est sans doute le meilleur restaurant de la
ville. Le **Café des Artistes** ℂ (305) 294-7100,
1007 Simonton Street, est spécialisé dans la
cuisine provençale et les plats haïtiens.

## Prix modérés

Les amateurs de sushis, sashimis, teriyaki, sukiyaki et autres délices japonais se rendront au **Kyushu** ℂ (305) 294-2995, 921 Truman Street. Vous pourrez dîner en plein air, sous un auvent de bambou, ou dans une salle traditionnelle avec tatamis. Le **La-Te-Da** ℂ (305) 296-6706, est le restaurant européen de l'hôtel La Terrazza de Marti, 1125 Duval Street. L'**Antonia's** ℂ (305) 294-6565, 615 Duval Street, propose des spécialités d'Italie du Nord préparées avec art, et offre des demi-portions de ses différents

goûter la salade d'épinards d'Ellen. Une autre de ces cantines incontournables peut-être le **Lobo Mixed Grill** ℂ (305) 294-3294, Five Key Lime Square, qui propose des sandwiches et une grande variété de quesadillas.

Pour des plats Tex-Mex, passez chez **Gato Gordo** Cafe ℂ (305) 294-0888, 404 Southard Street, qui offre par ailleurs 86 marques de tequila.

Et pour savourer peut-être les meilleures des fameuses tartes au citron vert, arrêtez-vous au **Key West Lime Shoppe** ℂ (305) 296-0806 SITE WEB www.keylimeshop.com,

plats de pâtes. Le **Bagatelle** ℂ (305) 296-6609, installé dans une maison en conques restaurée au 115 Duval Street, sert un assortiment de fruits de mer locaux et des spécialités plus exotiques des Bahamas. Pour déguster de bons plats frits du Sud, optez pour le **Pepe's Café** ℂ (305) 294-7192, à proximité des anciens quais, 806 Caroline Street.

## Économiques

**Camille's**, 703 ° Duval street sert de délicieux petits déjeuners et déjeuners ainsi qu'un brunch le dimanche.

**Duds n' Suds** ℂ (305) 292-1959, 829 Fleming Street, ne paie pas de mine et se cache à côté d'une laverie automatique, mais si vous aimez les épinards, vous devez aller

200 A Elizabeth Street et goûtez une de leur spécialités préalablement trempée dans du chocolat au lait avant d'être congelée autour d'un bâton.

### COMMENT S'Y RENDRE

Delta Airlines assure des liaisons régulières vers Key West. En voiture, empruntez la Route 1, qui aboutit au phare de Key West. Vous aurez alors atteint l'extrême pointe méridionale des États-Unis continentaux.

À GAUCHE : L'extrémité méridionale des États-Unis.
CI-DESSUS : Un rendez-vous des loups de mer.

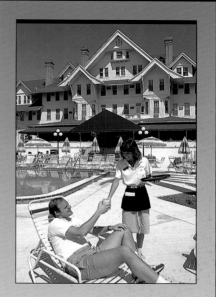

# Conseils pratiques

UN CONSEIL S'IMPOSE : trouvez une bonne agence de voyages. Comment ? Posez les mêmes questions à différents organismes – des questions simples, auxquelles les brochures ne donnent pas de réponse. Il ne s'agit pas de dénicher une agence qui possède toutes les réponses – personne n'est parfait – mais un établissement où les employés soient prêts à vous consacrer du temps et à prendre la peine de faire des recherches.

## COMMENT S'Y RENDRE

### EN AVION

Toutes les grandes villes de Floride sont desservies quotidiennement (souvent plusieurs fois par jour) par de nombreuses compagnies aériennes américaines et internationales. Entre autres :

Air France APPEL GRATUIT (800) 237-2747 SITE WEB www.airfrance.com. ;

KLM APPEL GRATUIT (800) 374-7747 SITE WEB www.klm.nl ;

British Airways APPEL GRATUIT (800) 247-9297 SITE WEB www.british-airways.com ;

Delta APPEL GRATUIT (800) 221-1212 SITE WEB www.delta-air.com ;

Virgin Atlantic APPEL GRATUIT (800) 862-8621 SITE WEB www.flyvirgin.com ;

Continental APPEL GRATUIT (800) 523-3273 SITE WEB www.flycontinental.com ;

Lufthansa APPEL GRATUIT (800) 645-3880 SITE WEB www.lufthansa.com et ;

American Airlines APPEL GRATUIT (800) 433-7300 SITE WEB www.americanair.com.

Les réductions spéciales et les forfaits sont également très nombreux. Chaque compagnie aérienne en propose au moins un, de même qu'American Express et bien d'autres agences de voyages.

### EN TRAIN

Afin de ne pas être complètement dépassé par les compagnies aériennes, Amtrak offre désormais un certain nombre de tarifs spéciaux (ainsi qu'une cuisine et un service nettement améliorés) aux voyageurs à destination de la Floride. Renseignez-vous auprès de votre agence de voyage à propos des tarifs «All Aboard America». Si vous venez de l'étranger, vous pourrez bénéficier du forfait USA Railpass, qui permet des voyages illimités dans le pays pendant une certaine période. Pour tout renseignement concernant les horaires et les tarifs spéciaux, y compris les voyages organisés, adressez-vous directement à **Amtrak** APPEL GRATUIT (800) USA-RAIL, P.O. Box 311, Addison, Illinois 60101.

### EN AUTOCAR

Les deux principales compagnies américaines d'autocars, Greyhound et Trailways, proposent des tarifs réduits sur les voyages vers la Floride depuis toutes les régions du pays. Les billets «Moneysaver» de Greyhound, réservables trente jours à l'avance, sont particulièrement intéressants.

## En voiture

Le moyen le plus répandu pour rejoindre la Floride à partir des autres États reste de très loin la voiture. Le réseau d'autoroutes ferait presque oublier le voyage, bien qu'il faille tout de même compter deux jours pour descendre de New York ou Chicago et au moins trois jours pour y venir de la côte Ouest. Les grandes routes qui aboutissent par la Floride incluent :

**Interstate 95** : Boston, New York, Philadelphia, Baltimore, Washington DC, Virginia, North Carolina, Savannah, Jacksonville, Space Coast, Miami.

**Interstate 75** : Detroit, Cincinnati, Kentucky, Tennessee, Atlanta, Tampa, Sarasota, Fort Myers, Miami.

**Interstate 10** : Los Angeles, Phoenix, San Antonio, Houston, New Orleans, Mobile, Pensacola, Tallahassee, Jacksonville.

## RENSEIGNEMENTS TOURISTIQUES

Pour recevoir une multitude d'informations et de chiffres, de cartes et de photos, de brochures et d'opuscules, il suffit de contacter l'un des organismes suivants, en Europe ou aux États-Unis :

### En Belgique :
**Visit USA Tourism Center** ( (02) 648 4356, 203, boulevard du Général-Jacques, Bruxelles 1050.

Le bord de mer à Seaside.

**En France**:
**Informations touristiques de l'ambassade des États-Unis** ( 01 42 60 57 15 (serveur vocal accessible 24 h sur 24) Minitel : 3615 USA, ou 3617 USA Tourisme.

**En Grande Bretagne :**
**U.S. Travel and Tourism Administration** ( (071) 439-7433 22 Sackville Street, London W1X 2EA. **Florida Division of Tourism** ( (0171) 727-1661, 18-24 Westbourne Grove, London W2 5RH.

**Aux États-Unis :**
**Florida Association of Conventions and Visitors Bureau** ( (850) 425 1200 SITE WEB www.facvb.org., 136 South Bronough Street P.O. Box 11309, Tallahassee FL 32302-3309.

Florida Department of Environmental Protection, **Division of Recreation and Parks** ( (850) 488-9872 SITE WEB www.dep.state.fl.us/parks, 3900 Commonwealth Boulevard Tallahassee FL 32399.

**National Park Service**, Southeast Region ( (404) 562-3100, 1924 Building, 100 Alabama Street SW, Atlanta, GA 30303.

Florida **Fish and Wildlife Conservation Commission** SITE WEB WWW.state.fl.us/gfc 620-624 South Meridian Street, Tallahassee 32399-1600.

**Florida Association of RV Parks and Campgrounds** ( (850) 562-7151 FAX (850) 562-7179 E-MAIL FlaARVC@aol.com, 1340 Vicker Drive, Tallahassee 32303.

À cela s'ajoutent environ 200 chambres de commerce disséminées dans tout l'État. Chacune d'entre elles répondra avec plaisir à toutes vos demandes et vous fournira des informations concernant la région qu'elle représente. En outre, de nombreux offices du tourisme et bureaux d'informations sont destinés à répondre aux questions plus précises. Vous en trouverez la liste dans les différentes rubriques de ce guide.

---

## AGENCES DE VOYAGES

**Atalante** ( 01 55 42 81 00 FAX 01 55 42 81 01, E-MAIL atalante@atalante.fr 10 rue des Carmes, 75005 Paris, a pour principe de faire découvrir les beautés naturelles et la population d'un pays en respectant son environnement, et s'engage à respecter une charte éthique. Outre

l'équitation, la plongée, le VTT, il est possible de faire de nombreuses randonnées et des voyages naturalistes accompagnés de scientifiques et de spécialistes du pays. Ils sont basés également à Lyon ( 04 72 53 24 80 FAX 04 72 53 24 81, CP 701, 36-37 quai Arloing, 69266 Lyon cedex 9; en Auvergne ( 04 73 30 81 84 FAX 04 73 30 81 72, 31 voie Romaine, 63400 Chamelières; et en Suisse ( (2) 340 24 19.

Il existe des agences françaises spécialisées dans une activité. C'est le cas de **Blue Lagoon** ( 01 44 63 64 17 FAX 01 40 23 01 43, 81 rue Saint-Lazare, 75009 Paris, pour la plongée.

**Objectif Nature** ( 01 53 44 74 30 FAX 01 53 44 74 35 SITE WEB www.objectif-nature.tm.fr E-MAIL info@objectif-nature.tm.fr, 63 rue de Lyon, 75012 Paris, est destiné aux photographes amateurs ou professionnels, qui sont encadrés par un spécialiste de la photo animalière et botanique, par groupe de 8 personnes maximum, à la carte si vous le souhaitez.

Depuis l'Europe et le Canada, le touropérateur Nouvelles Frontières propose des séjours et des voyages sur le thème de la randonnée, de la plongée et autres sports nautiques :

En **Belgique** ( (2) 547-44 44, 2, boulevard Lemmonier, 1000 Bruxelles ; au **Canada** ( (514) 871-3060, à 1180, rue Drummond,

Suite 330, Montréal, QUE H 3G 2R7. En **France** ( 0803 33 33 33 (numéro centralisé) Nombreuses agences. En **Suisse** ( (22) 906-8080, 10, rue Chante-Poulet, 1201 Genève.

**Voyageurs du Monde** ( 01 42 86 17 70 FAX 01 42 86 17 88 MINITEL 3615 VOYAGEURS, SITE WEB www.vdm.com, 55, rue Sainte-Anne, 75002 Paris ; à Toulouse ( 05 62 73 56 46, 12, rue Gabriel Péri, 31000 Toulouse ; à Lyon ( 04 72 56 94 56, 5, quai Jules Courmont, 69003 Lyon, propose un itinéraire en individuel ou en groupe, avec plusieurs options. Il organise des voyages sur mesure avec un guide francophone, et peut vous trouver des spécialistes d'un sport ou d'un sujet sur place.

## AMBASSADES ET CONSULATS

### AMBASSADES ET CONSULATS DES ÉTATS-UNIS À L'ÉTRANGER

En **Belgique** ( (02) 508 2111, 27 boulevard du Régent, Bruxelles 1000.

Au **Canada** (Consulat des États-Unis) ( (418) 692 2095, 2 place Terrace-Dufferin, CP 939, G1R-4T9 Québec.

En **France** ( 01 43 12 22 22, 2 avenue Gabriel, Paris 75008.

En **Suisse** ( (031) 357 7011 FAX (031) 357 7398, 93 Jubilaumstrasse, Berne 3005.

### AMBASSADES ET CONSULATS ÉTRANGERS EN FLORIDE

**Consulat honoraire de Belgique** ( (305) 932 89 81, N.E. 192nd Street, North Beach, Miami 33131.

**Consulat général du Canada** ( (305) 579-1600, First Union Financial Center, 200 South Biscayne Boulevard, Suite 1600, Miami 33131.

**Consulat général de France** ( (305) 372 97 97, Biscayne Tower 2, South Biscayne Boulevard, Miami 33131.

**Consulat honoraire de Suisse** ( (305) 274-4210, Sunset Chiropractic Center, 7301 S.W. 97th Avenue, Miami 33131.

## FORMALITÉS

Les Canadiens doivent seulement fournir la preuve de leur nationalité ; en revanche, les ressortissants de pays d'Europe occiden-tale doivent être munis d'un passeport en cours de validité, mais aucun visa n'est nécessaire.

## DOUANE

On peut importer, hors taxes, 200 cigarettes, ou 50 cigares, ou 1,4 kg de tabac. Précisons cependant qu'il faudrait être stupide pour apporter du tabac (en particulier des cigares) dans un État où l'on trouve d'excellents produits pour une fraction de leur prix hors taxes dans les aéroports. Il en va de même pour

l'alcool : vous avez le droit d'en importer un litre, mais il serait plus sage et plus économique de l'acheter sur place. Vous pouvez également importer des cadeaux pour une valeur de 100 $.

## QUAND Y ALLER

Comme les oiseaux, les visiteurs affluent vers la Floride durant l'hiver. En janvier, le mois le plus froid, la température diurne moyenne dans le sud de l'État est de 23°C, l'eau est à 22°C. Les soirées sont naturellement plus fraîches, mais restent très agréables.

À GAUCHE : Le bateau est le meilleur moyen d'explorer les Everglades. À DROITE : La résidence d'hiver de John Ringling, Ca'd'Zan, à Sarasota.

Les étés sont chauds, mais sans excès ; il fait rarement plus de 32°C. En revanche, l'humidité est pénible, bien que les averses de fin d'après-midi aient tendance à éliminer la moiteur de l'air. En outre, les omniprésents climatiseurs assèchent en même temps qu'ils rafraîchissent l'air intérieur.

Comme dans la plupart des régions tropicales, le printemps et l'automne sont les saisons les plus agréables.

## QU'EMPORTER

Là encore, le plus ancien conseil reste le meilleur : emportez la moitié des vêtements et le double de l'argent dont vous pensez avoir besoin. C'est particulièrement vrai en Floride, où vous trouverez tout ce que vous pouvez désirer, et à des prix très intéressants.

Voici cependant une liste de quelques objets dont certains ne se passeraient jamais : couteau suisse, coupe-ongles, mouchoirs en papier, couteau, fourchette et cuiller en plastique, gobelet en plastique, cure-dents, serviettes humidifiées, nécessaire de couture, gouttes pour les yeux, aspirine, colle, pommade antiseptique, lotion antimoustiques, et piles adaptées à tous les appareils que vous emportez. Si vous avez la peau sensible, ajoutez-y une crème solaire.

## DÉPLACEMENTS

L'automobile reste le moyen de transport le plus pratique en Floride. Tout d'abord, c'est sans doute la région au monde où les locations de voiture sont les moins chères. Toutes les grandes sociétés de location (Hertz, Avis, Budget, etc.) proposent des prix spéciaux, et les autres n'en ont pas besoin. En outre, l'essence est extraordinairement bon marché par rapport à l'Europe. Enfin, bien sûr, les routes et autoroutes américaines sont un véritable rêve pour les automobilistes.

Si vous préférez le train, Amtrak dessert 22 villes de Floride. Renseignez-vous auprès de votre agence 2de voyages, ou contactez le **service d'informations et de réservations d'Amtrak** APPEL GRATUIT (800) 872-7245. Les autocars Greyhound et Trailways sillonnent les moindres recoins de l'État, et Greyhound propose également plusieurs forfaits. Pour plus de précisions, écrivez à Greyhound, 901 Main Street, Dallas, TX 75202.

En ce qui concerne les vols intérieurs, renseignez-vous auprès de votre agence de voyages à propos des billets Visit USA et des nombreuses navettes qui relient les différentes villes.

## RENSEIGNEMENTS ÉLÉMENTAIRES

Vous pensez sans doute qu'en Floride on parle l'anglais ? C'est faux. Dans le sud de l'État, l'espagnol (et parfois le yiddish) sont plus répandus. En outre, l'anglais que l'on entend en Floride est très différent de celui de Shakespeare. Il reste toutefois très compréhensible et, même si vous avez appris un anglais académique, vous ne devriez éprouver aucune difficulté.

Le courant électrique est du 110-115 volts. À moins d'avoir acheté vos appareils aux États-Unis, vous aurez besoin d'adaptateurs et d'un transformateur.

À l'exception de l'extrême nord-ouest de l'État, la Floride est située dans la zone horaire Eastern Standard Time, soit à GMT – 5 : autrement dit, quand il est midi à Paris, Genève et Bruxelles, il est 6 h à Miami. Si, pour une raison particulière, vous avez besoin de connaître l'heure exacte, composez le ( (305) 324-8811.

## SANTÉ

Les soins médicaux sont naturellement excellents, mais aussi extrêmement coûteux : n'envisagez donc pas un instant de vous rendre en Floride sans souscrire une assurance médicale pour la durée de votre séjour. De nombreux organismes proposent ce service, notamment Europe Assistance et AVAssist. Votre agence de voyages ou votre assureur pourront vous conseiller avec précision.

Pour le reste, ne sous-estimez pas la capacité des insectes locaux à gâcher vos vacances. Moustiques, fourmis rouges, mouches (surtout les mouches de sable) et autres insectes nuisibles sont très nombreux et se précipitent sur tous ceux qui ne sont pas équipés de lotion antimoustiques.

## ARGENT

La plaisanterie rabâchée à propos du touriste américain demandant : «Combien cela coûte-t-il en vrai argent ?» perd de son sel lorsqu'on se trouve dans une banque américaine, face à un guichetier qui examine vos devises étrangères comme s'il regarderait une menace écrite par un bandit annonçant silencieusement un hold-up. Le dollar a certes connu des fluctuations ces dernières années, mais il reste l'unique monnaie que les Américains comprennent et reconnaissent. Il est donc préférable de voyager avec des dollars en billets ou en chèques de voyage. En outre, dans le pays qui a inventé la monnaie de plastique, il vaut mieux être

Travelodge et Motel 6. Le choix est pratiquement infini, surtout sur les destinations très touristiques que sont Miami et Orlando.

Réerver en avance est d'une nécessité absolue durant les mois d'été (juin, juillet et août) ainsi que lors des vacances et fêtes américaines (Noël, Thanksgiving, Pâques, Memorial Day, Labor Day). Le meilleur moyen pour réserver reste d'appeler les numéro gratuit de l'établissement qui vous intéresse. N'hésitez pas à poser moultes questions avant de confirmer votre réservation : déterminez la position géograpique exacte

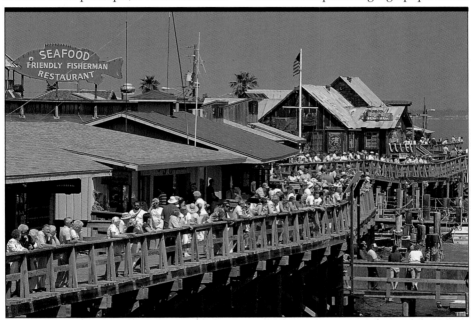

muni d'une carte de crédit internationale (Visa, MasterCard, etc.). En fait, beaucoup de commerçants préfèrent les cartes de crédit aux espèces – certains insistent même pour que vous utilisiez ce mode de paiement.

## HÉBERGEMENT

La Floride dispose de suffisamment d'hôtels pour répondre à tous les goûts, tous les besoins et tous les budget des grands établissements de luxe aux campings des parcs nationaux et aux petits motels qui bordent les routes. Les grandes chaînes comme Hilton, Sheraton et Hyatt y sont bien représentées au même titre que les chaînes de motel privilégiant le rapport qualité-prix comme Days Inn,

de l'hotel, la distance qui le sépare des endroits qui vous intéressent le plus et les équipements qu'il propose.

**Hotel de luxe et de standing** :
Hilton : ☏ (800) 445-8667
Holiday Inn : ☏ (800) 465-4329
Howard Johnson : ☏ (800) 654-2000
Hyatt : ☏ (800) 233-1234
Marriott : ☏ (800) 228-9290
Ramada : ☏ (800) 228-2828
Sheraton : ☏ (800) 325-3535

**Hotels et motels bon marché** :
Comfort Inn : ☏ (800) 228-5150
Days Inn : ☏ (800) DAYS INN

La promenade de Madeira Beach.

Motel 6 : ℂ (800) 4-MOTEL-6
Quality Inn : ℂ (800) 228-5151
Super 8 : ℂ (800) 843-1991
Travelodge : ℂ (800) 255-3050
Hotel Sofitel : ℂ (800) 258-4888

## TARIFS

Les tarifs des hôtels et des restaurants fluc-tuent énormément en fonction de certains paramètres (voir BIENVENUE EN FLORIDE page 65). Dans le cadre de ce guide, j'ai donc di-visé ces établissements en trois catégories,

correspondant à la fourchette générale des prix auxquels vous pouvez vous attendre.

En ce qui concerne les hôtels, les différen-tes catégories correspondent aux prix suivants :

**Luxe** : plus de 120 $ pour une chambre double (parfois beaucoup plus).

**Prix moyens** : de 60 à 120 $.

**Économiques** : moins de 60 $ la chambre double (parfois beaucoup moins).

Pour les restaurants, les catégories sont les suivantes :

**Prix élevés** : plus de 50 $ par personne, vins non compris.

**Prix modérés** : de 20 à 50 $.

**Économiques** : moins de 20 $ (souvent nettement moins).

## RESTAURANTS

La Floride possède de nombreux excellents restaurants qui servent des spécialités euro-péennes, et j'en ai d'ailleurs déjà recomman-dés plusieurs. Toutefois, en règle générale, les meilleurs plats sont les plus typiques de la région, (voir À VOUS DE CHOISIR, LES AVEN-TURES GASTRONOMIQUES page 57).

## BRONZAGE

N'oubliez pas que le soleil de Floride est très puissant, et qu'il ne faut pas le prendre à la légère si vous souhaitez bronzer agréa-blement. Tout d'abord, pour citer l'expression mémorable de Noel Coward, seuls les chiens fous et les Anglais sortent sous le soleil de midi : de 11 h à 14 h, il est préférable de rester à l'ombre.

Par ailleurs, et c'est le plus difficile, utili-sez une lotion protectrice, au moins pendant les premiers jours ; soyez patient, et n'aug-mentez le temps d'exposition que très progressivement. Selon votre type de peau, ne restez pas plus d'une demi-heure au so-leil durant les premiers jours, et augmentez la durée des bains de soleil jusqu'à deux heu-res à la fin de la première semaine. Vous devriez alors être prêt pour des expositions plus prolongées.

Sachez aussi que certaines parties du corps sont plus sensibles que d'autres. Le nez, les genoux et le dessus des pieds doivent être particulièrement protégés ; portez de «bon-nes» lunettes de soleil, dotées d'un revête-ment anti-UV qui filtre les redoutables rayons ultraviolets. Les filtres polarisés constituent une bonne solution si vous envisagez de passer beaucoup de temps sur l'eau, où la réverbération est dangereuse.

## POURBOIRES

Dans la mesure où le pourboire est la recon-naissance d'un service rendu, son importance dépend en dernière instance de votre opinion quant à la qualité de ce service. Toutefois, si le travail effectué était convenable et si le service n'est pas compris dans l'addition (il l'est rarement en Floride) il convient de laisser environ 15 % de pourboire dans les restau-

*Conseils pratiques*

rants et pour le service en chambre. Les porteurs s'attendent à environ 1 $ par bagage, et les chauffeurs de taxi espèrent 10 à 15 % de pourboire. Quant aux femmes de chambre, vous leur laisserez environ 10 $ par semaine, davantage si le service est particulièrement attentionné. N'oubliez pas qu'en Floride, la plupart des employés des entreprises de services perçoivent un salaire minimal – 200 $ par semaine avant déduction des impôts : ils fournissent donc beaucoup d'efforts pour obtenir de bons pourboires qui leur assurent un revenu plus confortable.

## CONDUIRE EN FLORIDE

L'aspect le plus frustrant – en fait, le seul aspect frustrant – de la conduite en Floride, et aux États-Unis en général, concerne les limitations de vitesse, qui sont les plus strictes au monde dans ce pays qui possède également les meilleures routes de la planète : 88 km/h sur les autoroutes et les routes nationales, et de 32 à 64 km/h en agglomération. Ces limitations, qui sont clairement indiquées, ont été relevées à 105 km/h, voire à 113 km/h, sur certaines autoroutes, mais uniquement dans les régions rurales. Respectez scrupuleusement la réglementation : votre vitesse est rigoureusement contrôlée.

On peut tourner à droite aux feux rouges, à condition de marquer un arrêt complet, et pourvu qu'aucun panneau ne l'interdise. Deux autres règles peuvent vous prendre au dépourvu : tous les conducteurs doivent être porteurs d'une assurance personnelle pour les dommages corporels, et les enfants de moins de 5 ans doivent être maintenus par des ceintures de sécurité ou installés dans des sièges spéciaux.

Pour plus de précisions, contactez le **Florida Highway Safety and Motor Vehicles Department** ( (850) 488-2276, 2900 Apalachee Parkway, B441, SITE WEB WWW.state.fl.us /hsmv. Pour obtenir de l'aide ou des informations sur la route, adressez-vous à l'**American Automobile Association** ( (407) 444-7000, 1000 AAA Drive, Lake Mary FL 32746.

De tous les spectacles que l'on peut voir en conduisant, le plus insolite se trouve peut-être sur les routes elles-mêmes, car la Floride possède sans doute plus de voitures «personnalisées» que tous les autres États, à l'exception de la Californie. La plus drôle que j'aie vue lors de mon séjour était une Coccinelle Volkswagen jaune équipée d'oreilles de souris, d'un nez et d'une queue. Vous remarquerez également beaucoup de plaques d'immatriculation personnalisées très amusantes. Ma préférée : L8 4 WORK (jeu de chiffres et de mots ; en retard au boulot !).

## CAMPING

La Floride compte presque une centaine de parcs d'État, ainsi que des terrains de caravaning et des aires sauvages dotées d'installations pour le camping. Pour de plus amples informations, contactez le **National Park Service**, Southeast Region ( (404) 562-3100, 100 Alabama Street, Southwest, 1924 Building, Atlanta, GA 30303. Vous trouverez aussi de précieux renseignement dans l'annuaire *Florida Camping Directory* publié par la **Florida Association of RV Parks and Campgrounds** ( (850) 562-7151, 1340 Vickers Drive, Tallahassee FL 32303.

## TENNIS

Si la Floride possédait un sport d'État officiel, ce serait sans aucun doute le tennis. Ce n'est pas un hasard si la reine du tennis américain, Chris Evert, et d'autres championnes comme Jennifer Capriati, ont grandi sur des courts publics de Floride.

Ces courts – publics et privés – sont omniprésents, y compris dans les plus grands hôtels. Le service local des loisirs vous fournira tous les renseignements nécessaires concernant les courts de tennis de la région que vous visitez. Vous pouvez également vous adresser à la **Florida Tennis Association** ( (954) 968-3434, 1280 Southwest 36th Street, Pompano Beach FL 33069.

## GOLF

Le golf arrive juste après le tennis dans le cœur des habitants de la Floride. En réalité, la surface consacrée aux parcours de golf correspond à celle d'une république bananière ! Non seulement on trouve de

---

Les officiers de police de Floride sont formés pour venir en aide aux 47 millions de visiteurs qui se rendent chaque année dans cette région.

*Conseils pratiques*

magnifiques parcours publics un peu partout, surtout à proximité des stations balnéaires les plus fréquentées, mais la plupart des golfs privés acceptent les visiteurs moyennant une somme symbolique. Là aussi, le service des loisirs vous fournira la liste des parcours de la région. Vous pouvez également vous adresser à la **Florida State Golf Association** ( (941) 921-5695, 5714 Draw Lane, Sarasota FL 34238.

Si vous préférez assister à des tournois de golf, allez en Floride en février, mars ou octobre : en février, Miami accueille le Doral

On dénombre au large des côtes de Floride plus de 600 espèces de poissons, et presque autant de variétés de bateaux à louer dans tous les ports. Si vous ne souhaitez pas partir au large, vous pourrez également pêcher depuis de nombreuses jetées. Enfin, si vous n'aimez pas rester immobile en attendant que le poisson morde, vous trouverez de nombreuses occasions d'aller pêcher les crustacés : crabes, coquilles Saint-Jacques et homards notamment.

Pour vous procurer un guide complet de la pêche en Floride, écrivez à la **Florida**

Eastern Open ; en mars, le Tournament Players Championship est organisé à Jacksonville et, en octobre, vous pourrez assister au Pensacola PGA Open et au championnat national par équipes à Walt Disney World.

**Game and Freshwater Fish Commission** ( (850) 488-0520 FAX (850) 413-0381 E-MAIL wattenb@mail.state.fl.us SITE WEB www .fcn.state.fl.us/gfc/fishing, 620 South Meridian Street, Tallahassee FL 32399.

## PÊCHE

Avec 12 800 km de côtes, 30 000 lacs et d'innombrables rivières et ruisseaux, la Floride est un véritable paradis pour les pêcheurs. Vous devrez vous procurer un permis auprès d'une marina ou d'une boutique d'articles de pêche – il vous en coûtera 16 $ pour sept jours et 31,50 $ pour un an. En revanche, aucun permis n'est nécessaire pour la pêche en mer.

## CROISIÈRES

Les croisières sont si nombreuses au départ des ports de Floride que la péninsule ressemble presque à un embarcadère géant. Il existe des croisières du matin et de l'après-midi, au soleil et au clair de lune, des croisières d'une demi-journée ou d'une journée, de deux jours et de deux nuits, d'une semaine et davantage, vers les Bahamas et les îles Vierges, les Antilles et le Mexique, et même en direction de Los Angeles et San Francisco par le canal de Panama.

De même, les compagnies maritimes sont si nombreuses, installées dans de multiples villes portuaires et répondant à tant de goûts différents, qu'il serait impossible d'en dresser une liste complète.

## FÊTES ET JOURS FÉRIÉS

*Nouvel An*   1ᵉʳ janvier
*Anniversaire de Martin*
*Luther King, Jr* 15 janvier
*Presidents' Day*   20 février
*Memorial Day*   Dernier lundi de mai
*Independence Day (fête nationale)*   4 juillet
*Labor Day (fête du Travail)*   Premier lundi de septembre
*Columbus Day*   Deuxième lundi d'octobre
*Veterans' Day*   11 novembre
*Thanksgiving*   Quatrième jeudi de novembre
*Noël*   25 décembre

Lors de ces jours fériés, les bureaux administratifs et les banques sont fermés. Selon les régions, les boutiques et les restaurants peuvent ouvrir leurs portes à ces dates, mais la plupart des centres commerciaux ouvrent 7 jours sur 7, y compris les jours fériés.

D'autres fêtes, comme la Saint-Patrick (17 mars), le dimanche de Pâques (fin mars ou début avril), la fête des Mères (mai), la fête des Pères (juin), et Halloween (31 octobre) peuvent être célébrées de différentes manières selon les communautés, (voir la liste des célébrations locales et régionales dans À VOUS DE CHOISIR, FÊTES ET FESTIVALS.).

## COURRIER

Les bureaux de poste sont généralement ouverts de 8 h 30 à 17 h en semaine, et de 9 h 30 à midi le samedi. Si vous ignorez quelle sera votre adresse exacte, vous pouvez vous faire adresser votre courrier en poste restante, ᶜ/ₒ General Delivery, au bureau principal de la ville où vous séjournerez. Vous récupérerez votre courrier en personne, sur présentation d'une pièce d'identité. Vous pouvez également vous faire envoyer du courrier portant la mention «Client's Mail», ᶜ/ₒ American Express.

Si les bureaux de poste sont fermés ou difficiles d'accès, vous trouverez partout des distributeurs de timbres. Toutefois, compte tenu de la surtaxe prohibitive appliquée sur ces timbres, il est préférable de demander à votre hôtel ou motel de se charger de l'expédition du courrier.

Les télégrammes et les télex sont expédiés par Western Union et International Telephone and Telegraph, des sociétés privées dont vous trouverez les coordonnées dans les pages jaunes de l'annuaire. Après avoir dicté votre message par téléphone, vous pourrez faire facturer les frais d'envoi sur votre note d'hôtel.

## TÉLÉPHONE

On trouve des téléphones publics dans toutes les rues, ainsi que dans les halls d'hôtels, les restaurants, les stations-service, les drugstores, les centres commerciaux et les bâtiments publics. Un appel local coûte environ 25 à 35 cents. Pour obtenir les renseignements locaux, composez le 411 ; pour les renseignements concernant une autre région, appelez le 1-555-1212. Les tarifs des appels longue distance baissent après 17 h, et plus encore après 23 h.

Pour passer un appel local, avec le même préfixe, composez directement le numéro de votre correspondant. Pour appeler une autre région du pays, composez le 1 + l'indicatif régional + le numéro de votre correspondant. Pour obtenir l'aide d'un opérateur, composez le 0 au lieu du 1 avant le reste du numéro. Un opérateur vous répondra avant que votre appel aboutisse. Pour téléphoner à l'étranger, composez le 011 + indicatif du pays (33 pour la France) + indicatif régional + numéro de votre correspondant.

## RADIO ET TÉLÉVISION

Comme le reste des États-Unis, la Floride regorge de médias.

Chaque grande ville dispose de ses propres chaînes de télé, la pluplart d'entre elles étant affiliées aux groupes nationaux (ABC, CBS, NBC, Fox, UPN and WB). Le cable et le satellite ajoutent à cette offre une soixantaine de chaînes, dont des chaînes

Les parcours de golf de Floride figurent parmi les plus beaux du monde.

d'information continue (CNN, MSNBC), de sport (ESPN) et des chaînes destinées aux enfants (Disney, Cartoon, Fox Family, Nickelodeon). Les programmes sont détaillés dans les journeaux quotidiens ainsi que dans les hebdomadaires de télé distribués dans les kiosques et dans les supermarchés.

Les stations de radio ne sont pas en reste, avec des spécialités allant du rock au jazz à la country western jusqu'au talk show. Deux bandes sont utilisées : la FM, qui est plus orientée musique ; et l'AM, dont les stations

## ACHATS IMMOBILIERS

Le plus grand hommage que l'on puisse rendre à la Floride consiste peut-être à remarquer qu'un grand nombre de ceux qui y vont en vacances souhaitent ensuite s'y installer.

Il est non seulement facile d'acheter des biens immobiliers en Floride, mais les prix sont extrêmement intéressants selon les normes internationales actuelles. Les acomptes sont faibles (20 %) et les taux d'intérêt très intéressants pour les acheteurs étrangers. Par

se consacrent plus à l'information et au talk shows. Pour l'information continue, l'info traffic, essayez WINZ 940 et WIOD 610 à Miami.

Au rang des grand journeaux en Floride on trouve *the Miami Herald, the St. Petersburg Times, the Orlando Sentinel, the Fort Lauderdale Sun-Sentinel, the Jacksonville Times-Union* et *the Palm Beach Post*. Les éditions nationales comme l'ultra-conservateur *Wall Street Journal* et le haut en couleurs *USA Today* sont en vente dans la plupart des kiosques, tout comme le très respecté *the New York Times*. Pour les journeaux et magazines internationaux, tentez les grands kiosques ainsi que les librairies dans l'agglomération de Miami.

conséquent, l'achat d'une maison de vacances ou de retraite en Floride semble vraiment être un très bon investissement.

Quels que soient vos goûts, la chambre de commerce locale vous fournira tous les renseignements et les introductions nécessaires.

Bateaux de pêche à Tarpon Springs.

# Lectures conseillées

AUDUBON, JEAN-JACQUES. *Le Grand Livre des oiseaux*. Avec la collaboration des ornithologues Roger Tory et Virginia-Marie Peterson. Éditions Mazenod, 1985.

BARTRAM, WILLIAM. *Le voyage de William Bartram 1773–1776*. Découverte du passage et invention de l'exotisme américain. Traduction et présentation de Yvon Chatelin. Éditions de l'ORSTOM, 1991.

BURGESS, FRANÇOISE. *America – le rêve blessé*. Éditions Autrement – Série Monde, 1992.

CHEBEL, CLAUDE. *L'Épervier d'Amérique*. Éditions Lattès, 1985.

CULOT, MAURICE, ET LEJEUNE JEAN-FRANÇOIS. *Miami : Architecture sous les tropiques*. Éditions des Archives d'Architecture Moderne (AAM). Hazan, 1995.

DE HUMBOLDT, ALEXANDRE. *Voyages en Amérique équinoxiale*. Éditions Maspero, 1980.

HEMINGWAY, ERNEST. *En avoir ou pas*. Gallimard, 1990 (1937) ; *Le Soleil se lève aussi* (1926) ; *L'Adieu aux armes* (1929) ; *Les Neiges du Killimandjaro* (1935) ; *Pour qui son ne le glas* (1940) ; et *Le Vieil Homme et la mer* (1952).

HIAASEN, CARL. *Miami Park*. Roman policier. J'ai lu, 1998.

MARIENSTRAS, ÉLISE. *Les mythes fondateurs de la nation américaine*. Essai sur le discours idéologique aux États-Unis à l'époque de l'indépendance (1763–1800). François Maspero, 1976.

SANCHEZ, THOMAS. *Kilomètre Zéro*. Le Seuil, «Fiction», 1990.

SOWELL, THOMAS. *L'Amérique des ethnies*. Éditions Âge d'Homme, 1983.

WILLIAMS, TENNESSEE. *Un tramway nommé Désire*. Gallimard, 1992 (1947). *La rose tatouée* (1935) ; *La chatte sur un toit brûlant* (1935) ; *Soudain l'été dernier* (1958) ; *Vieux carrés* (1977) ; *Memoirs* (1975) ; et *Androgyne, Mon amour* (1977).

**En anglais :**

BENNETT, CHARLES E. *Settlement of Florida*. University of Florida Press, Gainesville 1968.

BIRNBAUM, STEVE. *Walt Disney World: The Official Guide*. Houghton Mifflin, Boston 1989.

BURNETT, GENE M. *Florida's Past*. Pineapple Press, Sarasota 1986.

DASMAN, RAYMOND F. *No Further Retreat: The Fight to Save Florida*. Macmillan, 1971.

DIDION, JOAN. *Miami*. Pocket Books, 1987.

FICHTER, GEORGE S. *Birds of Florida*. E.A. Seamann, Miami 1971.

HALL, JAMES. *Mean High Tide*. Mandarin, London 1994.

HATTON, HAP. *Tropical Splendor: An Architectural History of Florida*. Alfred A. Knopf, New York 1987.

HIAASEN, CARL. *Native Tongue*. Fawcett Crest, New York 1991.

*Skintight*. Pan Books, London 1991

JAHODA, GLORIA. *Florida: A bicentennial History*. W.W. Norton, New York 1976.

*Kennedy Space Center Story*. NASA, Cape Canaveral 1986.

LUMMUS, JOHN N. *The Miracle of Miami Beach*. Teacher Publishing, Miami 1940.

MACDONALD, JOHN D. *Condominium*. Lippincott, New York 1977. *The Deep Blue Good-by*. Fawcett, New York 1964

MCGUANE, THOMAS. *Ninety-two in the Shade*. Farrar, Straus, New York 1973.

MCLENDON, JAMES. *Papa Hemingway in Key West*. E. A. Seamann, Miami 1972.

MARTH, DEL et MARTHA. *Florida Almanac*. A.S. Barnes, St. Petersburg 1988.

MORRIS, ALLEN. *The Florida Handbook*. Peninsula Publishing, Tallahassee 1989.

NEY, JOHN. *Palm Beach*. Little & Brown, 1966.

RABKIN, RICHARD et JACOB. *Nature Guide to Florida*. Banyan Books, Miami 1978.

SMILEY, NIXON. *Florida: Land of Images*. E.A. Seamann, Miami 1977.

SMILEY, NIXON. *Yesterday's Florida*. E.A. Seamann, Miami 1974.

STACHOWITZ, JIM. *Diver's Guide to Florida and the Florida Keys*. Windward Publishing, 1976.

WILLIAMS, TENNESSEE. *Memoirs*. Doubleday, New York 1975.

# Guide rapide de A à Z des lieux et des centres d'intérêt, avec la liste des hôtels et restaurants, les adresses et numéros de téléphone utiles